RÉAL TREMBLAY

La manifestation
et la vision
de Dieu
selon
saint Irénée de Lyon

ASCHENDORFF MÜNSTER

Münsterische Beiträge zur Theologie

Begründet von Franz Diekamp und Richard Stapper
fortgeführt von Hermann Volk
herausgegeben von Bernhard Kötting und Joseph Ratzinger

Heft 41

© Aschendorff, Münster Westfalen, 1978 · Printed in Germany

Aschendorffsche Buchdruckerei, Münster Westfalen, 1978

ISBN 3-402-03576-6

A mon frère cadet
Alyr,
étudiant en théologie

TABLE DES MATIERES

Avant-propos

Cet ouvrage est le texte légèrement retouché d'une thèse présentée, à l'été 1975, à la faculté de théologie catholique (Fachbereich Katholische Theologie) de l'Université de Ratisbonne pour l'obtention du grade de Docteur en théologie.

A l'occasion de cette publication, je voudrais remercier d'abord M. le Prof. Dr Joseph Ratzinger (Ratisbonne) qui, tout au long de mon travail, m'a encouragé et soutenu de son amitié, de son enthousiasme invincible et de ses remarques toujours appropriées. Mes remerciements vont également à M. le Prof. Dr Norbert Brox (Ratisbonne) pour son assistance discrète et compétente. Ils vont encore à M. le Prof. Dr Bernhard Kötting (Münster) à qui je dois que ce travail paraisse dans la présente collection. Au R. P. Adelin Rousseau O.C.S.O., dont j'ai plus d'une fois bénéficié de l'hospitalité à l'Abbaye Notre-Dame d'Orval et qui a tant fait pour que ce travail ne soit pas trop indigne du «grand Irénée», ma reconnaissance la plus vive. A mon compagnon d'étude M. le Dr Hans-Jochen Jaschke (Münster) à qui nous devons une importante monographie sur la pneumatologie d'Irénée, parue dans cette collection, un merci sincère pour son amitié et pour les longues heures de discussion toujours féconde sur l'interprétation de telle ou telle péricope irénéenne.

Enfin, je voudrais exprimer ma gratitude à mes supérieurs religieux qui m'ont permis un contact prolongé avec l'œuvre d'Irénée, ainsi qu'à mes confrères et collègues de l'Académie Alphonsienne de Rome, les R. P. Prof. Dr Louis Vereecke et Roger Roy C.Ss.R., qui ont accepté de revoir le manuscrit.

En terminant, qu'il me soit permis d'exprimer un désir. Que ce travail ne soit pas consulté par simple curiosité scientifique, mais à la lumière de la foi, qui nous enseigne que la manifestation du Fils est le terme du dessein salvifique du Père et que la vision même de Dieu est le sens ultime de la destinée de l'homme. C'est ainsi qu'en a parlé saint Irénée de Lyon.

Rome,
le 23 novembre 1976

BIBLIOGRAPHIE

I. Sources

A. Irénée

Massuet R., *Sancti Irenaei episcopi Lugdunensis et martyris Detectionis et eversionis falso cognominatae agnitionis Libri Quinque,* Paris, 1710 (retranscrit dans *PG* VII).

Harvey W.W., *Sancti Irenaei episcopi lugdunensis Libri quinque adversus Haereses,* 2 t., Cambridge, 1857 (réimpression 1965)[1].

Ter-Mekerttschian K., – Ter-Minassiantz E., – Harnack A., *Des heiligen Irenaeus Schrift zum Erweis der apostolischen Verkündigung.* Εἰς ἐπίδειξιν τοῦ ἀποστολικοῦ κηρύγματος (coll. Texte und Untersuchungen, 31/1), Leipzig, 1908 (2e éd.) (avec une traduction allemande).

Ter-Mekerttschian K., – Ter-Minassiantz E., *Irenaeus. Gegen die Häretiker.* Ἔλεγχος καὶ ἀνατροπὴ τῆς ψευδωνύμου γνώσεως. *Buch IV u. V in armenischer Version* (coll. Texte und Untersuchungen, 35/2), Leipzig, 1910.

Ter-Mekerttschian K., – Wilson S. G., *S. Irenaeus.* Εἰς ἐπίδειξιν τοῦ ἀποστολικοῦ κηρύγματος. *The Proof of the Apostolic Preaching with Seven Fragments,* dans *PO* XII, pp. 453–746 (avec une traduction anglaise).

Sagnard F., *Irénée de Lyon. Contre les hérésies. Mise en lumière et réfutation de la prétendue ‹connaissance›. Livre III* (coll. Sources chrétiennes, 34), Paris, 1952 (avec une traduction française).

Rousseau A., – Hemmerdinger B., – Doutreleau L., – Mercier C., *Irénée de Lyon. Contre les hérésies. Livre IV* (coll. Sources chrétiennes, 100/1 et 100/2), Paris, 1965 (cette édition est faite d'après les versions arménienne et latine; elle comporte, en outre, une rétroversion grecque ainsi qu'une traduction française)[2].

Rousseau A., – Doutreleau L., – Mercier C., *Irénée de Lyon. Contre les hérésies. Livre V* (coll. Sources chrétiennes, 152 et 153), Paris, 1969 (cette édition est faite d'après les versions arménienne et latine; elle comporte, en outre, une rétroversion grecque ainsi qu'une traduction française)[3].

---

[1] Dans le cas des livres I et II de l'*Adversus Haereses* (sigle: *AH.*), nous renverrons à cette édition (sigle Hv). Suivront la page et, dans certains cas, la ligne que nous comptons en omettant le texte grec et les titres. Exemple: *Dicunt esse quendam in invisibilibus, et inenarrabilibus alitudinibus* (sic) *perfectum Aeonem, qui ante fuit AH.* I. 1,1 / Hv 8,1–2.

[2] Nous emploierons cette traduction. De plus, à moins d'indication contraire, nous en utiliserons le texte latin (sigle: SC). Dans les cas où ce sera nécessaire, nous renverrons aux lignes de cette édition. Exemple: *Non igitur manifeste ipsam faciem Dei videbant prophetae ... AH.* IV. 20,10/SC. 656, 237–238. – Voir les remarques critiques de B. Hemmerdinger, *Observations critiques sur Irénée, IV (Sources chrétiennes 100) ou les mésaventures d'un philologue,* dans *JTS* 17 (1966), pp. 308–326, qui n'enlèvent rien au sérieux et à la solidité de l'ouvrage en cause. C'est aussi l'avis de A. Houssiau dans *RHE* 70 (1975), pp. 72–73.

[3] Même remarque qu'à la note précédente.

Rousseau A., – Doutreleau L., *Irénée de Lyon. Contre les hérésies. Livre III* (coll. Sources chrétiennes, 210 et 211), Paris, 1974[4].

Klebba E., *Des heiligen Irenäus fünf Bücher gegen die Häresien* (coll. Bibliothek der Kirchenväter, 61–62), Kempten–München, 1912, pp. 1–321; pp. 324 (2) – 582 (260) (traduction allemande seulement).

Weber S., *Des heiligen Irenäus Schrift zum Erweis der apostolischen Verkündigung* (coll. Bibliothek der Kirchenväter, 62), Kempten–München, 1912, pp. 583 (1) – 650 (68) (traduction allemande seulement).

Smith J. P., *St. Irenaeus. Proof of the Apostolic Preaching* (coll. Ancient Christian Writers, 16), Westminster–London, 1952 (traduction anglaise seulement).

Froidevaux L. M., *Irénée de Lyon. Démonstration de la prédication apostolique* (coll. Sources chrétiennes, 62), Paris, 1959 (traduction française seulement)[5].

B. Autres auteurs ecclésiastiques

Clément de Rome

Fischer J., *Die apostolischen Väter*, München, 1956.

Auteur de la lettre à Diognète

Marrou H.-I., *A Diognète* (coll. Sources chrétiennes, 33bis), Paris, 1965 (2e éd.).

Ignace d'Antioche

Camelot P. Th., *Ignace d'Antioche-Polycarpe de Smyrne. Lettres. Martyre de Polycarpe* (coll. Sources chrétiennes, 10), Paris, 1969 (4e éd.).

Théophile d'Antioche

Bardy G., *Théophile d'Antioche. Trois livres à Autolycus* (coll. Sources chrétiennes, 20), Paris, 1948.

Justin

Goodspeed E. J., *Die ältesten Apologeten*, Göttingen, 1914.

Clément d'Alexandrie

Stählin O., *Clemens Alexandrinus. T. 2: Stomata Buch I–VI* (coll. Die griechischen christlichen Schriftsteller, 15) Leipzig, 1906.

Tertullien

Kroymann A., *Quinti Septimi Florentis Tertulliani opera. III* (coll. Corpus scriptorum ecclesiasticorum latinorum, 47), Wien–Leipzig, 1906.

---

[4] Même remarque qu'à la note 2. – Pour la traduction française des livres I et II de l'*Adversus Haereses*, nous nous inspirerons de la traduction encore inédite du R. P. A. Rousseau.

[5] Nous utiliserons cette traduction française. De plus, nous renverrons toujours à cette édition (sigle: SC). Enfin, nous citerons cet ouvrage en nous servant du sigle: *Epid.*

Origène

Blanc C., *Origène. Commentaire sur saint Jean. T. 1 (Livres I–V)* (coll. Sources chrétiennes, 120), Paris, 1966.

Eusèbe de Césarée

Bardy G., *Eusèbe de Césarée. Histoire ecclésiastique. Livres V–VII* (coll. Sources chrétiennes, 41), Paris, 1955.

Méthode d'Olympe

Bonwetsch G. N., *Methodius* (coll. Die griechischen christlichen Schriftsteller, 27), Leipzig, 1917.

Basile de Césarée

Pruche B., *Basile de Césarée. Sur le Saint-Esprit* (coll. Sources chrétiennes, 17bis), Paris, 1968 (2e éd.).

II. Travaux

A. Irénée[6]

d'Alès A., *La doctrine de la récapitulation en saint Irénée*, dans *RSR* 6 (1916), pp. 185–211.

d'Alès A., *La doctrine eucharistique de saint Irénée*, dans *RSR* 13 (1923), pp. 24–46.

d'Alès A., *La doctrine de l'Esprit en saint Irénée*, dans *RSR* 14 (1924), pp. 497–538.

Audet Th.-A., *Orientations théologiques chez saint Irénée. Le contexte mental d'une* ΓΝΩΣΙΣ ΑΛΗΘΗΣ, dans *Traditio* 1 (1943), pp. 15–54.

Aubineau M., *Incorruptibilité et divinisation selon saint Irénée*, dans *RSR* 44 (1956), pp. 25–52.

Beuzart P., *Essai sur la théologie d'Irénée*, Paris, 1908.

Bousset W., *Jüdisch-christlicher Schulbetrieb in Alexandria und Rom. Literarische Untersuchungen zu Philo und Clemens von Alexandria, Justin und Irenaeus* (coll. Forschungen zur Religion und Literatur des Alten und Neuen Testaments, 6), Göttingen, 1915, pp. 272–282.

Bonwetsch G. N., *Der Gedanke der Erziehung des Menschengeschlechts bei Irenäus*, dans *ZST* 1 (1923), pp. 637–649.

Bonwetsch G. N., *Die Theologie des Irenäus* (coll. Beiträge zur Förderung christlicher Theologie, II, 9), Gütersloh, 1925.

Balthasar H. U. von, *Geduld des Reifens*, Basel, 1943.

Bengsch A., *Heilsgeschichte und Heilswissen. Eine Untersuchung zur Struktur und Entfaltung des theologischen Denkens im Werk «Adversus Haereses» des hl. Irenäus von Lyon* (coll. Erfurter theologische Studien, 3), Leipzig, 1957.

Benoît A., *Saint Irénée. Introduction à l'étude de sa théologie* (coll. Etudes d'Histoire et de Philosophie religieuse, 52), Paris, 1960.

Balthasar H. U. von, *Herrlichkeit. Eine theologische Ästhetik. T. 2: Fächer der Stile. 1ière partie: Klerikale Stile*, Einsiedeln, 1962.

---

[6] Cette liste de travaux n'est et ne veut pas être exhaustive. Nous l'avons conçue surtout en regard du rôle plus ou moins important que ces monographies ont joué dans notre recherche.

Brox N., *Juden und Heiden bei Irenäus*, dans *MTZ* 16 (1965), pp. 89–106.

Brox N., *Offenbarung, Gnosis und gnostischer Mythos bei Irenäus von Lyon. Zur Charakteristik der Systeme* (coll. Salzburger patristische Studien, 1), Salzburg–München, 1966.

Brox N., *Suchen und Finden. Zur Nachgeschichte von Mt 7, 7b/ Lk 11, 9b*, dans *Orientierung an Jesus. Zur Theologie der Synoptiker. Für Josef Schmid* (publié sous la direction de P. Hoffmann –N. Brox – W. Pesch), Freiburg–Basel–Wien, 1973, pp. 17–36.

Chaine J., *Le Christ rédempteur d'après saint Irénée*, Le Puy, 1919.

Duncker L., *Des heiligen Irenäus Christologie im Zusammenhange mit dessen theologischen u. anthropologischen Grundlehren*, Göttingen, 1843.

Dufourcq A., *Saint Irénée* (coll. Les Saints), Paris, 1904 (2e éd.).

Daniélou J., *S. Irénée et les origines de la théologie de l'histoire*, dans *RSR* 34 (1947), pp. 227–231.

Doutreleau L., – Regnault L., *Irénée de Lyon (saint)*, dans *DS* VII/2, 1923–1969.

Eynde D. van den, *Les normes de l'enseignement chrétien dans la littérature patristique des trois premiers siècles*, Gembloux–Paris, 1933.

Escoula L., *Le Verbe sauveur et illuminateur chez saint Irénée*, dans *NRT* 66 (1939), pp. 385–400; pp. 551–567.

Escoula L., *Saint Irénée et la connaissance naturelle de Dieu*, dans *RevSR* 20 (1940), pp. 252–270.

Eynde D. van den, *Eucharistia ex duabus rebus constans. S. Irénée, Adv. haereses, IV, 18, 5*, dans *Antonianum* 15 (1940), pp. 13–28.

Evieux P., *Théologie de l'accoutumance chez saint Irénée*, dans *RSR* 55 (1967), pp. 5–54.

Harnack A. von, *Der Presbyter-Prediger des Irenaeus (IV. 27,1–32,1). Bruchstücke und Nachklänge der ältesten exegetisch-polemischen Homilien*, dans ‹Philotesia› zu P. Kleinerts 70. Geburtstage, Berlin, 1907, pp. 1–37.

Hitchcock F. R. M., *Irenaeus of Lugdunum. A Study of his Teaching*, Cambridge, 1914.

Hunger W., *Der Gedanke der Weltplaneinheit und Adameinheit in der Theologie des h. Irenäus. Ein Beitrag zum Verständnis seiner Arbeitsweise*, dans *Schol* 17 (1942), pp. 161–177.

Houssiau A., *L'exégèse de Matthieu XI, 27b selon saint Irénée*, dans *ETL* 26 (1953), pp. 328–354.

Houssiau A., *La christologie de saint Irénée*, Louvain–Gembloux, 1955.

Holstein H., *Les témoins de la révélation d'après saint Irénée*, dans *RSR* 41 (1953), pp. 410–420.

Joppich G., *Salus carnis. Eine Untersuchung in der Theologie des hl. Irenäus von Lyon*, Münster-schwarzach, 1965.

Jaschke H.-J., *Pneuma und Moral. Der Grund christlicher Sittlichkeit aus der Sicht des Irenäus von Lyon*, dans *SM* 14 (1976), pp. 144–186.

Jaschke H.-J., *Der Heilige Geist im Bekenntnis der Kirche. Eine Studie zur Pneumatologie des Irenäus von Lyon im Ausgang vom altchristlichen Glaubensbekenntnis* (coll. Münsterische Beiträge zur Theologie, 40), Münster, 1976.

Kunze J., *Die Gotteslehre des Irenäus*, Leipzig, 1891.

Klebba E., *Die Anthropologie des hl. Irenaeus* (coll. Kirchengeschichtliche Studien, II, 3), Münster, 1894.

Loofs F., *Theophilus von Antiochien Adversus Marcionem und die anderen theologischen Quellen bei Irenaeus* (coll. Texte und Untersuchungen, 46/2), Leipzig, 1930.

Lawson J., *The Biblical Theology of Saint Irenaeus*, London, 1948.

Luckhart R., *Matthew 11, 27 in the ‹Contra Haereses› of St. Irenaeus*, dans *RUO* 23 (1953), pp. 65*–79*.

Lanne E., *La vision de Dieu dans l'œuvre de saint Irénée*, dans *Irénikon* 33 (1960), pp. 311–320.

Lebeau P., *KOINONIA. La signification du salut selon saint Irénée*, dans *EPEKTASIS. Mélanges patristiques offerts au Cardinal Jean Daniélou* (publiés par J. Fontaine et C. Kannengiesser), Paris, 1972, pp. 121–127.

Mambrino J., ‹Les deux mains de Dieu› dans l'œuvre de saint Irénée, dans *NRT* 79 (1957), pp. 355–370.

Nielsen J. T., *Adam and Christ in the Theology of Irenaeus of Lyons. An examination of the function of the Adam-Christ typology in the Adversus Haereses of Irenaeus, against the background of the Gnosticism of his time* (coll. Van Gorcum's theol. Bibl., 40), Assen, 1968.

Orbe A., *Hacia la primera teología de la procesión del Verbo*. Estudios Valentinianos – Vol. I/2 (coll. Analecta Gregoriana, 100), Roma, 1958.

Ochagavía J., *Visibile Patris Filius. A Study of Irenaeus' Teaching on Revelation and Tradition* (coll. Orientalia Christiana Analecta, 171), Roma, 1964.

Orbe A., *La teología del Espíritu Santo*. Estudios Valentinianos – Vol. IV (coll. Analecta Gregoriana, 158), Roma, 1966.

Orbe A., *Antropología de San Ireneo*, (coll. Biblioteca de Autores Cristianos, 286), Madrid, 1969.

Orbe A., *La revelación del Hijo por el Padre según san Ireneo (Adv. Haer. IV. 6). Para la exegesis prenicena de Mt. 11, 27,* dans *Gr* 51 (1970), pp. 5–83.

Prümm K., *Göttliche Planung und menschliche Entwicklung nach Irenäus ‹Adversus Haereses›,* dans *Schol* 13 (1938), pp. 206–224; pp. 342–366.

Prümm K., *Zur Terminologie und zum Wesen der christlichen Neuheit bei Irenäus,* dans *Pisciculi,* Münster, 1939, pp. 192–219.

Palashkovsky V., *La théologie eucharistique de saint Irénée, évêque de Lyon,* dans *Studia patristica II* (coll. Texte und Untersuchungen, 64), Berlin, 1957, pp. 277–281.

Reynders B., *Paradosis. Le progrès de l'idée de tradition jusqu'à saint Irénée,* dans *RTAM* 5 (1933), pp. 155–191.

Reynders B., *La polémique de saint Irénée. Méthode et principes,* dans *RTAM* 7 (1935), pp. 5–27.

Reynders B., *Optimisme et théocentrisme chez saint Irénée,* dans *RTAM* 8 (1936), pp. 225–252.

Rüsch Th., *Die Entstehung der Lehre vom heiligen Geist bei Ignatius von Antiochia, Theophilus von Antiochia und Irenäus von Lyon,* Zürich, 1952.

Reynders B., *Lexique comparé du texte grec et des versions latine, arménienne et syriaque de l'«Adversus Haereses» de saint Irénée. T. 2: Index des mots latins* (coll. Corpus Scriptorum Christianorum Orientalium, 142), Louvain, 1963.

Rousseau A., *Le Verbe ‹imprimé en forme de croix dans l'univers›: A propos de deux passages de saint Irénée,* dans ‹*Armeniaca*›. *Mélanges d'études arméniennes,* St. Lazare–Venise, 1969, pp. 67–82.

Rousseau A., *La doctrine de saint Irénée sur la préexistence du Fils de Dieu dans Dém. 43,* dans *Muséon* 89 (1971), pp. 5–42.

Radopoulos P., *Irenaeus on the Consecration of the Eucharistic Gifts,* dans *Kyriakon. Festschrift Johannes Quasten II,* Münster, 1971, pp. 844–846.

Simonin H. D., *A propos d'un texte eucharistique de S. Irénée,* dans *RSPT* 23 (1934), pp. 281–292.

Smith J. P., *Hebrew Christian Midrash in Irenaeus Epid. 43,* dans *Bibl* 38 (1957), pp. 24–34.

Unger D. J., *The Divine and Eternal Sonship of the Word according to St. Irenaeus of Lyons,* dans *Laurentianum* 14 (1973), pp. 357–408.

Vernet F., *Irénée (saint), évêque de Lyon,* dans *DTC* VII, 2, colonnes 2394–2533.

Wingren G., *Man and the Incarnation. A Study in the Biblical Theology of Irenaeus,* Edinburgh–London, 1959 (traduction de *Människan och Inkarnationen enligt Irenaeus,* Lund, 1947).

Widmann M., *Irenäus und seine theologischen Väter,* dans *ZThK* 54 (1957), pp. 156–173.

Ziegler H., *Irenäus der Bischof von Lyon. Ein Beitrag zur Entstehungsgeschichte der altkatholischen Kirche,* Berlin, 1871.

B. Le gnosticisme[7]

Bianchi U. (a cura di), *Le origini dello Gnosticismo*. Colloquio di Messina 13–18 Aprile 1966 (coll. Studies in the History of Religions [Supplements to *Numen*], 12), Leiden, 1970.

---

[7] Nous ne mentionnons que les principaux travaux utilisés pour notre étude du gnosticisme, notamment de celui de l'école de Valentin.

De Faye E., *Gnostiques et gnosticisme. Etude critique des documents du gnosticisme chrétien aux IIe et IIIe siècles*, Paris, 1913.

Foerster W., *Die Gnosis. T. 1: Zeugnisse der Kirchenväter*, Zürich–Stuttgart, 1969.

Jonas H., *Gnosis und spätantiker Geist. T. 1: Die mythologische Gnosis* (coll. Forschungen zur Religion und Literatur des Alten u. Neuen Testaments, 33), Göttingen, 1964 (3e éd.).

Puech H.-C., *La gnose et le temps*, dans *Eranos-Jahrbuch* 20 (1951), pp. 57–113.

Rudolph K. (Hrsg.), *Gnosis und Gnostizismus* (coll. Wege der Forschung, 262), Darmstadt, 1975.

Sagnard F., *La gnose valentinienne et le témoignage de saint Irénée* (coll. Etudes de Philosophie médiévale, 36) Paris, 1947.

Sigles

Bibl	Biblica, Roma, 1920 ss.
Bijdr	Bijdragen. Tijdschrift voor Filosofie en Theologie, Nijwegen, 1938ss.
DS	Dictionnaire de Spiritualité ascétique et mystique, Paris 1932 ss.
DTC	Dictionnaire de Théologie Catholique, Paris, 1903 ss.
EE	Estudios eclesiásticos, Madrid, 1922–1936, 1942 ss.
ETL	Ephemerides Theologicae Lovanienses, Louvain, 1924 ss.
Gr	Gregorianum, Roma, 1920 ss.
JTS	The Journal of Theological Studies, London, 1899 ss.
MTZ	Münchener Theologische Zeitschrift, München, 1950 ss.
Muséon	Le Muséon, Louvain, 1881 ss.
NRT	Nouvelle Revue Théologique, Tournai – Louvain – Paris, 1879 ss.
PG	Patrologia Graeca, publiée par J. P. Migne, Paris, 1857–1966.
PO	Patrologia Orientalis, publiée par R. Graffin et F. Nau, Paris, 1903 ss.
RevSR	Revue des Sciences Religieuses, Strasbourg, 1921 ss.
RGG	Die Religion in Geschichte und Gegenwart, Tübingen, 1956 ss (3e éd.).
RHE	Revue d'Histoire Ecclésiastique, Louvain, 1900 ss.
RSPT	Revue des Sciences Philosophiques et Théologiques, Paris, 1907 ss.
RSR	Recherches de Science Religieuse, Paris, 1910 ss.
RTAM	Recherche de Théologie Ancienne et Médiévale, Louvain, 1929 ss.
RUO	Revue de l'Université d'Ottawa, Ottawa, 1932 ss.
Schol	Scholastik, Freiburg i. Breisgau, 1926 ss.
SM	Studia Moralia, Roma, 1963 ss.

TWNT   Theologisches Wörterbuch zum Neuen Testament, publié par G. Kittel et continué par G. Friedrich, Stuttgart, 1933 ss.

ZNW   Zeitschrift für die neutestamentliche Wissenschaft und die Kunde der älteren Kirche, Gießen, 1900 ss, Berlin, 1934 ss.

ZST   Zeitschrift für systematische Theologie, Berlin, 1923 ss.

ZThK   Zeitschrift für Theologie und Kirche, Tübingen, 1891 ss.

CONVENTIONS

*   = Fragment grec.

**   = Rétroversion de A. Rousseau ou de L. M. Froidevaux selon que nous avons affaire aux livres III, IV et V de l'*Adversus Haereses* ou à l'*Epideixis*.

***   = Là où nous avons tenté de retracer le substrat grec.

Ibd.   = Au même endroit.

Id.   = Le même auteur.

Ira   = Référence à la version arménienne des livres IV et V de l'*Adversus Haereses* et de l'*Epideixis*. Nous transcrirons les mots arméniens selon le tableau de A. Meillet, *Altarmenisches Elementarbuch* (coll. Indogermanische Bibliothek, I, 10), Heidelberg, 1913, pp. 8–9.

Irl   = Référence à la version latine de l'*Adversus Haereses*.

o.c.   = Ouvrage déjà cité.

om.   = Omis.

Introduction

I. Saint Irénée de Lyon écrit quelque part dans son œuvre:

La gloire de Dieu c'est l'homme vivant, et la vie l'homme c'est la vision de Dieu: car, si déjà la révélation de Dieu par la création donne la vie à tous les êtres qui vivent sur la terre, combien plus la manifestation du Père par le Verbe donne-t-elle la vie à ceux qui voient Dieu!»[1].

Notre auteur formule ici une sorte de loi générale qui embrasse toute l'histoire, depuis ses origines jusqu'à sa consommation, – loi qui pourra s'appliquer de façon très différente aux diverses étapes de l'«économie», mais qui ne se vérifiera pas moins en chacune d'elles. Ne pourrait-on pas dire que toute l'histoire du salut n'est, d'après Irénée, qu'une «*MANIFESTATION*» (*manifestatio** φανέρωσις) progressive du Père à l'homme par son Verbe, manifestation à laquelle correspond une entrée progressive de l'homme dans la «*VISION*» (*vision*** ὅρασις) de Dieu?
Pour pouvoir répondre à cette question, il faudra répondre à une autre qui lui est sous-jacente: Comment Irénée conçoit-il cette «manifestation» et cette «vision» de Dieu? C'est à cette tâche que voudrait se consacrer ce travail[2].

II. L'étude de ces thèmes nous fournira-t-elle une grille qui nous permettra de déchiffrer plus facilement les grandes lignes de la théologie d'Irénée et qui rendra, dans son ensemble, les arcades de sa réflexion théologique plus transparentes? Pour ne pas anticiper sur les résultats de notre travail et laisser au lecteur la liberté de sa réponse, disons que rien ne s'y opposerait a priori.

---

[1] *AH*. IV. 20,7 / SC. 648, 180–184.

[2] Il existe déjà un certain nombre de monographies qui se rapportent de plus ou moins près à notre sujet.
Parmi celles-ci, citons le livre de J. Ochagavía, *Visibile Patris Filius. A Study of Irenaeus' Teaching on Revelation and Tradition* (coll. Orientalia Christiana Analecta, 171), Roma, 1964. Dans ce travail, l'auteur se propose de retracer et d'étudier les «fundamental points» de la doctrine de la révélation et de la tradition chez Irénée de Lyon. Citons encore l'article de E. Lanne, *La vision de Dieu dans l'œuvre de saint Irénée*, dans *Irénikon* 33 (1960), pp. 311–320. Dans cette étude, l'auteur tente d'approfondir l'idée qu'Irénée se fait de la vision de Dieu surtout à partir du chapitre 20 du quatrième livre de l'*Adversus Haereses*.
Rappelons enfin le chapitre que H. U. von Balthasar consacre à Irénée dans le premier volet de son tryptique théologique (Theo-phanie = Ästhetik; Theo-praxie = Dramatik; Theo-logie = Logik): *Herrlichkeit. Eine theologische Ästhetik*. T. 2: *Fächer der Stile*, Ière partie, *Klerikale Stile*, Einsiedeln, 1962, pp. 31–94. Du contenu de la pensée théologique, l'auteur passe à la méthode et à la forme de la pensée pour y découvrir, conformément au dessein de son ouvrage, une esthétique théologique.
La suite de ce travail montrera en quoi ces études se rapprochent et se distinguent de la nôtre.

Pour éviter tout malentendu et indiquer, sous cet angle, la portée
exacte de notre travail, précisons encore notre question. Il y a un danger
qui guette une recherche comme la nôtre, celui de réduire le tout à la
partie, d'identifier l'ensemble de la pensée à ce qui n'est – fût-elle importante – qu'une facette de celle-ci. En ce qui touche l'étude de tel ou tel
point de l'œuvre théologique d'Irénée, des travaux, par ailleurs de bonne
tenue, n'ont peut-être pas toujours su s'en garder[3]. Nous tenant pour
averti, nous tâcherons de l'éviter. Et c'est pourquoi la question que nous
posions plus haut ne veut pas et ne peut pas être comprise comme si notre
attention portée à un détail prétendait réfléchir l'ensemble. Son intention
est beaucoup plus modeste, celle de savoir si l'approfondissement des
thèmes choisis peut fournir certains points de repère, certains jalons à qui
voudrait dégager les jointures essentielles de l'œuvre irénéenne. C'est là
une première limite de notre travail. Une seconde qui lui est connexe est
que nous n'avons pas cherché à situer nos thèmes par rapport à d'autres
dont d'excellentes monographies ont également démontré l'importance.
Cet effort relève d'un ouvrage de synthèse que nous n'avons pas –
répétons le – voulu faire et que nous attendons encore de la part de
chercheurs mieux qualifiés que nous[4].

III. De l'analyse littéraire à laquelle il soumet les œuvres d'Irénée[5],

---

[3] Nous pensons particulièrement à l'étude de E. Scharl, *Recapitulatio mundi. Der Rekapitula-
tionsbegriff des hl. Irenaeus und seine Anwendung auf die Körperwelt* (coll. Freiburger Theologische Studien, 60), Freiburg im Breisgau, 1941, selon laquelle le «focus» de toute la
théologie irénéenne serait sa doctrine de la récapitulation. A. Benoît, dont l'intention
plus générale se prêtait moins à des simplifications de ce genre, a bien montré que la
théologie d'Irénée reposait sur des bases beaucoup plus larges: cf. A. Benoît, *Saint Irénée.
Introduction à l'étude de sa théologie* (coll. Etudes d'Histoire et de Philosophie religieuse, 52),
Paris, 1960, p. 225. Sur les dangers qu'entraînent de telles systématisations, voir A.
Bengsch, *Heilsgeschichte und Heilswissen. Eine Untersuchung zur Struktur und Entfaltung des
theologischen Denkens im Werk «Adversus Haereses» des hl. Irenäus von Lyon* (coll. Erfurter
theologische Studien, 3), Leipzig, 1957, p. 89.

[4] Voir déjà en ce sens les essais de Beuzart et de Bonwetsch. Pour les références, cf. p. 17
note 18.

[5] Dans le but d'y dégager la christologie d'Irénée, d'où le titre du livre auquel nous faisons
allusion: *La christologie de saint Irénée*, Louvain–Gembloux, 1955. – On s'est entendu en
général pour reconnaître la valeur exceptionnelle de ce travail. Pour notre part, nous
irions jusqu'à dire que, par la précision de ses analyses, ce travail constitue un *Höhepunkt*
qui cherche encore son pareil. Cela dit, nous ne pouvons taire qu'il nous laisse en général
sur notre faim en ce qui touche les perspectives d'ensemble sur le sujet en cause (cf.
encore J. Daniélou dans *Theologische Literaturzeitung* 82 (1957), p. 854; A. Benoît, *Saint
Irénée ...*, p. 40). En vertu du genre de l'œuvre d'Irénée, l'effort de s'élever au delà des
dédales de l'analyse ou, si l'on veut, de l'observation minutieuse des pièces de détail pour
dégager les supports d'ensemble qui les sous-tendent constitue presque un travail en
lui-même. Il se pourrait bien que cette faiblesse soit attribuable aux «diverses raisons»
qui, du témoignage même de l'auteur, l'ont «contraint à se limiter» (cf. l'Avant-propos,
p. x).

A. Houssiau tire trois «conclusions formelles qui touchent les divers niveaux de la structure littéraire»[6]. Présentons-les brièvement.

[6] L'auteur comprend ces «conclusions» comme une solution de rechange à la recherche des historiens allemands de l'école libérale, notamment de F. Loofs, qui, en s'autorisant des traces évidentes d'emprunts dans l'œuvre d'Irénée, poussa les principes de la «Quellenforschung» jusqu'à leurs ultimes conséquences et fit, de l'*Adversus Haereses*, un amas de sources disparates, et, de son auteur, un plagiaire quelque peu stupide.

Houssiau n'est pas le seul à avoir refusé le principe, la méthode et les résultats de cette recherche. Avant de mentionner d'autres noms qui, pour des raisons diverses, ont cru, devant elle, devoir adopter une attitude semblable, retraçons-en l'histoire.

C'est A. v. Harnack qui déjà en 1897 (cf. *Chron.* I. pp. 338 ss) avait montré (article qu'il reprend d'une façon plus exhaustive dix ans plus tard: *Der Presbyter-Prediger des Irenaeus (IV. 27,1–32,1). Bruchstücke und Nachklänge der ältesten exegetisch-polemischen Homilieen*, dans ‹Philotesia› zu P. Kleinerts 70. Geburtstage, Berlin, 1907, pp. 1–37) que *AH.* IV. 27,1–32,1 était tiré d'un exposé antimarcionite d'un Presbytre de l'Asie mineure.

W. Bousset poursuit le travail commencé par Harnack: *Jüdisch-christlicher Schulbetrieb in Alexandria und Rom. Literarische Untersuchungen zu Philo und Clemens von Alexandria, Justin und Irenaeus* (coll. Forschungen zur Religion und Literatur des Alten und Neuen Testaments, 6), Göttingen, 1915, pp. 272–282. Selon cet auteur, *AH.* IV. 20,8–12; 25,2 et 33,10–14 sont tirés d'un «Traktat über die Prophetenweissagungen» (o.c., pp. 277–278). L'emploi d'un «Traktat über die Freiheit des Willens» se traduit en *AH.* IV. 37–39 (o.c., p. 278). On retrouve également des emprunts de ce genre dans le livre V. *AH.* V. 21–24 viendrait d'une exégèse de l'histoire des tentations; *AH.* V. 25–30 d'un traité sur l'Antéchrist; *AH.* V. 31–36 d'un traité sur le millénarisme et sur la fin des temps (o.c., pp. 278 ss).

Tout en se reconnaissant redevable des recherches de ses prédécesseurs, F. Loofs les déclare insuffisantes pour venir à bout de la question qu'elles soulèvent: *Theophilus von Antiochien Adversus Marcionem und die anderen theologischen Quellen bei Irenaeus* (coll. Texte und Untersuchungen, 46/2), Leipzig, 1930, pp. 7–9. Au lieu d'établir comme Harnack et Bousset l'existence et les frontières de morceaux littéraires homogènes par l'étude de la structure du plan, Loofs «part de passages isolés, dans lesquels il repère l'influence d'une source théologique, puis il constate l'influence de cette source dans un domaine plus étendu» (ce sont là les expressions de A. Houssiau, *La christologie* ..., p. 6 note 4, qui rejoignent exactement les intentions de Loofs; cf. encore l'exellent compte rendu de E. Amann, *Chronique d'ancienne littérature chrétienne*, dans *RevSR* 12 (1932), pp. 238–255). C'est ainsi qu'il détecte l'existence de cinq sources: 1. I.Q.T. = ouvrage de Théophile d'Antioche *Contre Marcion* (*Theophilus* ..., pp. 10–80); 2. I.Q.U. = témoin d'une théologie antiochienne fort apparentée à Théophile (*Theophilus* ..., pp. 81–100); 3. I.Q.P. = Exposé d'un Presbytre caractérisé par sa «Geistchristologie» (*Theophilus* ..., pp. 101–210); 4. I.Q.A. = Source commune à Justin et à Irénée s'apparentant à un fragment du *De Resurrectione* conservé dans les *Sacra Parallela* (*Theophilus* ..., pp. 211–299); 5. I.Q.E. = Exégèse de Papias (*Theophilus* ..., pp. 325–338) incluant I.A.S. = Seniores (*Theophilus* ..., pp. 310–325). A ces sources, il faut encore ajouter l'influence massive de Justin (*Theophilus* ..., pp. 339–374). Loofs tire lui-même les conclusions de son travail: «Irenaeus ist als theologischer Schriftsteller viel kleiner gewesen, als man bisher annahm ... *Er war kein selbständiger Schriftsteller* ... Unausgeglichene Widersprüche stören ihn nicht. Noch kleiner wird Irenaeus als Theologe. Er hat tiefe und schöne Gedanken seinen Quellen ... nachgesprochen; aber sein Verständnis des Tiefsten, das er übernommen hat, ist oft ein recht oberflächliches» (*Theophilus* ..., p. 432; c'est nous qui soulignons).

Comment a-t-on réagi devant un tel portrait d'Irénée qui s'opposait à l'admiration de générations de chercheurs et de théologiens? Avec Audet, nous pouvons répondre que «la

1. La «*composition étendue*». –

La «composition étendue» désigne l'*Adversus Haereses* et l'*Epideixis* dans leur ensemble. Comment convient-il, de ce point de vue, de les qualifier? Selon notre auteur, l'*Adversus Haereses*[7] appartient «au genre polémique» conçu, d'après l'acceptation ancienne du terme, comme «un examen ou une dénonciation (ἔλεγχος) et une réfutation ou un renversement (ἀνατροπή) de la fausse gnose». A ce projet inital, Irénée ajoute trois livres de démonstration (ἀπόδειξις) où il «cherche non pas tant à réfuter l'erreur adverse qu'à prouver l'authenticité de la doctrine de l'Eglise sur les points en litige». Il s'ensuit que l'*Adversus Haereses*, du moins dans son ensemble[7a], n'est pas «une œuvre théorique ou didactique, ni un traité

critique s'est inclinée avec respect devant la tombe de Loofs et elle a rendu hommage au travailleur infatigable, au savant. Mais de ce testament, en général, on n'a pas admis la thèse» Th.-A. Audet, *Orientations théologiques chez saint Irénée. Le contexte mental d'une* ΓΝΩΣΙΣ ΑΛΗΘΩΣ, dans *Traditio* 1 (1943), p. 15. C'est le cas, comme nous l'avons déjà signalé, de A. Houssiau. C'est, pour des raisons plus ou moins diverses, encore le cas de E. Amann, *Chronique* ..., pp. 253–255; de F. R. M. Hitchcock, *Loofs' Theory of Theophilus of Antioch as a Source of Irenaeus*, dans *JTS* 38 (1937), pp. 130–139; 255–266; Id., *Loofs' Asiatic Source (IQA) and the Ps-Justin De Resurrectione*, dans *ZNW* 36 (1937), pp. 35–60 (cf. la position contraire de P. Prigent, *Justin et l'Ancien Testament* (coll. Etudes bibliques), Paris, 1964, pp. 50–61); de Th.-A. Audet, *Orientations* ..., p. 16; de G. Wingren, *Man and the Incarnation. A Study in the Biblical Theology of Irenaeus*, Edinburgh–London, 1959, pp. xvlll–xlx (traduction de *Människan och Inkarnationen enligt Irenaeus*, Lund, 1947); de M. Widmann, *Irenäus und seine theologischen Väter*, dans *ZThK* 54 (1957), pp. 156–173; de A. Benoît, *Saint Irénée* ..., p. 35. – Voir l'*APPENDICE I*.
[7] A. Houssiau, *La christologie* ..., pp. 7–10.
[7a] Le jugement que A. Houssiau porte ici sur l'*Adversus Haereses* dans son ensemble commande, nous semble-t-il, certaines réserves.
1. Que cet ouvrage d'Irénée soit polémique, nous l'admettons volontiers. Mais qu'il le soit d'abord et avant tout; plus encore, qu'il le soit presque uniquement, nous nous montrerions beaucoup plus réticent. Ne faudrait-il pas plutôt dire qu'il est *un exposé de la «foi» de l'Eglise* – telle que consignée dans l'Ecriture et la Tradition – dont l'hérésie gnostique est *l'occasion?* Certes, il ne s'agit ici que d'accents. Qui niera, cependant, que, selon que l'on mette en avant un aspect plutôt qu'un autre, c'est l'*Adversus Haereses* qui change d'allure; plus encore, c'est l'auteur lui-même qui prend un autre visage, son vrai visage, nous semble-t-il.
Dans ce contexte, nous aimerions exprimer notre désaccord avec cette opinion de Marrou: «... Si s. Irénée apparaît comme le premier grand penseur de la tradition orthodoxe, c'est dans une assez large mesure aux adversaires gnostiques qu'il réfutait, qu'il doit sa source fondamentale et le mécanisme même que, transposé dans un autre registre, suivra sa propre pensée» H. I. Marrou, *La théologie de l'histoire dans la gnose valentinienne*, dans *Le origini dello Gnosticismo*. Colloquio di Messina 13–18 aprile 1966, Testi e discussioni pubblicati a cura di Ugo Bianchi (coll. Studies in the History of Religions [Supplements to *Numen*], 12), Leiden, 1970, p. 225.
2. Selon A. Houssiau, le genre démonstratif «ne comporte ni unité littéraire rigoureuse, ni homogénéité théologique parfaite».
Ici, nous ne sommes pas d'accord. La longue fréquentation de l'œuvre irénéenne avait déjà éveillé en nous l'intuition du contraire. Cette intuition est devenue une certitude à la suite de nos contacts personnels avec le R. P. A. Rousseau. Elle s'est confirmée encore

qui expose méthodiquement la foi de l'Eglise. Son caractère reste polémique, ce qui ... rend plus dure la tâche d'esquisser la théologie que la sous-tend». Quant au genre démonstratif, «il ne comporte ni unité littéraire rigoureuse, ni homogénéité théologique parfaite». La charité le pressant de fournir à ses collègues polémistes des armes nombreuses, le discours d'Irénée ou encore la suite réelle de ses idées obéit ici, plutôt qu'à une finalité rationnelle, à un mécanisme psychologique dont il est lui-même inconscient[8].

L'*Epideixis*[9] participe à deux genres différents correspondant au double objectif d'Irénée: il expose (*Epid.* 2–42) et il démontre (*Epid.* 42–97). Plus précisément encore: Dans la première partie, synthétique et de composition littéraire cohérente, Irénée décrit la réalité connue par la foi, la voie de salut transmise par les apôtres et prêchée par l'Eglise. Dans la seconde, plus analytique et aussi plus désordonnée dans sa composition, l'évêque montre la concordance de cette voie du salut avec les prophéties.

A l'une et à l'autre qui se répondent, au reste, doublement[10] appartiennent encore les traits suivants. L'exposé s'apparente à une didachè enseignant la voie du salut. Comme tel, il garde cependant un caractère plus théorique (= sotériologie) que moral. S'il est mené en opposition aux voies des hérétiques (Marcion et Ptolémée), il fait preuve d'un ton plus didactique que polémique. A la différence de l'*Adversus Haereses*, la démonstration ne recourt pas formellement au Nouveau Testament. La comparaison de la foi de l'Eglise à celle de l'ancienne Alliance dispense Irénée d'établir l'authenticité apostolique de cette foi. Sous la visée de la démonstration qui est d'éclairer l'intelligence chrétienne, l'arsenal apologétique utilisé perd son caractère d'apologie adressée aux juifs ou

---

après la lecture du travail de Ph. Bacq qui démontre la cohérence interne du livre IV, livre qui, de prime abord, apparaît comme le moins ordonné de la partie démonstrative de l'*Adversus Haereses.* Cf. Ph. Bacq, *Structure du Livre IV de l'Adversus Haereses de saint Irénée,* Paris, 1975, (dissertation manuscrite).

[8] «Avant de passer à l'exégèse synthétique de l'œuvre d'Irénée, ajoute Houssiau, nous devons saisir le dessein de l'auteur. Mais découvrir le dessein d'un polémiste revient à préciser l'objectif de la controverse». Il faudra donc identifier l'adversaire et dégager le litige doctrinal.

L'auteur prend soin de préciser que cette étude doit se faire du point de vue d'Irénée et non de celui des hérétiques ou encore de celui des historiens du gnosticisme. «Cependant, ajoute-t-il, trois raisons différentes nous obligent en certains cas à recourir à des renseignements étrangers. D'une part, l'exégèse des notices peut l'exiger; ensuite, certaines allusions polémiques d'Irénée ne peuvent s'expliquer que grâce à une plus large connaissance des systèmes (ptoléméen ou marcionite); enfin, il peut être nécessaire de comprendre la signification originelle de certains arguments».

[9] A. Houssiau, *La christologie...*, pp. 10–12.

[10] En vertu des deux principes sur lesquels Irénée se base: «le christianisme ne se comprend pas sans l'examen des prophéties, et l'intelligence de la prophétie n'est possible que par la foi entendue comme connaissance du fait chrétien».

aux païens pour se référer à une situation plus intérieure à l'Eglise: pénétrer l'intelligence des Ecritures et la vérité de la foi. Enfin, il serait faux de comprendre l'*Epideixis* comme un exposé d'histoire; la thèse en est que le salut vient de Jésus-Christ, qui résume en lui l'ensemble des interventions divines antérieures.

2. Les «*arguments ou formes littéraires*»[11]. –

L'analyse littéraire de l'*Adversus Heareses* et de l'*Epideixis* permet de découvrir, à l'intérieur de la composition, des unités plus ou moins étendues dont le contenu ne s'adapte qu'imparfaitement au dessein de l'auteur. Irénée reprend de toute évidence des arguments ou des formes littéraires préexistantes. Il leur impose souvent une «intention» différente de leur visée originelle; il transpose un argument d'un *Sitz im Leben* à un autre.

Pour chercher à identifier, par la critique interne, les sources où Irénée a puisé, il ne s'agit pas de vouloir reconstituer des œuvres littéraires perdues ou encore d'attribuer un argument ou une série d'arguments à tel auteur individuel – ce qui, du reste, ne rendrait nullement compte de la complexité littéraire et doctrinale des compositions étendues du IIe siècle[12] –, mais, ainsi que l'auteur vient de le suggérer, de connaître les situations diverses par lesquelles est passée une argumentation théologique.

En plus de ce travail, il faut chercher à appuyer les données dégagées par la critique interne[13] en ayant recours aux renseignements externes que nous possédons, par ailleurs, sur la littérature apologétique[14], symbolique[15] et anti-hérétique d'avant Irénée[16].

---

[11] L'auteur entend sous le mot «argument» un «bref raisonnement auquel correspond une forme littéraire» et sous le mot «forme littéraire» une «unité restreinte». – Pour ce qui va suivre, A. Houssiau, *La christologie* ..., pp. 12–15.

[12] L'auteur s'en prend ici à F. Loofs dont il résume le projet dans la note 1 de la page 14. – A ce sujet, voir pp. 13–14, note 6.

[13] C'est-à-dire les «formes préexistantes répondant à des situations diverses: polémique contre Cérinthe, Basilide et Marcion, contre les docètes et les ébionites; apologétique ou dialogue avec les juifs et les gentils; parénèse; formulation symbolique».

[14] Justin, Théophile, Tatien.

[15] «Quant aux formules symboliques, la comparaison entre les divers écrivains des IIe et IIIe siècles rend plausible la reconstitution d'anciennes formules de foi». L'auteur se réfère ici à J. N. D. Kelly, *Early Christian Creeds,* London, 1950.

[16] L'auteur renvoie aux indications d'Eusèbe de Césarée et aux quelques allusions des écrits antérieurs à Irénée recueillies par A. Harnack – E. Preuschen, *Geschichte der altchristlichen Literatur bis Eusebius.* I. *Die Überlieferung und der Bestand,* Leipzig, 1893, et par A. v. Harnack, *Marcion: Das Evangelium vom fremden Gott* (coll. Texte und Untersuchungen, 45), Leipzig, 1921.

3. Les «*thèmes littéraires*»[17]. –

L'analyse littéraire dégage enfin les éléments mêmes du discours, les thèmes littéraires, ces petites unités qui correspondent à la forme psychologique fondamentale de la pensée, les plus petites synthèses d'idées. Si le thème doit être normalement interprété en fonction de l'argument où il est utilisé, il est cependant susceptible d'acquérir parfois une histoire propre. Il passe effectivement chez Irénée d'un argument à un autre et l'on peut, en outre, rechercher ses antécédents et son évolution dans l'histoire de la pensée.

Par ailleurs, le thème fournit au mot son contexte immédiat. L'étude verticale d'un thème permettra de dégager les nuances diverses dont un mot est chargé.

Concrètement, en permettant de dépasser les cadres étroits imposés par la problématique d'Irénée, l'étude du thème littéraire permet de remonter à l'arrière-fond biblique ou hellénistique auquel se rattache sa théologie.

Enfin, note notre auteur, la citation biblique dont on sait l'importance dans la littérature chrétienne des IIe et IIIe siècles, importance encore accrue par le genre démonstratif, se comporte comme un thème littéraire et est susceptible de passer par les mêmes avatars que tout thème littéraire et d'avoir une histoire.

Voilà donc, nous semble-t-il, l'essentiel du tableau d'ensemble que A. Houssiau entend offrir des composantes littéraires de l'œuvre d'Irénée.

Par cet exposé, l'on peut déjà se rendre compte de la richesse et de la complexité de l'activité littéraire d'Irénée. L'on peut déjà voir aussi dans quelle direction s'orientera notre manière d'aborder les textes irénéens. Expliquons-nous.

A considérer les choses de près, la recherche de A. Houssiau que nous venons de résumer suppose et décrit une certaine façon de se situer devant les textes irénéens. Autrement dit, elle éclaire la question de sa méthode[18]. Or, une méthode est à juger à ses fruits, c'est-à-dire à la plus ou moins grande intelligence qu'elle nous donne de l'auteur étudié. A observer l'ouvrage de A. Houssiau sous cet angle, tout nous laisse conclure à l'excellence de la méthode. C'est la raison pour laquelle nous nous proposons de nous en inspirer dans ce travail. Toutefois, nous ne pouvons

---

[17] A. Houssiau, *La christologie* ..., pp. 15–16.

[18] Pour une vue d'ensemble sur les principes méthodologiques d'auteurs plus anciens comme L. Duncker, *Des heiligen Irenäus Christologie im Zusammenhange mit dessen theologischen u. anthropologischen Grundlehren*, Göttingen, 1843; H. Ziegler, *Irenäus der Bischof von Lyon. Ein Beitrag zur Entstehungsgeschichte der altkatholischen Kirche*, Berlin, 1871; P. Beuzart, *Essai sur la théologie d'Irénée*, Paris, 1908; G. N. Bonwetsch, *Die Theologie des Irenäus* (coll. Beiträge zur Förderung christlicher Theologie, II, 9), Gütersloh, 1925; F. Vernet, *Irénée (saint), évêque de Lyon*, dans *DTC* VII, 2, col. 2394–2533; J. Lawson, *The Biblical Theology of Saint Irenaeus*, London, 1948, voir A. Benoît, *Saint Irénée* ..., pp. 10–15.

pas promettre de la maîtriser avec toute l'adresse dont a fait preuve notre devancier.

IV. *Comment Irénée conçoit-il* la manifestation et la vision de Dieu dont il parle dans son œuvre? C'est en nous attachant à répondre à cette question que nous verrons se déployer devant nous les diverses facettes constitutives de ces réalités et apparaître peu à peu les liens organiques qui les relient l'une à l'autre *(DEUXIEME PARTIE)*.

Auparavant, cependant, nous nous arrêterons *à deux phénomènes, à deux caractéristiques* touchant tour à tour la *personnalité* et l'*œuvre* d'Irénée qui, déjà d'un simple point de vue extérieur, se rapportent aux thèmes à l'étude, plus particulièrement au premier d'entre eux. Après les avoir examinés de près, nous verrons que ces phénomènes s'expliquent en définitive par nos thèmes, qu'ils en sont comme l'écho, la conséquence, le rayonnement. De cette manière, nous nous situerons déjà dans la sphère des thèmes à l'étude; plus précisément, nous en circonscrirons un moment important sur lequel nous aurons, du reste, l'occasion de revenir. En inversant les choses, nous nous trouverons introduits à l'étude de la manifestation et de la vision de Dieu en ce sens que nous serons amenés à en deviner déjà les composantes qu'il faudra, par la suite, préciser pour elles-mêmes *(PREMIERE PARTIE)*.

PREMIERE PARTIE

La présence de la manifestation
et de la vision de Dieu
chez l'homme et dans son œuvre

Lorsque nous cherchons à dégager les traits de l'homme qui nous a laissé les œuvres monumentales que sont l'*Epideixis* et, surtout, l'*Adversus Haereses*, nous pouvons relever qu'il fut un «grec ... par la subtilité du raisonnement, par la facilité de l'élocution et l'abondance verbale ..., par l'ironie, celle d'un robuste bon sens ...»[1], qu'il fut « un esprit religieux qui n'eut jamais de compromission avec l'erreur ..., un pasteur, un évêque commis au salut de ses ouailles ...»[2], mais nous n'insisterons jamais assez sur le fait qu'il fut un *homme du «voir»* (Chapitre I).

En observant son œuvre, plus précisément l'*Adversus Haereses* considéré au plan de sa «composition étendue» englobant tant le «genre polémique» (= les livres I et II) que le «genre démonstratif» (= les livres III à V)[3], nous pouvons constater qu'elle est constituée de trois cercles de lumière se réfléchissant mutuellement. Elle est une *œuvre qui montre, qui rend manifeste* (Chapitre II).

Après avoir *décrit ces phénomènes pour eux-mêmes*, nous chercherons à *dégager le fondement qui les explique* (Chapitre III).

---

[1] F. Sagnard, *La gnose valentinienne et le témoignage de saint Irénée* (coll. Etudes de Philosophie médiévale, 36), Paris, 1947, p. 70. Sur l'ironie d'Irénée, voir encore B. Reynders, *La polémique de saint Irénée. Méthode et principes*, dans *RTAM* 7 (1935), pp. 25–26.

[2] Th.-A. Audet, *Orientations* ..., p. 53.

[3] Loin de nous de vouloir nier qu'Irénée ait utilisé – surtout au plan de l'ἔλεγχος – des manières de faire en vogue en son temps (cf. A. Houssiau, *La christologie* ..., p. 7, notes 2 et 3). Vouloir attribuer ces emprunts à une simple adaptation aux habitudes de l'époque nous semble cependant insuffisant. D'après nous, Irénée aurait trouvé en elles des formes de pensée qui s'accordaient bien à un réflexe foncier relevant de sa mentalité de chrétien. Le bien-fondé de cette remarque deviendra plus clair dans la suite de ce travail.

Chapitre I

Un premier phénomène: l'homme du «voir»

Irénée est l'homme du «voir» à plus d'un titre. Il aime à dépeindre des comportements, des attitudes à l'aide d'images qui font appel au regard, qui tombent sous l'œil. C'est ainsi par exemple qu'il assimile les gnostiques accommodant sans scrupule l'Ecriture à leurs théories à ceux qui bouleverseraient l'ordre (*τάξις) originel des pièces d'une mosaïque représentant les traits d'un roi[4] pour en faire l'image d'un chien[5]. C'est encore ainsi qu'il traduit le lien empreint d'amour, de fidélité sans faille, d'attention respectueuse que Dieu noue avec son frêle «plasma» par l'image de la «Main» ou des «Mains»[6] qui modèlent et remodèlent comme celles d'un potier[7], qui entourent, protègent, portent comme celles d'un père[8], qui cisèlent avec soin et mesurent comme celles d'un artiste[9].

Irénée est encore un homme du «voir» en ce sens qu'il observe les détails du réel à partir de grands tableaux d'ensemble, ou encore et inversement, en ce sens qu'il conçoit ces détails comme des pièces constitutives de ces tableaux d'ensemble[10]. Il serait peut-être mieux, en l'occurrence,

---

[4] Irénée songe ici sans aucun doute au Christ. Ailleurs, il dit que c'est en lisant les Ecritures qu'on le trouve: *AH*.IV.26,1 / SC.712. Voir encore: *AH*.III.17,3 / SC.336; *AH*.IV.17,6 / SC.594.

[5] Cf. *AH*.I.8,1 / Hv 66–68. – Ailleurs, Irénée comparera le système gnostique de Ptolémée à un renard au corps mal bâti. Cf. *AH*.II.31,4 / Hv 243.

[6] Pour l'emploi du singulier, cf. *AH*.III.21,10 / SC.428; *AH*.III.22,1 / SC.430; *AH*.V.5,2 / SC.68–70; *AH*.V.15,2 / SC.204; *AH*.V.16.1 / SC.214.
Pour l'emploi du pluriel, cf. *AH*.IV.7,4 / SC.464; *AH*.IV.20,1 / SC.626; *AH*.V.3,1 / SC.26–28; *AH*.V.6,1 / SC.72; *AH*. V.28,4 / SC.360; *Epid*.11 / SC.48–49.
Pour les autres références, voir les notes suivantes. – Sur ce sujet, on pourra consulter: J. Mambrino, ‹Les deux mains de Dieu dans l'œuvre de saint Irénée, dans *NRT* 79 (1957), pp. 355–358; J. Lawson, *The Biblical Theology* . . ., pp. 122 ss; p. 135.

[7] Cf. *AH*.IV.Pr.4 / SC.390 (modelage; emploi au pluriel: Fils et Esprit); *AH*.V.15,2 / SC.206 (modelage-remodelage; emploi au singulier: Verbe). – Irénée s'inspire certainement ici de *Gen*. 2,7, du *Ps*. 118,73, de *Job* 10,8. Nous hésiterions à partager l'avis de J. Mambrino selon lequel *Jér*. 18,6.11 serait, parmi les textes «qui ont influencé Irénée dans le choix de son image», celui «dont l'importance est peut-être privilégiée» J. Mambrino, ‹Les deux mains de Dieu . . ., p. 357.

[8] Cf. *AH*.V.5,1 / SC.62–64 (emploi au pluriel).

[9] Cf. *AH*.IV.39,2 / SC.966–968 (emploi au singulier: Verbe).

[10] De la sorte, Irénée se révèle bien être un esprit grec. Relevons cette remarque de Sagnard qui recoupe en substance notre observation: «Grec . . . il (Irénée) l'est . . . par le sentiment inné de l'harmonie entre les choses, par l'intuition de la mesure, des transitions au sein du réel, des adaptations, des justes proportions» F. Sagnard, *La gnose* . . ., p. 70. Cf. aussi M. Spanneut, *Le stoïcisme des Pères de l'Eglise. De Clément de Rome à Clément d'Alexandrie* (coll. Patristica sorbonensia, 1), Paris, 1957, pp. 374–375. Ce trait de sa personnalité qu'il tient en définitive de «son sens indéfinissable du logos» (Sagnard) – qui n'est pas, soulignons-le, à isoler de son expérience chrétienne (cf. *AH*.II.26,3 / Hv 346–347) – est

de parler de visionnaire – selon une acception dérivée, cependant. Cette attitude foncière se traduit chez lui de diverses manières. Ainsi, en observant les créatures à travers le tout de la création, il les perçoit comme ordonnées et bien disposées[11]. C'est encore ainsi que, par une démarche inverse, il compare l'opposition des créatures aux sons aigus, graves, intermédiaires de la cithare d'où naît une seule mélodie[12], qu'il comprend les diverses «économies» comme les pièces ou les phrases musicales constitutives de l'«édifice» ou de la «symphonie du salut»[13], qu'il perçoit les diverses paroles de l'Ecriture (= paraboles et déclarations explicites) comme les voix multiples d'un choeur d'où monte une seule mélodie harmonieuse[14]. Quelque part dans son œuvre, il définit le «disciple spirituel comme celui qui explique les paroles de l'Ecriture concernant le Christ «en montrant quel trait particulier de l'‹économie› du Seigneur vise chacune d'elles et *en faisant voir en même temps le corps entier* de l'œuvre accomplie par le Fils de Dieu»[15]. Il évoque ici exactement l'attitude dont il vient d'être question[16].

Homme du «voir», Irénée l'est enfin en ce sens qu'il se tient, comme l'a bien compris Hans Urs von Balthasar[17], devant l'évidence des faits. Pour demeurer dans la dynamique interne de notre travail, c'est ce trait précis de sa personnalité que nous voudrions illustrer dans ce chapitre. Nous le ferons en deux temps. Nous nous attarderons d'abord à l'étude d'une expression qui revient souvent sous la plume de notre auteur pour qualifier ses adversaires: «ils sont des aveugles» (§ 1). De cette image négative, le portrait d'Irénée ressortira avec plus de force (§ 2).

mis dans une lumière encore plus vive par l'attitude des gnostiques. L'on sait, en effet, que ces derniers ne voyaient que séparation entre les êtres et les choses (tant au plan créationnel qu'à celui de l'œuvre du salut) et qu'ils s'autorisaient de ce fait pour élaborer et fonder leur système foncièrement dualiste. Nous aurons l'occasion de retoucher cet ensemble dans une autre perspective. Cf. § 5.

[11] Cf. *AH*.II.25,2 / Hv 343.

[12] Cf. *AH*.II.25,2 / Hv 343; *AH*.II.2,4 / Hv 255–256; *AH*.II.15,3 / Hv 304. Voir aussi Théophile d'Antioche, *Ad Aut*.I.2/60.

[13] cf. *AH*.IV.14,2 / SC.542–546.

[14] Cf. *AH*.II.28,3 / Hv 352. – Nous retrouvons une comparaison similaire pour illustrer l'unité des deux Testaments dans leur diversité chez Clément d'Alexandrie, *Strom.* VI.11,88/476; *Strom.* VI.15,125/495, chez Tertullien, *Adv. Marc.* IV.39/556, chez Origène, *Joh. Comm.* V.8/388–390; *Matt. Comm.* II/PG. 13,832A–832C; *Matt. Comm.* XIV.4/PG.13,1189C–1192A et, enfin, chez Méthode d'Olympe, *De Autex.* 1,5/146–147; *De Resurr.* I.56,5/316.

[15] *AH*.IV.33,15 / SC.842,328–844,330; c'est nous qui soulignons. Voir encore *AH*.IV. 16,1 / SC.560–562.

[16] C'est, au fond, en raison de la même attitude qu'il recommande au théologien de rechercher l'accord entre les contraires. Cf. *AH*.I.10,3 / Hv 95–97.

[17] «Videre … ist weniger das ‹Anschauen› Platos als das Stehen vor der Evidenz der Fakten». H. U. von Balthasar, *Herrlichkeit* …, p. 46.

§ 1: Les gnostiques sont des «aveugles»

Parmi les nombreuses expressions qu'Irénée utilise pour décrire ses adversaires, il en est une pour laquelle il manifeste une préférence marquée: ce sont des «aveugles»[18]. Que faut-il entendre sous cette expression? Voici un texte où nous trouvons une réponse claire à notre question:

> «Ainsi donc toutes les Ecritures, tant les prophéties que les Evangiles … proclament clairement, sans équivoque et unanimement, qu'un seul et unique Dieu, à l'exclusion de tout autre, a tout créé par son Verbe, êtres visibles ou invisibles, célestes ou terrestres, situés dans les eaux ou sous la terre, ainsi que nous l'avons montré par les paroles mêmes des Ecritures; et d'autre part, le monde même où nous sommes, par tout ce qu'il offre à nos regards, atteste lui aussi qu'unique est Celui qui l'a fait et le gouverne. Dès lors, combien stupides apparaîtront ces gens qui, en présence d'une manifestation aussi claire, sont aveugles des yeux et ne veulent pas voir la lumière de la prédication»[19].

D'après ce passage, la doctrine selon laquelle le Dieu unique est aussi le Créateur de l'univers est attestée de façon indubitable par l'Ecriture et le monde. En d'autres termes, par les paroles claires qui se trouvent aussi bien chez les prophètes que dans les Evangiles (= Ecritures) d'une part, et par ce que nous pouvons observer de nos yeux dans l'univers d'autre part, l'unité de Dieu est affirmée avec une évidence indéniable.

Dès lors, combien insensés sont ceux qui aveuglent leurs yeux devant cette «manifestation» et cette «lumière». Ou encore: combien stupides sont ceux qui *refusent de s'en tenir à ce monde concret et à l'Ecriture dans ses affirmations claires et constantes* pour en apprendre le vrai, c'est-à-dire l'unité de Dieu.

Nous retrouvons l'écho de l'attitude dont parle ce texte dans la manière selon laquelle les gnostiques manipulent l'Ecriture et le monde. Ils «font violence aux belles paroles de Dieu, écrit Irénée, pour les accommoder à leurs détestables inventions»[20]. Et encore: «ils accommodent l'ambiguïté

---

[18] Parmi bien d'autres textes, cf. *AH*.II.17,9 / Hv 311; *AH*.II.18,7 / Hv 316; *AH*.II.22,1 / Hv 326–327; *AH*.III.24,2 / SC.476; *AH*.V.19,2 / SC.250; *AH*.V.20,1 / SC.254; *AH*.V.20,2 / SC.256–258. En *AH*.IV.5,2 / SC.430 et en *AH*.V.29,1 / SC.362–364, l'épithète «aveugle» s'applique respectivement aux Sadducéens et aux païens.

[19] *AH*.II.27,2 / Hv 348. Ailleurs, Irénée parle de la prédication de la vérité-lumière sans, comme ici, l'associer explicitement à l'Ecriture: * οὕτω καὶ τὸ φῶς, τὸ κήρυγμα τῆς ἀληθείας *AH*.I.10,2 (cf. K. Holl. *Epiphanius* (coll. Die griechischen christlichen Schriftsteller der ersten drei Jahrhunderte, 25), Leipzig, 1915, p. 452). Enfin, en *AH*.V.20,1, il compare l'Eglise prédicatrice de la vérité au «candélabre à sept lampes» (ἑπτάμυξος *lucerna*) SC.256,25.

[20] *AH*.I.3,6 / Hv 30–31. Autres références sur ce point: *AH*.I.1,3 / Hv 13; *AH*.I.8,1 / Hv 67–68; *AH*.I.8,2 / Hv 68; *AH*.I.9,1 / Hv 82; *AH*.I.9,3 / Hv 85; *AH*.I.18,1 / Hv 169; *AH*.I.20,2 / Hv 178; *AH*.II.Pr.1 / Hv 249; *AH*.II.22,5 / Hv 330; *AH*. II.23,2 / Hv 333; *AH*.V.13,5 / SC.180; *AH*.V.33.4 / SC.418.

des paraboles à leurs fictions par des interprétations habiles et frauduleuses»[21]; «ils arrachent chacune des paroles inspirées au corps de la vérité
…, ils transposent tout dans le sens de leur système»[22]; ils sortent les
mots de leur contexte pour échafauder leurs systèmes[23]. Le monde subit
également leur tyrannie. Ils contraignent, note notre auteur, les créatures
bien ordonnées pas Dieu «à se muer misérablement en la figure de
réalités qui n'existent pas»[24]. Semblables aux Pythagoriciens, ils
«transposent notre univers dans (le monde) des nombres»[25].

Ayant abandonné le terrain ferme des faits de l'Ecriture et du monde (=
aveuglement) – s'ils les utilisent, c'est pour les réduire à leurs systèmes –
qui mène à la Vérité, rien d'étonnant qu'ils ne puissent l'atteindre. «Ils
cherchent dans jamais trouver»[26], note notre auteur. Et encore: ils errent
«de côté et d'autre hors de tout chemin frayé»[27] et «roulent (fatalement)
dans toute erreur»[28].

§ 2: Le «voir» d'Irénée

A l'aveuglement des hérétiques s'oppose le «voir» des chercheurs ortho-
doxes, plus précisément celui d'Irénée. Il est évoqué entre autres par le
truchement d'expressions comme: *quemadmodum adest videre, manifestum est*,
qui reviennent, surtout dans le cas de la seconde, par centaines dans
l'*Adversus Haereses* et dans l'*Epideixis*.

Au cours des pages précédentes, nous avons déjà indiqué en quel sens il
fallait comprendre cette attitude. Il nous reste à l'illustrer à l'aide de
quelques textes et à achever, s'il y a lieu, d'en préciser les contours:

> «Mais que le Christ, en toute propriété de termes, à l'exclusion de tous
> les hommes d'alors, soit proclamé Dieu, Seigneur, Roi éternel, Fils
> unique et Verbe incarné, et cela aussi bien par tous les prophètes que
> par les apôtres et par l'Esprit lui-même, voilà ce qu'il est loisible de

---

[21] *AH*.I.3,6 / Hv 31. Voir encore: *AH*.I.9,1 / Hv 82; *AH*.II.10,1 / Hv 273; *AH*.II.19,8 / Hv
321; *AH*. II.23,2 / Hv 333; *AH*.II.27,1 / Hv 347.

[22] *AH*.I.9,2 / Hv 82–83. Cf. *AH*.I.8,1 / Hv 67.

[23] Cf. *AH*.I.9,4 / Hv 85 ss.

[24] *AH*.II.24,4 / Hv 340.

[25] *AH*.II.14,6 / Hv 296–297.

[26] *AH*.II.27,2 / Hv 348. Cf. *AH*.II.10,1 / Hv 273; *AH*.III.24,2 / SC.476; *AH*.IV.9,3 /
SC.488.

[27] *AH*.V.20,1 / SC.254. «… Mais, pour ceux qui ne voient pas, il y a beaucoup de chemins
enténébrés et qui vont en sens opposé» *Epid*. 1 / SC.28

[28] *AH*.III.24,2 / SC.474. – «… Ceux qui errent loin de la vérité trouvent leur perte dans
leurs errements» Théophile d'Antioche, *Ad Aut*. II.14/136.

constater (*adest videre*) à tous ceux qui ont atteint ne fût-ce qu'une infime parcelle de la vérité»[29].

Ou encore:

> «En ce qui concerne ces dernières (c'est-à-dire les choses qui ont besoin du secours de Dieu pour vivre), leur Père (des ptoléméens) refuse-t-il donc de procurer la vie alors qu'il le pourrait, ou parce qu'il ne le peut pas? Si c'est parce qu'il ne le peut pas, ce Dieu prétendument supérieur au Créateur n'est plus ni puissant ni parfait, puisque le Créateur procure, comme il est loisible de le voir (*quemadmodum adest videre*), ce que celui-là est incapable de procurer»[30].

D'après ces passages, il est clair que le «voir» évoque, dans un cas comme dans l'autre, une attitude *de subordination, d'acceptation consistant à se tenir sans discussion devant l'évidence des faits 1. de l'Ecriture proclamant clairement et unanimement* (= tous les prophètes, les Apôtres et l'Esprit lui-même)[31] la divinité du Fils de Dieu et son incarnation, 2. *du monde observable* (ici, la vie de nos corps mortels octroyée par le Créateur[32] – ce qui démontre sa supériorité sur le Père suprême des gnostiques).

Nous pourrions multiplier les témoignages analogues, mais ils n'apporte-

---

[29] *AH*.III.19,2 / SC.376.

[30] *AH*.V.4,1 / SC.58.

[31] L'Esprit étant celui qui est l'auteur de l'Ecriture, il arrive souvent, comme ici, qu'Irénée identifie l'œuvre à son artisan: cf. par exemple *AH*.III.6,5 / SC.80; *AH*.III.7,2 / SC.84; *AH*.III.10,4 / SC.130; *AH*.IV.1,1 / SC.392; *AH*.IV.26,5 / SC.728; *AH*.V.30,4 / SC.384–386; *AH*.V.34,3 / SC.430; *Epid.* 2 / SC.30; *Epid.* 24 / SC.68–69. Notons, cependant, que notre auteur désigne ordinairement l'Ecriture par la triade: prophètes-Christ-apôtres (cf. entre autres *AH*.I.8,1 / Hv 66; *AH*.II.2,6 / Hv 257; *AH*.V.Pr. / SC.10). Sur tout ceci, cf. B. Reynders, *Paradosis. Le progrès de l'idée de tradition jusqu'à saint Irénée,* dans *RTAM* 5 (1933), p. 184; H. Holstein, *Les témoins de la révélation d'après saint Irénée,* dans *RSR* 41 (1953), pp. 410–420; J. Hoh, *Die Lehre des hl. Irenaeus über das Neue Testament,* Münster, 1919, pp. 200–202. – D'après van den Eynde, la trilogie prophètes-Christ-apôtres aurait été déjà largement utilisée par les devanciers d'Irénée: «Selon les Pères apostoliques, la doctrine chrétienne est la ‹parole de Dieu›, l'ensemble «des commandements, des ordonnances, des justifications», qui furent communiqués à l'humanité par les prophètes de l'Ancien Testament, le Christ et les apôtres. C'est de cette trilogie d'autorités que s'autorise tout leur enseignement; à preuve leur constant souci de se référer à l'Ancien Testament, aux paroles du Seigneur et à celles des apôtres» D. van den Eynde, *Les normes de l'enseignement chrétien dans la littérature patristique des trois premiers siècles,* Gembloux–Paris, 1933, pp. 4–5. Avec Irénée, elle serait devenue classique: «Dans ses exhortations à l'unité, il (Clément) en appelle successivement aux textes de l'Ancien Testament, aux paroles de Jésus et à la 1ière épître paulinienne aux Corinthiens. Il inaugure ainsi la méthode d'argumentation tripartite, – par les prophètes, le Seigneur et les apôtres, – qui deviendra classique à partir d'Irénée» Ibd., p. 43.

[32] Voir un peu plus haut dans le texte. Dans les lignes suivant notre citation, Irénée écrit: *Quoniam autem possunt corpora percipere vitam, omnibus videre est AH*.V.4,2 / SC.58. Voir en outre *AH*.V.15,1 / SC.200.

raient rien de substantiellement nouveau au point que nous voulions illustrer. Concluons donc.

Irénée «voit» en ce sens qu'il manifeste une obéissance sans compromis au réel, plus précisément à ce qui est transmis par l'Ecriture-lumière (= paroles claires et unanimes) et par le monde qui tombe sous le regard, qu'il se sent lié par lui, qu'il y reconnaît le point de départ obligatoire de toute réflexion destinée, de la sorte, à aboutir à la Vérité tout entière[33]. A l'opposé, il y a l'aveuglement des gnostiques, c'est-à-dire leur insoumission volontaire au réel. Cette attitude «fructifie»[34] en *figmenta* hétéroclites totalement étrangers à la Vérité.

* *
*

Théodoret a déjà dit d'Irénée qu'il était «l'homme ... qui a éclairé l'Occident»[35]. Homme de la lumière, notre auteur l'est à plus d'un titre. Il l'est entre autres en raison de son œuvre, plus précisément de l'*Adversus Haereses* considéré au plan de la «composition étendue». Ce sera l'objet des pages qui suivent de développer ce point.

Chapitre II

Un second phénomène: l'œuvre qui montre, qui rend manifeste

De chacune des grandes structures de l'*Adversus Haereses*: 1. la dénonciation ou ἔλεγχος (§ 3), 2. la réfutation ou ἀνατροπή (§ 4), la démonstration ou ἀπόδειξις (§ 5), surgit un cercle de lumière dont nous préciserons les contours.

---

[33] Ce «voir» ou cette fidélité à ce qui est manifesté, à ce qui est évident n'est pas synonyme pour notre auteur d'une momification de la pensée et d'une fuite dans un conservatisme déçu et moribond. Même si nous n'avions pas ses exhortations explicites à une vie intellectuelle intense (cf. *AH*.II.27,1 / Hv 347; *Epid*. 3 / SC.31–32; B. Reynders, *La polémique* ..., pp. 11–19) – bien sûr toujours guidée par l'amour (cf. Th.-A. Audet, *Orientations* ..., pp. 43 ss) –, son œuvre témoignerait indéniablement de la fécondité de son activité de théologien. Lire à ce propos ce qu'écrit. D. van den Eynde sur «la théologie de la foi commune» dont Irénée est, avec Tertullien, le représentant attitré parmi les auteurs ecclésiastiques des années 180 à 300: D. van den Eynde, *Les normes* ..., pp. 132–141.

[34] Nous nous inspirons ici d'une expression chère aux gnostiques. Sur l'usage qu'ils en font ainsi que sur la façon d'Irénée d'ironiser sur elle, voir: *AH*.I.1,3 / Hv 12; *AH*.I.3,6 / Hv 31; *AH*.I.4,3 / Hv 37; *AH*.I.19,2 / Hv 176; *AH*.I.21,5 / Hv 188. Lire encore F. Sagnard, *La gnose* ..., pp. 432–436.

[35] *Haer. Fab*. I.5 / *PG*.83,351. «... Ce grand évêque qui, au déclin du IIe siècle, *éclaira comme un phare*, du carrefour des Trois Gaules, le monde catholique d'alors ...», écrit encore récemment un auteur en parlant d'Irénée. Voir J. Colson, *Lyon. Baptistère des Gaules* (coll. Hauts lieux de spiritualité), Paris, 1975, p. 179. C'est nous qui soulignons.

§ 3: La dénonciation (ἔλεγχος)

Avant de considérer le projet qu'Irénée entend mettre en œuvre (Art. 2), il nous faut avoir en vue l'élément qui le suscite, c'est-à-dire les ressorts inhérents à l'erreur (Art. 1).

Art. 1: «L'obscurité que l'erreur cherche»[36]

Pour donner une idée significative du phénomène qui nous retient, jetons d'abord un regard rapide sur la «gnose» et sur son mode de transmission (A). Puis, nous nous arrêterons au portrait qu'Irénée esquisse de ses adversaires comme «docteurs» et propagateurs de cette «gnose» (B).

A. La «gnose» et son mode de transmission

«L'erreur[37] se garde bien ... de se montrer telle qu'elle est ...»[38], écrit Irénée dès les premières lignes de l'*Adversus Haereses*.
A peine a-t-il commencé à décrire les Eons du Plérôme ptoléméen et leurs syzygies qu'il s'écrie: «Les voilà donc, ces merveilleux, ces très secrets mystères, produits de leur propre ‹fructification›»[39]. De la sorte, ce n'est pas seulement «le grand mystère de l'Abîme»[40] qui est «caché»[41], mais encore celui[42] des autres Eons du Plérôme et de leurs relations mutuelles[43]. Bref, c'est l'ensemble de leurs doctrines qui est un «secret»[44].
L'obscurité qui entoure ces «mystères» s'épaissit encore non seulement à cause de «l'initiation secrète» (Sagnard) qui y donne accès[45], mais encore

---

[36] Expression que nous empruntons à B. Reynders, *La polémique*..., p. 25. Ainsi que nous le verrons à l'instant, elle est de pure inspiration irénéenne.

[37] Entendons les doctrines hérétiques dans leur ensemble et de toutes allégeances.

[38] *AH*.I.Pr.2 / Hv 3.

[39] *AH*.I.1,3 / Hv 12; cf. *AH*.I.4,3 / Hv 36; *AH*.I.6,1 / Hv 53.

[40] *AH*.I.19,2 / Hv 176.

[41] *AH*.I.12,4 / Hv 113; *AH*.I.20,2 / Hv 179; *AH*.III.2,2 / SC.28.

[42] Cf. *AH*.I.1,3 / Hv 12.

[43] Cf. *AH*.I.6,4 / Hv 57.

[44] cf. *AH*.I.15,6 / Hv 156; *AH*.I.31,4 / Hv 243; *AH*.II.Pr.2 / Hv 250; *AH*.III.Pr. / SC.16; *AH*.III.14,1 / SC.263.

[45] Irénée en témoigne lorsqu'il rapporte l'existence de formules libres comme celles de Marc le Mage (cf. *AH*.I.13,2 / Hv 117; *AH*.I.13,3 / Hv 118; pour une explication détaillée de ces formules, voir R. Reitzenstein, *Poimandres*, Leipzig, 1904, pp. 220 ss; G. P. Wetter, ΦΩΣ, Uppsala-Leipzig, 1915, pp. 8 ss), ou encore de formules aux formes fixes que K. Müller a bien étudiées. Cet auteur distingue trois groupes de formules: 1. les formules des Marcosiens: *AH*.I.13,6; 2. les formules de *AH*.I.21,3 s'apparentant, selon

par la façon selon laquelle les hérétiques s'en font les promoteurs. Ils exercent en effet leur activité d'enseignement dans une ambiance de secret. Irénée note ce point au début de l'*Adversus Haereses:* «La charité nous presse de te manifester ... leurs enseignements tenus soigneusement cachés jusqu'ici»[46]. Un peu plus loin et non sans ironie[47], il écrit: «Ces enseignements, ils ont bien raison de ne pas vouloir les livrer à tout le monde ouvertement, mais seulement à ceux qui sont capables de donner de larges rétributions pour de si grands mystères»[48].

Et, enfin, dans une scène haute en couleurs, il décrit comment les hérétiques, après avoir séduit leurs auditeurs, les «prennent ... à part et leur dévoilent le ‹mystère inexprimable› de leur ‹Plérôme›»[49].

B. Le portrait de ses promoteurs

Porteurs d'une doctrine obscure qu'ils transmettent dans le secret, les hérétiques n'abusent ni de limpidité, ni de transparence. En effet, par tous les moyens, ils cherchent à dissimuler leur véritable identité et à fuir la lumière de la loyauté et de la sincérité.

Irénée ne se lasse pas de pointer le doigt sur leurs déguisements. A peine a-t-il commencé son *Adversus Haereses* qu'il les campe d'un trait: «Par une vraisemblance frauduleusement agencée, ils séduisent l'esprit des simples»[50]. Les observations de ce genre se retrouvent tout au long de son œuvre. Voici quelques exemples:

Ils semblent inoffensifs, feignant la gravité, le sérieux[51], mais, au fond, ils

---

toute vraisemblance, à l'école valentinienne et concernant le rite de «Rédemption»; 3. les formules pour la «Rédemption» des mourants et des morts: *AH.*I.21,5 (voir K. Müller, *Beiträge zum Verständnis der valentinischen Gnosis,* dans *Nachrichten der königlichen Gesellschaft der Wissenschaften zu Göttingen,* phil.-hist. Klasse, 1920, pp. 179–183). Au chapitre 21 du premier livre de l'*Adversus Haereses,* Irénée fait encore état de l'utilisation par les gnostiques de rites d'initiation inspirés en grande partie de l'Eglise, mais plus ou moins vidés de leur sens. Sur tout cela, on se référera à F. Sagnard, *La gnose ...*, pp. 420–425.

[46] *AH.*I.Pr.2 / Hv 5.
[47] Voir le contexte.
[48] *AH.*I.4,3 / Hv 36.
[49] *AH.*III.15,2 / SC.280,42–43. Dans ce contexte, nous pourrions encore évoquer les traditions secrètes dont les gnostiques font largement usage (lire, sur ce point, les remarques de H. U. von Balthasar, *Herrlichkeit ...*, p. 49) sur la base de leur théorie du double enseignement (l'un ouvert et s'adressant au commun des hommes, aux membres de l'Eglise, aux «psychiques»; l'autre secret et ne valant que pour un petit groupe de choisis, les «pneumatiques») pratiqué aussi bien par le Seigneur que par les Apôtres (cf. *AH.*II.27,2 / Hv 348; *AH.*III.15,1 / SC.278; etc.). Pour plus de précisions, voir F. Sagnard, *Irénée de Lyon ...*, pp. 46 ss.
[50] *AH.*I.Pr.1 / Hv 2.
[51] Cf. *AH.*III.15,2 / SC.282.

sont des «séducteurs»[52], imitant la séduction de Satan à l'origine.
Ils parlent comme des chrétiens, mais ils pensent tout autrement: «Au
dehors, ce sont des brebis, car leur langage extérieur les fait paraître
semblables à nous du fait qu'ils disent les mêmes choses que nous; mais,
au dedans, ce sont des loups (cf. *Mat.* 7,15), car leur doctrine est homi-
cide …»[53].

Ils se présentent comme des exégètes compétents, mais ils tordent les
textes en tous sens par des accommodations frauduleuses[54]. Semblables
au Diable de la tentation de Jésus au désert, ils «dissimulent le mensonge
sous le couvert de l'Ecriture»[55].

Pour tout dire en quelques mots, Irénée les compare[56] à une fausse
émeraude[57], à un vulgaire alliage confondu avec de l'argent[58], à de l'eau
de chaux prise pour du lait[59].

A travers les observations d'Irénée, nous avons décrit comment la
«gnose» se drape d'obscurité: elle est une *doctrine cachée transmise dans le
secret par des hommes séducteurs et hypocrites.* C'est dans la constitution interne
de l'erreur de chercher les ténèbres. Tout affrontement avec la lumière
représente pour elle un danger mortel, puisque, de cette manière, elle
apparaîtrait telle qu'elle est et rebuterait ceux qui sont tant soit peu
ouverts à la vérité.

Notre auteur est conscient de cet état de choses. Pour réfuter la «gnose»,
pour lui enlever son pouvoir séducteur et en éloigner tout homme encore
sensible au vrai, il lui suffit de la dépouiller des ténèbres dont elle s'enve-

---

[52] Cf. *AH.*I.8,1 / Hv 67; *AH.*I.9,1 / Hv 81; *AH.* I. 13,1 / Hv 114; *AH.* I. 13,3 / Hv 118;
*AH.*I. 13,4 / Hv 119; *AH.*I.13,6 / Hv 123; *AH.*I. 13,7 / Hv 126; *AH.*I. 15,6 / Hv 156 (les
cinq derniers textes visent plus particulièrement Marc); *AH.*I.23,1 / Hv 190 (Simon);
*AH.*I.24,2 / Hv 198 (Saturnin); *AH.*II.19,8 / Hv 321; *AH.*II.21,2 / Hv 325; *AH.*II.31,2 /
Hv 370 (Simon et Carpocrate); *AH.*II.32,3 / Hv 374; *AH.*II.32,4 / Hv 375; *AH.*III.15,2
/ SC.278; *AH.*III.17,4 / SC.340–342; *AH.*IV.Pr.2–3 / SC.386–388: … *Spiritu providentes
(discipuli) eos qui seducturi erant simpliciores. Quemadmodum enim serpens Evam seduxit* (cf. *II Cor.*
11,3), *promittens ei quod non habebat ipse, sic et hi praetendentes majorem agnitionem et mysteria
inenarrabilia, et promittentes eam quam dicunt intra Pleroma esse receptionem, in mortem demergunt
sibi credentes, apostates eos constituentes ab eo qui eos fecit* (lire, en rapport avec ce texte,
*AH.*III.23,5 / SC.456 et *AH.*V.20,2 / SC.90); *AH.*IV.18,3 / SC.600 avec une allusion
claire aux *synagogae haereticorum* (*AH.*IV.18,4 / SC.606–608); *AH.*V.28,2 / SC.354–356:
Irénée parle ici de la magie de l'Antéchrist qui séduira les habitants de la terre. Il pense
peut-être à Marc le Mage (cf. *AH.*II.31,3); *AH.*V.30,1 / SC.374–376.

[53] *AH.*III.16,8 / SC.318. Cf. *AH.*III.15,2 / SC.278; *AH.*III.16,1 / SC.288,20–21;
*AH.*III.16,6 / SC.310,189–192; *AH.*III.17,4 / SC.340–342; *AH.*IV.33,3 / SC.808.

[54] Cf. pp. 22–23, notes 20 et 21.

[55] *AH.*V.21,2 / SC.310.

[56] Remarquons comment Irénée s'exprime ici à l'aide d'images, de figures. Voir pp. 20–21.

[57] Cf. *AH.*I.Pr.2 / Hv 3.

[58] Cf. *AH.*I.Pr.2 / Hv 3–4.

[59] Cf. *AH.*III.17,4 / SC.340,100–102.

loppe, de braquer sur elle la lumière. C'est cette attitude que nous voudrions illustrer.

Art. 2: Dévoiler l'erreur qui se cache pour l'anéantir

Voici, d'abord, comment Irénée commence le premier livre de l'*Adversus Haereses:*

> «L'erreur se garde bien ... de se montrer telle qu'elle est, de peur que, mise à nu, elle ne devienne manifeste ... C'est pourquoi, après avoir lu les commentaires des disciples de Valentin ..., après avoir aussi rencontré certains d'entre eux et avoir pénétré à fond leur doctrine, nous avons jugé nécessaire de te *manifester,* cher ami, leurs prodigieux et très profonds mystères ... ‹Car il n'est rien de caché qui ne doive être révélé, rien de secret qui ne doive être connu› (*Mat.* 10,26)»[60].

A la fin du même livre, il écrit:

> «Telle est notre *mise en lumière* de leurs erreurs: assurément, c'est déjà les avoir vaincus que d'*avoir démasqué* leurs doctrines. C'est pourpuoi nous nous sommes efforcé d'*amener à la lumière* et de *produire au grand jour* le corps mal bâti de ce renard: car il ne sera plus besoin de beaucoup de discours pour renverser cette doctrine, maintenant qu'elle est devenue *manifeste* pour tout le monde»[61].

Selon son habitude, il résume tout en une image:

> «Lorsqu'une bête sauvage est cachée dans une forêt, d'où elle fait des sorties pour causer de grands ravages, si quelqu'un vient à *écarter* les broussailles, à *découvrir* l'intérieur, et parvient à apercevoir l'animal, point ne sera besoin désormais de grands efforts pour s'en emparer: on verra qu'on a affaire à telle bête; il sera possible de la voir, de se garder de ses attaques, de la frapper de toutes parts, de la blesser, de tuer cette bête dévastatrice. Ainsi en va-t-il pour nous, qui venons de *produire au grand jour* leurs mystères cachés et secrets»[62].

Enfin, au milieu du même livre, il s'exprime ainsi:

> «Pour nous, nous allons tenter d'*exposer* brièvement le reste de leur mystagogie, qui est fort longue et de *produire au grand jour* ce qui a été

---

[60] *AH.*I.Pr.2 / Hv 3–5. – C'est nous qui soulignons.
[61] *AH.*I.31,3–4 / Hv 243. – C'est nous qui soulignons.
[62] *AH.*I.31,4 / Hv 243. – C'est nous qui soulignons.

caché si longtemps. Ainsi *démasquées,* ces aberrations pourront sans peine être réfutées par tout le monde»[63].

L'intention d'Irénée est donc claire et se maintient ferme tout au long de ce premier livre de l'*Adversus Haereses:* amener à la lumière l'hérésie qui cherche l'obscurité, ouvrir le voile derrière lequel elle se dissimule.

Notre auteur achève son œuvre de lumière par un exposé serré de la «gnose» de toutes les allégeances connues, exposé qu'il entrecoupe de quelques réfutations annonçant le second livre et de rappels rapides de la «foi» de l'Eglise[64]. Voici comment il résume lui-même ce premier livre:

«Dans notre premier livre, cher ami, démasquant la «gnose» au nom menteur, nous t'avons exposé tout l'ensemble de la doctrine mensongère inventée, sous des formes multiples et contradictoires, par les sectateurs de Valentin. Nous avons même décrit les sytèmes des principaux d'entre eux, faisant ressortir comment ils s'opposent les uns aux autres, et bien davantage encore à la vérité. Nous avons aussi fait connaître par le menu le système de Marc le Magicien ... Nous avons exposé en détail comment ils osent affubler la vérité de toutes sortes de chiffres et des vingt-quatre lettres de l'alphabet ... Nous avons mis en lumière les enseignements de leur fondateur, Simon le Magicien de Samarie ... Nous avons montré comment tous les hérétiques, dérivant de Simon, ont introduit des doctrines impies et blasphématoires. Nous avons expliqué leur prétendue «rédemption», la façon dont ils initient leurs adeptes, leurs formules rituelles et leurs mystères»[65]. –

Nous parlions de l'œuvre d'Irénée qui montre, qui rend manifeste, en nous référant aux grandes structures de l'*Adversus Haereses.* En ce qui touche l'ἔλεγχος, nous pouvons maintenant être plus précis: il consiste à *porter à la lumière* l'erreur qui se cache. Ainsi mise à nu, on la voit, pense notre auteur, telle qu'elle est; on peut se garder de ses ravages, s'en emparer et la blesser à mort.

Il resterait à nous interroger sur le fondement du procédé qu'Irénée utilise dans ce livre. Mais, nous réservons cette question à plus tard.

* *
*

---

[63] *AH*.I.15,6 / Hv 156. – C'est nous qui soulignons.
[64] Qui apparaissent comme des trouées lumineuses dans cet «abîme» où Irénée s'est enfoncé, à contrecœur, pour les besoins de la cause. Cf. *AH*.II.17,1 / Hv 306; *AH*.II.30,2 / Hv 362.
[65] *AH*.II.Pr.1 / Hv 251–252; cf. *AH*.III.Pr. / SC.16; *AH*.V.Pr. / SC.10.

«Produire au grand jour le corps *mal bâti* de ce renard ...»[66]. Par l'expression que nous avons soulignée, Irénée annonce déjà en sourdine ce que sera l'objet du second livre de l'*Adversus Haereses*.

§ *4: La réfutation* (ἀνατροπή)

Nous avons déjà relevé avec Irénée comment l'aveuglement volontaire des gnostiques à l'égard du monde et de l'Ecriture les conduisait *in vacuum et in profundum umbrae;* ils sont, ajoute-t-il, «pareils au chien d'Esope qui laissa là le pain pour se précipiter sur l'ombre et perdit sa nourriture»[67]. Que veut dire notre auteur lorsqu'il parle de l'«abîme de l'ombre»? Il pense certainement, comme le mentionne notre texte, à la doctrine ptoléméenne selon laquelle le «Dieu» suprême du Plérôme (= «Abîme») serait distinct du «Démiurge» créateur[68]. Mais, jouant sur le sens du mot, il veut encore signifier l'erreur dans laquelle les hérétiques sont tombés. C'est ainsi que toute la «gnose» comme erreur prend ironiquement le nom du premier «Principe» dont elle est si fière[69]. Irénée poursuit: il suffirait de faire appel aux paroles du Seigneur pour dissiper cette «ombre». Mais, étant donné les dispositions querelleuses et fanfaronnes des gnostiques, «nous avons estimé opportun de les interroger à notre tour sur leurs doctrines, pour mettre en lumière l'*incohérence* de celles-ci ...»[70].

L'intention d'Irénée est donc évidente. Au lieu de braquer sur la «gnose-ombre» les paroles claires du Seigneur qui la dissiperaient comme l'ombre disparaît à l'apparition de la lumière, notre auteur opte pour un autre procédé afin de venir à bout de la témérité de l'adversaire et de le porter à la conversion[71]: accentuer, mettre en un relief accru l'«ombre» qu'est la «gnose» en démontrant son «incohérence» (Art. 1). A l'opposé, il y a la «foi» chrétienne[72] – lumière parce qu'elle est cohérente (Art. 2).

---

[66] *AH*.I.31,4 / Hv 243,15–16. Cf. B. Reynders, *La polémique*..., p. 7.

[67] *AH*.II.11,1 / Hv 275,12–14. ... *Et eos omnimodo retusos non longius sinas in erroris procidere profundum, neque (in) ignorantiae praefocari pelago* ... *AH*.IV.Pr.1 / SC.382; cf. *AH*.V.20,2 / SC.258; ceux qui suivent ces aveugles *vere in profundum perditionis descendentes AH*.II.8,3 / Hv 271.

[68] Cf. *AH*.II.3,1 / Hv 257; *AH*.II.4,3 / Hv 260; *AH*.II.8,2 / Hv 271; *AH*.II.14,3 / Hv 291; etc.

[69] Même procédé en *AH*. IV. Pr.1 / SC.382. Voir, en outre, *AH*.III.25,6–7 / SC. 486–490.

[70] *AH*.II.11,2 / Hv 275,22–24. ... *Quemadmodum in primo diximus libro, in quo et argumenta eorum omnium enarravimus, et invalidum ipsorum et inconstabile in secundo ostendimus. AH*.V.19,2 / SC.252. Cf. *AH*.II.2,5 / Hv 256; *AH*.II.10,4 / Hv 275; *AH*.II.24,1 / Hv 333; *AH*.IV.12,5 / SC.522.

[71] Voir la finale de *AH*.II.11,2. Cf. *AH*.IV.Pr.1 / SC.382.

[72] Considérée ici comme corps, comme ensemble de vérités.

Art. 1: La «gnose-ombre»: son incohérence

«Ainsi leur folie les a-t-elle fait tomber dans une contradiction (*contrarius*) flagrante»[73]. – «Prouvons maintenant que la première de leurs émissions est irrecevable. De l'Abîme et de la Pensée, prétendent-ils, ont été émis l'Intellect et la Vérité. Cela implique contradiction (*contrarius*)»[74]. – «Comment ne serait-elle pas également absurde, cette thèse selon laquelle la Sagesse du Père aurait été dans l'ignorance, la déchéance et la passion? Tout cela est étranger et contraire (*contrarius*) à la Sagesse»[75].

Des affirmations de ce genre reviennent constamment sous la plume d'Irénée. On pourrait dire qu'elles sont comme des refrains scandant les différents développements du deuxième livre de l'*Adversus Haereses*. En quoi donc se vérifie l'étiquette d'«incohérence» dont Irénée coiffe la doctrine de ses adversaires? Avant de réfléchir sur ce point, voyons-le lui-même à l'œuvre. – Il va de soi que nous ne pouvons rapporter ici que quelques exemples de sa manière de faire. Dans leurs structures, cependant, ces exemples nous semblent de nature à offrir un modèle du procédé utilisé tout au long du présent livre[76]:

Certains gnostiques affirment que les choses de ce monde sont l'ombre des réalités supérieures et par là même leurs images. Or, seuls les corps font de l'ombre. C'est donc dire que les réalités spirituelles sont des corps – proposition niée par ailleurs par les gnostiques.

Notre auteur poursuit: Accordons'leur qu'il y ait une ombre des réalités spirituelles et lumineuses, ombre dans laquelle leur Mère serait descendue. Or, ces réalités supérieures sont éternelles. Donc, l'ombre faite par elles dure aussi éternellement, et les choses de ce monde ne sont plus transitoires, mais demeurent aussi longtemps que les réalités dont elles sont les ombres – proposition également inacceptable pour les gnostiques. Ou bien, de façon inverse: Si les choses de ce monde passent, nécessairement passent aussi les choses d'en-haut.

Enfin: Les gnostiques diront peut-être qu'il ne convient pas d'attribuer l'ombre à quelque chose, mais à l'immense distance qui sépare les choses d'ici-bas de celles d'en-haut. Or, cela revient à accuser d'impuissance et de faiblesse leur Lumière paternelle, puisque celle-ci n'arrive pas jusqu'à ce monde, mais se montre incapable de remplir le vide, de chasser l'ombre. Qu'ils cessent donc de dire que leur Abîme est le Plérôme de

---

[73] *AH*.II.12,3 / Hv 277,28–29.
[74] *AH*.II.13,1 / Hv 280,17–20.
[75] *AH*.II.18,1 / Hv 312,30–33. Cf. *AH*.IV.6,4 / SC.444; *AH*.V.27,1 / SC.338.
[76] Nous nous référons ici à *AH*.II.8,1–3 / Hv 270–271. – Cf. Théophile d'Antioche, *Ad Aut*. II.4/102.

toutes choses. Ou bien, de manière inverse: Si leur Lumière paternelle remplit tout, qu'ils cessent de parler de vide et d'ombre.

Irénée peut tranquillement conclure: «La preuve est faite que leurs inventions sont vides et leurs doctrines inconsistantes (*inconstans*)».

Comme le montre ce passage, un système doctrinal est cohérent lorsque tous les éléments qui le composent se correspondent et, encore, lorsqu'une donnée qu'il pose ou accepte n'en implique pas une autre qu'il refuse ou rejette. Autrement dit: pour qu'un corps de doctrines soit cohérent, Irénée exige que ses diverses composantes s'inscrivent dans un mouvement circulaire où l'une confirme l'autre et inversement. Dans le cas de la «gnose», ce mouvement ne boucle jamais. Il est constamment pertubé; il reste toujours ouvert. La «gnose» est donc incohérente.

Dans le second livre de l'*Adversus Haereses,* c'est sous cet angle qu'Irénée considère les points capitaux de la doctrine des disciples de Valentin[77] ainsi que quelques autres points particuliers[78] propres à d'autres écoles.

Art. 2: La «foi» – lumière: sa cohérence

A l'opposé, il y a la «foi», dont les diverses composantes se répondent pour former une harmonie parfaite.

Admet-on, par exemple, le salut de la chair, c'est le réalisme de l'union du Verbe à la chair, celui de l'Eucharistie, et leur pouvoir rédempteur qui se trouvent éclairés et confirmés:

> «S'il n'y a pas de salut pour la chair, alors le Seigneur ne nous a pas non plus rachetés par son sang[79], la coupe de l'Eucharistie n'est pas une communion à son sang et le pain que nous rompons n'est pas une communion à son corps»[80].

Ailleurs[81], nous trouvons un texte particulièrement éloquent:

Il y est question des rapports entre le salut de la chair et l'Eucharistie

---

[77] Par exemple: le Plérôme séparé de la création; le Plérôme contenant la création; les émissions des Eons; les nombres; le Démiurge. D'une manière ou d'une autre, ces points doctrinaux rejoignent les thèses hérétiques de Marcion, de Simon, de Ménandre, de Saturnin, de Basilide, de Carpocrate (cf. *AH*.II.31,1 / Hv 369–370).

[78] Comme a) les pratiques magiques de Carpocrate et de Simon (cf. *AH*.II.31,2–32,4 / Hv 370–376); b) les morales licencieuses (cf. *AH*.II.33,1–5 / Hv 376–380); c) la doctrine de la transmigration des âmes (cf. *AH*.II.34,1–4 / Hv 381–383); d) la théorie des différents cieux de Basilide (cf. *AH*.II.35,1 / Hv 383–384); etc.

[79] C'est-à-dire par la chair: *Sanguis enim non est nisi a venis et carnibus et a reliqua quae est secundum hominem substantia, quae vere factum Verbum Dei sanguine suo redimit nos.* Ainsi se poursuit le texte que nous citons.

[80] *AH*.V.2,2 / SC.30–32.

[81] *AH*.IV.18,5 / SC.610–612.

discutés dans un contexte polémique. Irénée ouvre le débat en surprenant ses adversaires en flagrant délit de contradiction. «Comment, écrit-il, peuvent-ils encore dire que la chair s'en va à la corruption et n'a point part à la vie, alors qu'elle est nourrie du corps du Seigneur et de son sang?». Dans ces conditions, poursuit-il, de deux choses l'une: «Qu'ils changent leur façon de parler, ou qu'ils s'abstiennent d'offrir ce que nous venons de dire». Il continue en faisant appel à la manière orthodoxe de penser:

> «Pour nous, notre façon de penser (entendons: la croyance au salut de la chair) s'accorde (*consonans** σύμφωνος) avec l'eucharistie, et l'eucharistie confirme (*confirmat** βεβαιοῖ) notre façon de penser».

Puis, il étaie son affirmation:

> «Car nous lui offrons ce qui est sien, proclamant d'une façon harmonieuse la communion et l'union de la chair et de l'Esprit: car de même que le pain qui vient de la terre, après avoir reçu l'invocation de Dieu, n'est plus du pain ordinaire, mais eucharistie, constituée de deux choses, l'une terrestre et l'autre céleste, ainsi nos corps qui participent à l'eucharistie ne sont-ils plus corruptibles, puisqu'ils ont l'espérance de la résurrection»[82].

D'après Irénée, la «foi», plus précisément la doctrine du salut de la chair (l'élément terrestre: les corps – l'élément céleste: l'Eucharistie) et celle de l'Eucharistie (l'élément céleste: l'invocation de Dieu – l'élément terrestre: le pain) se situent donc l'une face à l'autre dans un rapport réciproque, la première s'accordant avec la seconde, la seconde confirmant la première.
C'est ainsi que, dans la ligne des textes rapportés, notre auteur se représente les multiples données de la «foi» comme un grandiose jeu de lumières où les diverses teintes s'enlacent les unes dans les autres en un va-et-vient d'ébauches et d'annonces d'une part, d'achèvements et de retours d'autre part. –
Ces pages ont montré qu'il existe un lien étroit entre la «gnose-ombre»

---

[82] Dans son article: *Eucharistia ex duabus rebus constans. S. Irénée, Adv. haereses, IV, 18,5*, dans *Antonianum* 15 (1940), pp. 13–28, D. van den Eynde a bien vu que l'Eucharistie dont il est ici question «ne réunit pas une communication du corps du Christ et d'autre chose» – ainsi que l'avait soutenu H. D. Simonin, *A propos d'un texte eucharistique de S. Irénée*, dans *RSPT* 23 (1934), pp. 280–292 –, mais «que c'est le corps du Christ (= Eucharistie) qui procède de l'union des deux éléments». Entre beaucoup d'avantages, cette interprétation a pour elle de respecter la *consonantia* prônée par Irénée: à l'invocation de Dieu (= élément céleste) descendant sur le pain (= élément terrestre) correspond l'Eucharistie, corps du Christ (= élément céleste) à laquelle participent nos corps (= élément terrestre).

incohérente et la «foi» – lumière cohérente. Ce lien, nous semble-t-il, n'est pas seulement d'ordre matériel, mais encore d'ordre dynamique en ce sens que c'est, en définitive, à partir du second trinôme que naît le premier. Si notre perception des choses est juste, l'ἀνατροπή vérifie encore le titre de ce chapitre: En dépeignant l'«ombre» – entendons la «gnose» comme ensemble de données contradictoires –, Irénée laisse *deviner, en arrière-plan, la lumière* – entendons la «foi» comme corps de doctrines cohérentes –, un peu comme le profil d'un objet s'accentue lorsqu'il est placé entre le regard et un ardent foyer de lumière.

§ 5: La démonstration (ἀπόδειξις)

Menée dans la subordination (= «voir») à la «lumière de la prédication» – entendons les paroles claires et unanimes[83] de l'Ecriture[84] –, la «démonstration de la vérité» ne peut être qu'une œuvre de lumière analogue au lampadaire relayant la flamme où il s'alimente. Autrement dit, elle est lumineuse par et comme le fondement sur lequel elle repose.

Conduite en rapport (= «voir»)[85] avec le message unique de l'Eglise universelle ou des Eglises particulières[86] à l'opposé duquel il y a «les chemins bigarrés, multiformes, incertains» des doctrines gnostiques[87] et les divergences sans fin[88] des hérétiques sur les mêmes sujets[89], elle

---

[83] Cf. *AH*.III.11,8 / SC.164; *AH*.V.36,3 / SC.462; etc.

[84] Cf. § 2.

[85] En *AH*.V.20,1.2, Irénée qualifie d'«aveuglement» le refus que les gnostiques opposent au «message de l'Eglise». Cf. la note 87 de ce §.

[86] Cf. *AH*.I.10,1.2.3 / Hv 90.92–94.96; *AH*.V.20,1 / SC.254–256.

[87] Cf. *AH*.V.20,2 / SC.256,32–33.

[88] Etat de choses dû à l'aveuglement des gnostiques «à l'égard de la vérité» ou à leur abandon du «message de l'Eglise». Cf. *AH*.V.20,1.2 / SC.254–256.

[89] Cf. *AH*.V.20,2 / SC.256. Voir encore: *AH*.I.21,2 / Hv 183; *AH*.III.21,3 / SC.408; *AH*.V.19,2 / SC.250–252; *AH*.V.35,1 / SC.436. –

a) Unité et universalité du message de l'Eglise; b) divergences des opinions hérétiques, voilà ce qui justifie aux yeux d'Irénée la tradition. Voir D. van den Eynde, *Les normes ...*, p. 164. Justifiée, la tradition oblige. C'est pourquoi notre auteur s'y relie. Ce raisonnement fonde notre présente réflexion qui – et pour cause! – ne se retrouve pas comme telle chez notre auteur.

Relevons que Théophile d'Antioche fait appel au «désaccord» des «philosophes» et à celui des «philosophes» et des «écrivains» pour mettre en lumière leurs erreurs touchant «la monarchie divine, la création du monde et celle de l'homme» (*Ad Aut.* II,35/188; cf. *Ad Aut.* II,10/122; *Ad Aut.* III,7/216ss): «La discorde règne dans les opinions des philosophes et des écrivains» *Ad Aut.* II,5/104; cf. *Ad Aut.* II,8/114. A une fin identique, il souligne en outre que les mêmes auteurs se contredisent sur les mêmes points de doctrines: «Voici d'ailleurs où leurs propres discours les accusent: ils ne sont pas d'accord avec «offre» à son tour «le spectacle» ou, mot à mot, elle «donne à voir»[90] la foi commune à tous.

Lumineuse, cette démonstration l'est à un autre titre. «L'essence (de la gnose), écrit A. Benoît, c'est le morcellement, la division, le dualisme»[91]. Aux yeux des chrétiens et plus particulièrement à ceux d'Irénée, les hérétiques étaient parvenus à faire du tissu unique de la foi – entendons Dieu et son dessein de salut pour l'homme – un amas de pièces disjointes et sans suite[92]. Comment cela? Rompant avec la totalité du réel de l'Ecriture et de la tradition, ils optaient pour la révélation transmise par le «Sauveur d'en – haut» descendant sur le «Jésus psychique» (= les disciples de Valentin) ou encore pour l'Evangile de Jésus (= Marcion). C'est à ce message qu'ils mesuraient le monde des êtres et des choses. Là où ce réel s'avérait inconciliable avec le contenu de cette révélation, il était impitoyablement rejeté comme appartenant à un autre monde, au monde «psychique» ou «hylique» selon les uns, au monde passé et méprisable du Testament ancien selon l'autre. Au fond, l'attitude des hérétiques était de concevoir l'unité dans l'*assimilation, l'identification* – comme un est égal à un – de tout le réel à leur évangile. La rupture du début se retrouvait à la fin.

Irénée procède tout autrement. Au point de départ, il adopte l'attitude de se tenir devant le réel de la révélation qu'il reçoit dans sa totalité ou dans la multiplicité, la richesse, la diversité des éléments qui le composent. De là, il s'efforce de refaire l'unité de la foi brisée par les gnostiques[93] en montrant qu'il y a une *ratio* qui, tout à la fois, *respecte* ou *rend compte* des différences indéniables de ce réel et qui fait'que, comme telles, ces différences *se renvoient* et *s'accordent mutuellement*. Voilà pour sa méthode.

leurs propos, et pour la plupart ils ont détruit leurs propres théories. Non seulement ils se sont culbutés entre eux, mais il en est qui sans plus attendre ont sapé l'autorité de leurs propres théories» *Ad Aut.* III,3/210; cf. *Ad Aut.* II,6/108; *Ad Aut.* II,8/116–118. A ce «désaccord», Théophile oppose le témoignage concordant (cf. *Ad Aut.* I,14/90) d'un «grand nombre de prophètes» tant chez les Hébreux (cf. *Ad Aut.* II,35/188) que chez les Grecs (= la Sibylle: cf. *Ad Aut.* II,35/190) et de «certains poètes à l'âme dégrisée des démons» (cf. *Ad Aut.* II,8/118–120) non seulement sur les points de doctrine mentionnés plus haut, mais encore sur le châtiment final des méchants (cf. *Ad Aut.* II,37/198), sur la conflagration du monde (cf. *Ad Aut.* II,37/200), sur la providence de Dieu auprès des vivants et des morts (cf. *Ad Aut.* II,38/202): «Tous ont tenu des discours qui vont bien ensemble et sont d'accord...» *Ad Aut.* II,9/120; *Ad Aut.* II,35/188; *Ad Aut.* II,38/202; *Ad Aut.* III,17/238.

[90] *Videre ... donans: AH.*V.20,1 / SC.254,10.

[91] A. Benoît, *Saint Irénée ...*, pp. 204–205.

[92] En elle-même et pour elle-même, il est certain que la «gnose», surtout valentinienne, recèle « eine Großartigkeit» et «eine philosophische und religiöse Vollständigkeit». Voir, sur ce point, les excellentes remarques de H. U. von Balthasar, *Herrlichkeit...*, pp. 38–39.

[93] «Die Theologie also, welche wir bei Irenäus finden, wird von vornherein ihre charakteristische Struktur von dem Ziel her empfangen, auf das sie gerichtet ist: die Widerlegung des Dualismus, des Synkretismus, der Uneinheitlichkeit ganz allgemein, wie sie sich in der Gnosis findet ... Der vorrherrschende Gedanke ist dementsprechend die Einheitsidee

De sa «démonstration» de la vérité ou de l'unité de la «foi», nous pouvons dire ceci: elle est revêtue d'une *lumière*, d'une *splendeur*, celle de l'*harmonie* qui lui vient de l'accord des contraires, un peu comme la mosaïque reçoit son éclat de la diversité concordante des teintes et des couleurs.

Dans les pages qui vont suivre, nous voudrions illustrer ces réflexions à l'aide de deux ensembles étroitement reliés l'un à l'autre et qui occupent, nous semble-t-il, une place toute particulière dans les trois derniers livres de l'*Adversus Haereses*. Nous pensons à la «démonstration» touchant l'unité des Testaments (Art. 1) et l'unicité de Dieu (Art. 2).

Art. 1: Un seul dessein historique de salut: l'unité des Testaments

Nombre de théologiens et de spécialistes de la pensée irénéenne ont relevé à juste titre l'importance accordée à l'histoire par le docteur de Lyon. Citons, parmi bien d'autres, ce témoignage d' Oscar Cullmann:

> «Jusqu'aux théologiens de l'Ecole de l'‹Histoire du salut› au XIXe siècle ... il n'y a guère eu de théologien qui ait reconnu d'une façon aussi nette qu'Irénée que la prédication chrétienne n'existe et ne cesse qu'avec l'histoire du salut, que l'œuvre historique du salut en Jésus-Christ forme le milieu d'une ligne qui va de l'Ancien Testament au retour du Christ»[94].

Qu'Irénée ait été un «geschichtlich denkender Schriftsteller»[95], les raisons en sont multiples. Parmi les principales, il y a sans doute sa proxi-

---

in jeder Hinsicht» W. Hunger, *Der Gedanke der Weltplaneinheit und Adameinheit in der Theologie des h. Irenäus. Ein Beitrag zum Verständnis seiner Arbeitsweise*, dans *Schol* 17 (1942), p. 161. Nous retrouvons une idée analogue chez Prümm. C'est à tort, nous semble-t-il, qu'il réduit tout le projet irénéen à refaire l'unité des deux Testaments: cf. K. Prümm, *Zur Terminologie und zum Wesen der christlichen Neuheit bei Irenäus*, dans *Pisciculi*, Münster, 1939, p. 201. Retenons pour finir cette remarque de A. Benoît: «Ainsi le résultat de cette enquête est net: le thème de l'unité est bien propre à Irénée, il apparaît avec beaucoup de netteté dans les passages où précisément Irénée ne trahit l'influence d'aucune source. Et inversement, les sources utilisées ne semblent pas avoir mis ce thème au premier plan» A. Benoît, *Saint Irénée*..., p. 206.

[94] « Es hat bis zu den Theologen der ‹heilsgeschichtlichen› Schule im 19. Jahrhundert ... kaum je wieder einen Theologen gegeben, der so klar erkannt hätte wie Irenäus, daß die christliche Verkündigung mit der Heilsgeschichte steht und fällt, daß das historische Erlösungswerk Jesu Christi die Mitte einer Linie bildet, die vom alten Testament bis zur Wiederkehr Christi führt» O. Cullmann, *Christus und die Zeit*, Zürich, 1948 (2e éd.), p. 48; voir en outre: O. Cullmann, *Heil als Geschichte*, Tübingen, 1965, pp. 20 ss; J. Daniélou, *S. Irénée et les origines de la théologie de l'histoire*, dans *RSR* 34 (1947), pp. 227–231; J. Daniélou, *Essai sur le mystère de l'histoire*, Paris, 1953, pp. 12 ss; A. Bengsch, *Heilsgeschichte* ..., pp. 52 ss.

[95] K. Prümm, *Zur Terminologie* ..., p. 219.

mité affective[96] avec les sources encore toutes jeunes de la révélation divine. En outre, son débat avec les gnostiques[97] qui, non contents de mépriser le temps[98], ne voyaient entre les divers événements du salut que des oppositions radicales, l'obligeait non seulement à rester sur le terrain de l'histoire[99], mais encore à y demeurer comme le théologien de l'unité de l'histoire, plus précisément, de l'unité des deux Testaments. Voyons cela de plus près.

Au chapitre 12 du troisième livre de l'*Adversus Haereses*[100], nous lisons le texte suivant:

«Car tous les tenants d'opinions fausses, impressionnés par la Loi de Moïse et estimant qu'elle est dissemblable de l'enseignement de l'Evangile, voire contraire à celui-ci, ne se sont pas dès lors appliqués à rechercher les causes de cette différence entre les deux Testaments. Vides de l'amour du Père et enflés par Satan, ils se sont tournés vers la doctrine de Simon le Magicien; ils se sont ainsi séparés du vrai Dieu par leurs pensées et ont cru avoir trouvé eux-mêmes mieux que les apôtres en inventant un autre Dieu ...».

Cette manière de faire des hérétiques[101] ne nous est pas étrangère; nous en avons parlé plus haut. Le nouveau ici est qu'elle est appliquée aux temps du salut. Comparant le Nouveau Testament (= l'Evangile) à l'Ancien (= la Loi de Moïse), les hérétiques n'y ont vu que dissemblance

---

[96] Nous pensons aux relations vivantes qu'Irénée entretint avec Jean (sur la question de savoir s'il s'agit bien de l'Apôtre, voir: L. Doutreleau, dans *DS* VII/2, 1925–1926) et les autres qui «avaient vu le Seigneur» grâce au souvenir – toujours de plus en plus vivace à mesure qu'avançait l'âge – de ses contacts d'enfance avec Polycarpe. Cf. la Lettre d'Irénée à Florinus rapportée par Eusèbe, *Hist. Eccl.* V.20,5–8 / 61–63. «Le souvenir vivant du Christ dans une tradition où rien encore n'était anonyme ne pouvait imposer à cette théologie que d'être positive, *historique* et biblique» Th.-A. Audet, *Orientations* ..., p. 53. C'est nous qui soulignons.

[97] Entendons: avec les disciples de Valentin et avec Marcion.

[98] «Dans sa lutte pour sa délivrance, le «spirituel» ou le «parfait», assuré de son origine transcendante, de sa supériorité native, *cherche à briser le temps*» H.-C. Puech, *La gnose et le temps*, dans *Eranos-Jahrbuch* 20 (1951), p. 96. C'est nous qui soulignons. Voir les nuances que Marrou, veut apporter plus ou moins à tort, nous semble-t-il, à la pensée de Puech: H. I. Marrou, *La théologie de l'histoire* ..., pp. 219–225.

[99] «In diesem theologischen Programm (des gnostiques) spielen die Heilstaten Gottes keine Rolle, nichts Geschichtliches hat in diesem straffen Schema von Katabasis und Anabasis Raum. Die irenäische Theologie dagegen ist eine Befragung des Geschehenen, für die es kein zeitloses nunc und kein mythisches Drama gibt» A. Bengsch, *Heilsgeschichte* ..., p. 56. Retenons encore cette remarque de W. Hunger: «Die Widerlegung der mythologischen gnostischen Gottes- und Erlösungslehre brachte es mit sich, daß Irenäus seine dogmatischen Gedanken unter vorwiegend geschichtstheologischer Formalrücksicht vorlegt» W. Hunger, *Der Gedanke* ..., p. 164.

[100] *AH*.III.12,12 / SC.230,407–415.

[101] Il se peut qu'Irénée vise ici plus particulièrement Marcion.

et contradiction (*dissimilis-contrarius*). Il en résulte qu'ils ne se sont retrouvés qu'avec un pan de l'histoire du salut pour lequel ils se devaient d'inventer un autre dieu, celui de Simon le Magicien[102].

En revanche, écrit encore notre auteur, lorsque l'hérétique aura rejeté cette erreur contre Dieu ou qu'il aura accepté la doctrine des Apôtres touchant l'unicité de Dieu[103], il comprendra pourquoi la Loi (= Ancien Testament) et la grâce (= Nouveau Testament) ne forment qu'un tout dans leurs différences:

> «Et quand cet homme aura rejeté de sa pensée une aussi monstrueuse erreur et un tel blasphème contre Dieu, il retrouvera de lui-même la raison, comprenant que la Loi de Moïse aussi bien que la grâce du Nouveau Testament, toutes deux adaptées à leurs époques respectives, ont été accordées pour le profit du genre humain par un seul et même Dieu»[104].

Si la Loi et la grâce se distinguent l'une de l'autre, elles ne s'opposent pas; bien plus, elles se renvoient l'une à l'autre. La raison? Il n'y a qu'un Dieu qui agit «pour le profit du genre humain» et qui, dès lors, en fait des réalités «adaptées à leurs époques respectives». La cause prochaine de l'unité des Testaments dans leurs différences se trouve donc en ceci que ces deux moments de l'histoire sont des réalités *«adaptées»* (= *aptus*) à leurs temps.

Or, avec cette idée de l'adaptation, Irénée ne rapproche pas seulement la diversité et l'unité, mais encore voit s'opérer cette unité dans la différence *de manière harmonieuse*. En effet, qui dit adaptation, dit rapport s'effectuant dans l'ordre et la mesure.

Que ce soit bien là la pensée d'Irénée, nous en avons la preuve dans la conclusion qu'il appose au présent ensemble:

> «Pour nous, dans la suite de notre traité, nous exposerons le pourquoi de la différence entre les Testaments en même temps que leur unité et *leur harmonie*»[105].

Du quatrième livre de l'*Adversus Haereses* auquel ce texte fait allusion, nous voudrions relever un passage où notre auteur reprend en substance

---

[102] Remarquons qu'Irénée fait remonter cette erreur à un contemporain des Apôtres qu'eux-mêmes ont condamné (cf. *Act.* 8,9–25). Cette condamnation apostolique n'expliquerait-elle pas pourquoi notre auteur prend soin de rattacher les hérétiques à Simon? Simon, écrit-il, est le père de toutes les hérésies: *Simon autem Samaritanus, ex quo universae haereses substiterunt ... AH.*I.23,2 / Hv 191,10–11. Et encore: Les gnostiques sont les *discipuli* et les *successores* de Simon: *AH.*I.27,4 / Hv 219,11–12.

[103] Dont il est question depuis le début du chapitre 12 et qu'Irénée démontre à l'aide des «paroles» et des «actes des apôtres» (= le livre des *Actes des Apôtres*).

[104] *AH.*III.12,11 / SC.230,400–406.

[105] *AH.*III.12,12 / SC.234,439–442. – C'est nous qui soulignons.

la doctrine dégagée ici en l'appliquant à quelques événements particuliers de l'histoire du salut.

Dans le passage en question, Irénée se trouve aux prises avec l'objection gnostique qui «taxait de faiblesse» les préceptes cultuels et les prescriptions adoucissantes que Moïse, sur l'ordre de Dieu, avait ajoutés au Décalogue. De ce fait, toute une tranche de l'histoire du salut[106] et la foi en un seul Dieu étaient mises en cause.

Pour réfuter adéquatement son adversaire, Irénée devait donc faire œuvre d'unité. Laissons-lui la parole:

> «Mais quand ensuite ils (= les fils d'Israël) se tournèrent vers la fabrication d'un veau et qu'ils revinrent de cœur en Egypte, désirant être esclaves plutôt que libres, alors, conformément à leur convoitise, ils reçurent toutes les autres prescriptions cultuelles, qui, sans les séparer de Dieu, les dompteraient sous un joug de servitude»[107].

Et encore:

> «... Pour ce motif (= leur dureté et leur insoumission) ils (= les Juifs) avaient reçu de Moïse le précepte de répudiation qui convenait à leur dureté ... Il (= Dieu) les attirait par les pratiques en question, afin que, ayant grâce à elles mordu à l'hameçon sauveur du Décalogue et y restant accrochés, ils ne puissent plus retourner à l'idolâtrie et se détacher de Dieu, mais apprennent à l'aimer de tout leur cœur»[108].

Notre auteur montre clairement que les prescriptions cultuelles et les adoucissements apportés au Décalogue, bien que différents de ce dernier, ne s'y opposent pas. Au contraire, ils y renvoient et y *renvoient dans l'harmonie*. En effet, ils sont *mesurés* (= *aptus*) à la convoitise et à la dureté d'Israël afin que, de la sorte, celui-ci arrive à désirer la liberté et qu'en restant accroché à l'hameçon sauveur du Décalogue il apprenne à aimer Dieu. En d'autres termes, ils sont comme des étapes accordées à l'état de faiblesse du peuple pour que ce dernier passe sans heurt aux dons de la liberté et de l'amour amorcés par le Décalogue et atteignant leur plénitude[109] dans le «Testament nouveau de la liberté»[110] et de l'agapè[111].

---

[106] Et avec elle, en définitive, tout l'Ancien Testament.

[107] *AH*.IV.15,1 / SC.550.

[108] *AH*.IV.15,2 / SC.556. *Ira = ... salutarem Decalogi absorbentes hamum et detenti ab eo* ... Voir à la ligne 68 du texte latin dans l'édition de SC.

[109] C'est ainsi que les pratiques en question qui sont mises ici immédiatement en rapport avec le Décalogue (= Ancien Testament) sont, en vertu même de ce rapport, mises en relation avec le Nouveau Testament.

[110] *AH*.III.12,14 / SC.244,521–522; cf. *AH*.III.19,1 / SC.372; *AH*.IV.4,1 / SC.418; *AH*.IV.11,3 / SC.504; *AH*.IV.11,4 / SC.508; *AH*.IV.16,5 / SC.570–572; *AH*.IV.22,1 / SC.684; *AH*.IV.33,14 / SC.842; etc.

[111] *AH*.IV.33,8 / SC.820; cf. *AH*.IV.12,2 / SC.512; etc.

Unité dans la différence. Unité (= *unitas*) du dessein historique du salut fait de moments distincts les uns des autres (= *differentia*), mais moments mesurés, adaptés (= *aptus*) à l'état concret de l'humanité et se renvoyant de la sorte entre eux dans un rapport consonant (= *consonantia*) d'éveil à la liberté, d'apprentissage de l'amour. Unité de la diversité dans l'harmonie, unité harmonique donc, telle est la manière d'Irénée de réfuter la doctrine dualiste (= *dissimilis-contrarius*) de ses adversaires.

* *
*

Nous avons vu plus haut que cette «démonstration» de l'unité du dessein historique du salut était destinée, en dernière analyse, à établir l'unicité de Dieu. Dieu lui-même y apparaissait en définitive comme la raison, le fondement de l'unité harmonique des Testaments. Or, s'il en est bien ainsi, nous pourrions nous attendre à ce qu'Irénée perçoive l'unique Dieu comme un «Artiste», comme un Dieu de la mesure et de l'ordre. Qu'en est-il dans les faits?

Art. 2: L'unique Auteur du dessein historique de salut: l'unicité de Dieu

A. Houssiau écrit:

> « ... L'unicité de Dieu s'exprime de deux manières différentes: unicité du Père agissant dans l'Ancien Testament et envoyant son Fils; unicité du Verbe agissant depuis le début et s'incarnant à la fin des temps. La première se concrétise dans le binôme Père-Fils, la seconde dans le binôme Verbe-Verbe incarné»[112].

Ce texte laisse bien voir les sujets visés et la double démarche de la «démonstration» irénéenne de l'unicité divine. En supposant pour l'instant que ces données soient justes – dans la suite de ce travail, nous aurons encore plus d'une fois l'occasion d'en constater le bien-fondé –, nous mènerons notre recherche dans le cadre des binômes: Père-Fils (A) et Verbe-Verbe incarné (B).

A. «Le binôme Père-Fils»

Présentons d'abord rapidement le texte[113] qui servira de matériel à la présente étude. Dès le début du chapitre d'où est tiré notre passage, nous

---

[112] A. Houssiau, *La christologie...*, pp. 54–55.
[113] *AH*.IV.4,2 / SC.420.

trouvons Irénée aux prises avec une objection gnostique selon laquelle Jérusalem (= Ancien Testament) ne peut pas être l'œuvre du Dieu du Nouveau Testament puisque ce dernier la délaisse. Notre auteur y répond en utilisant un exemple emprunté à la nature. Comme la tige et le sarment, pourtant créatures de Dieu, sont abandonnés après leur fructification, ainsi en est-il de Jérusalem: porteuse de la Loi, elle a servi à éduquer l'homme à la liberté; ayant produit le Fruit de liberté et les hommes capables de fructifier, il est normal que le même Dieu qui lui avait donné la croissance la mette à l'écart.

Donc, deux positions opposées: celle des hérétiques qui, incapables de dépasser la différence entre Jérusalem «ville du grand Roi» et Jérusalem ville délaissée, posent l'existence de deux dieux; celle d'Irénée qui saisit ces deux états dans l'unité harmonique de la croissance et de la fructification, œuvre d'un même Dieu comme le sont la tige et le sarment devenus inutiles après avoir donné leurs fruits. Irénée continue:

«La Loi ayant commencé avec Moïse, il était donc normal qu'elle finît avec Jean, puisqu'était arrivé son accomplissement qui est le Christ: et c'est pourquoi, chez eux, ‹la Loi et les prophètes ont duré jusqu'à Jean› (Lc 16,16). Jérusalem aussi, par conséquent, après avoir commencé avec David et avoir accompli les temps de sa Loi, dut prendre fin lorsqu'apparut la nouvelle Alliance. Car Dieu fait toutes choses avec mesure et ordre, et rien chez lui ne manque de mesure parce que rien non plus ne manque de nombre. Et il s'est exprimé avec bonheur, celui qui a dit que le Père lui-même, tout incommensurable qu'il soit, est mesuré dans le Fils: le Fils est en effet la mesure du Père, puisqu'il le comprend»[114].

Passant tour à tour en revue le cas de la Loi et de Jérusalem[115], Irénée poursuit son argumentation amorcée en *AH*. IV. 4,1: la Loi a commencé avec Moïse, elle devait finir avec Jean, car son accomplissement, le Christ, était arrivé; Jérusalem a commencé avec David, elle devait prendre fin lorsqu' apparut la nouvelle Alliance. Loin donc de s'opposer, les Testaments caractérisés par l'existence et la disparition de la Loi et de Jérusalem forment entre eux une unité harmonique selon laquelle le commencement doit céder le pas à l'accomplissement.

Puis, notre auteur passe au fondement qui explique cette unité consonante des Alliances: Dieu, plus précisément le Père. C'est Lui qui donne

---

[114] *Ira = adimpletio enim* et *suae* se trouvant respectivement aux lignes 27 et 30 du texte latin dans l'édition de SC.420.

[115] Irénée parle séparément de la Loi et de Jérusalem pour mieux mettre en relief le sort réservé à celle-ci. Ceci dit, il ne faut pas perdre de vue que son rôle est essentiellement relié à celui de la Loi.

la Loi comme sa réalisation, le Christ; c'est encore Lui qui est à l'origine de l'existence de Jérusalem comme de sa disparition dans le Testament nouveau. Et il le peut, ajoute Irénée, puisqu'il «fait toutes choses avec mesure et ordre» (*omnia enim mensura et ordine Deus facit* * ἅπαντα ** γὰρ *μέτρῳ καὶ τάξει ὁ Θεὸς ποιεῖ). Nous obtenons ainsi la réponse à la question posée plus haut: la démonstration de l'unité des Testaments différents comme unité harmonique a pour ultime fondement un seul Dieu, le Père unique qui «fait tout dans la mesure et l'ordre». Nous constatons en outre que l'unicité de Dieu est perçue, en définitive, *à partir du fait que le Père est un Dieu de la «mesure» et de l'«ordre» dont l'unité harmonique de l'histoire n'est que l'expression.*

Pour finir, notre auteur note que la «mesure du Père, c'est le Fils» (*mensura enim Patris Filius*** μέτρον γὰρ τοῦ Πατρὸς ὁ Υἱός. Il entend ainsi signaler que le Père «incommensurable» est mesuré dans le Fils – seul, il le «comprend» – et que, dès lors, c'est dans le Fils que l'on trouve *l'exécutant autorisé de la «mesure» et de l'«ordre»* dont le Père est la source[116]. De là, ne faudrait-il pas s'attendre à ce que la démonstration du second binôme soit menée à l'aide de l'unité harmonique des Testaments? En d'autres termes et plus précisément encore: Puisque le Fils est, comme artisan de la «mesure» et de l'«ordre» paternels, l'*«accomplissement»* de la Loi (= Nouveau Testament), n'est-il pas à prévoir que, dans la démonstration de son unicité, il sera présenté comme en étant également le *principe* (= Ancien Testament)? Et de fait, en *AH*. IV. 12,4, par exemple, c'est bien ainsi qu'Irénée perçoit les choses. Voyons-le de plus près.

B. «Le binôme Verbe-Verbe incarné»

La première affirmation de cette péricope concerne la valeur que le Seigneur lui-même attachait à la Loi, preuve qu'elle «ne venait pas d'un autre Dieu». Notre auteur découvre cette doctrine en *Mat.* 23,2–4. Conformément à ce texte scripturaire, il relève les diverses attitudes du Seigneur face à la Loi et au comportement des scribes et des Pharisiens[117]:

---

[116] Et l'Esprit, celui qui l'achève. Dans l'un et l'autre Testaments, son rôle est en effet de «disposer» (cf. *AH*.IV.36,7 / SC.912: *disponere*), d'«arranger» (cf. *Epid.* 5 / SC.35–36), d'«ordonner» (cf. *AH*.IV.20,2 / SC.630: *ordinare*), d'«orner» (cf. *AH*.IV.36,6 / SC.902: *adornari*), d'«harmoniser» (cf. *AH*.III.17,2 / SC.332; *AH*.TV.20,4 / SC.634: *aptare*), d'«unifier» (cf. *AH*.III.24,2 / SC.476: *conpingere*), de maintenir la diversité dans la cohésion (cf. *AH*.III.11,8 / SC.162; *AH*.V.2,3 / SC.36: *continere*), d'habituer, d'accorder (cf. *AH*.V.9,3 / SC.114; *AH*.V.18,2 / SC.240; *AH*.V.36,2 / SC.458–460; *AH*.V.36,3 / SC.464–466: etc., etc.), d'assouplir (cf. *AH*.IV.39,9 / SC.966), de «nourrir et d'accroître» (cf. *AH*.IV.38,3 / SC.954: *nutrire et augere*), de «faire porter du fruit» (cf. *AH*.III.17,2 / SC.332; *Epid.* 99 / SC.169), etc., etc.

[117] De la sorte, Irénée pourrait bien refuser aux gnostiques le droit d'utiliser la parole du Seigneur: «ne faites pas selon leurs actes» (*Mat.* 23,3b) pour appuyer leur mépris de la Loi et de ce qu'elle représente.

tandis qu'il «invitait à observer» la Loi de Moïse «tant que subsistait Jérusalem», il blâmait l'hypocrisie des maîtres en Israël «qui, tout en proclamant les paroles de la Loi, étaient vides d'amour».

Enchaînant sur ce dernier point, Irénée cite *Is.* 29,13: «Ce peuple m'honore des lèvres, mais leur cœur est loin de moi; c'est en vain qu'ils me rendent un culte, alors qu'ils enseignent des doctrines et des commandements d'hommes», qu'il commente ainsi: Les scribes et les Pharisiens n'ont pas seulement prêché la Loi sans la vivre, mais ils ont encore rejeté la Loi de Dieu pour la défense de traditions forgées de toutes pièces par leurs anciens[118] et, de ce fait, «ne se sont pas soumis non plus à son Verbe». Le pourquoi de la valeur que le Seigneur conférait plus haut à la Loi se trouve précisé encore: elle est son œuvre. En s'aggrippant aux «commandements d'hommes» ou aux traditions de leurs anciens au détriment de la Loi, les autorités d'Israël ont refusé le Seigneur.

Il continue:

> «C'est ce que Paul dit à leur sujet: ‹Méconnaissant la justice de Dieu et voulant établir leur propre justice, ils ne se sont pas soumis à la justice de Dieu: car le Christ est la fin de la Loi, pour la justification de tout croyant› (*Ro.* 10,3–4). Comment le Christ serait-il la fin de la Loi, s'il n'en avait été aussi le principe? Car celui qui a amené la fin est aussi celui qui a réalisé le principe. C'est lui qui disait à Moïse: ‹J'ai vu l'affliction de mon peuple qui est en Egypte, et je suis descendu pour le délivrer› (*Ex.* 3,7–8). Dès le principe, en effet, le Verbe de Dieu s'était accoutumé à monter et à descendre pour le salut des affligés»[119].

En suivant une voie un peu différente, Irénée découvre chez Paul la doctrine qu'il vient de dégager du texte d'Isaïe. Préoccupés de leur propre justice, les scribes et les Pharisiens ont méconnu «la justice de Dieu», le «Christ» qui est «la *fin* de la Loi». Notre auteur prolonge ensuite la réflexion paulinienne en soulignant que, si le «Christ» est «la fin de la Loi», il en est nécessairement aussi le *«principe»*. Il trouve l'appui scripturaire à sa déduction dans un texte du livre de l'*Exode*.

Nous sommes donc en présence d'une doctrine exactement conforme à celle tirée du texte analysé dans l'alinéa précédent.

* *
*

---

[118] Allusion possible au comportement des hérétiques.
[119] *AH.*IV.12,4 / SC.518.

Concluons. Nous voulions montrer comment les trois derniers livres de l'*Adversus Haereses* (= ἀπόδειξις) étaient une œuvre de lumière en ce sens, cette fois, que la «vérité» y était démontrée au moyen de catégories harmoniques.

Pour ce faire, nous y avons effectué des coupes qui nous ont semblé de nature à rejoindre deux points capitaux de la pensée de notre auteur.

A l'étude du premier (= unité des Testaments), nous avons constaté qu'Irénée se représentait les deux Testaments comme des réalités distinctes, mais «adaptées» à l'état de l'humanité. De la sorte, il les situait l'un vis-à-vis de l'autre dans un rapport concordant.

En réfléchissant sur le second (= unicité de Dieu, du Père et du Fils), il s'est avéré qu'Irénée appuyait finalement cet état de choses sur le fait que Dieu est un Dieu «qui fait tout dans la mesure et dans l'ordre». Nous avons pu également observer que cette perception de Dieu informait la démonstration de l'unicité de Dieu dont l'unité harmonique des divers événement historiques de salut n'était que la traduction ou le point de référence concret.

Chapitre III

A la recherche du fondement de ces phénomènes

Sur quoi reposent les phénomènes que nous venons de décrire? Quels en sont les fondements? Nous réfléchirons à cette question en considérant tour à tour ce qui a trait à l'homme (§ 6) et à son œuvre (§ 7).

§ 6: Concernant l'homme

Comment donc rendre compte du fait qu'Irénée soit l'homme du «voir», l'homme de l'observable, de ce qui tombe sous les yeux, de ce qui est -dirions-nous – brutalement réel, de ce qui est visible et saisissable comme le sont le monde dans lequel nous vivons et l'Ecriture? Et encore: comment expliquer que notre auteur reconnaisse à ces faits une évidence, une clarté qui lie, impose, oblige?

De prime abord, nous pourrions songer à un pli de caractère dû à des facteurs d'ordre culturel pris dans le sens large du terme. Mais cela nous paraît être plus une condition, une pierre d'attente au véritable fondement que ce fondement lui-même.

Celui-ci, nous pensons le trouver dans le fait que le Dieu d'Irénée, le Dieu qu'il avait appris à croire et à aimer depuis sa plus lointaine enfance, est un *Dieu des faits*, un *Dieu mêlé*, depuis que le monde est monde, *à l'écorce* rugueuse du «*Dasein*» humain, un *Dieu qui se révèle effectivement, qui se manifeste.*

De là s'éclairent encore la confiance et l'obéissance sans compromis que notre auteur manifeste à l'égard du monde créé et de l'Ecriture: *ils sont habités par l'évidence de Dieu lui-même.*

Que les gnostiques, en revanche, n'aient pas d'yeux pour ces faits et leur évidence remonte en définitive à la clé de voûte de leur système selon laquelle leur «Dieu» suprême se dérobe dans sa transcendance, ne peut et ne veut s'engager dans et pour ce monde[120].

§ 7: Concernant l'œuvre

En étudiant le premier livre de l'*Adversus Haereses,* nous avons vu, à travers les observations d'Irénée, comment la «gnose» se drapait d'obscurité. «Elle est, concluions-nous alors, une doctrine cachée transmise dans le secret par des hommes séducteurs et hypocrites». L'insistance de notre auteur sur ce réflexe inhérent à la «gnose» implique un jugement porté sur elle: elle est une erreur.

D'où vient cette attitude? Selon toute vraisemblance, elle est attribuable à la perception qu'Irénée a du *vrai* – entendons Dieu et son dessein de salut: *le vrai cherche la lumière, il éclate au plein jour, il est accessible partout et à tous.*

Nous savons que notre auteur ne se limite pas à ce procédé; il amène encore la «gnose» à la lumière, il «écarte les broussailles» où elle s'est tapie. Au fond, ne fait-il pas qu'appliquer à la «gnose»-erreur ce qui vaut *pour le vrai,* et cela, du reste, conformément à la parole du Seigneur: «Car il n'est rien de caché qui ne doive être révélé, rien de secret qui ne doive être connu» (*Mat.* 10,26)[121]. Nous connaissons ce qui en résulte pour la «gnose». Elle apparaît telle qu'elle est, c'est-à-dire comme une erreur hideuse et dévastatrice, exposée sans défense, en outre, aux coups mortels de la vérité.

Dans notre étude destinée à montrer comment les trois derniers livres de l'*Adversus Haereses* constituaient, eux aussi, une œuvre de lumière, nous avons été inévitablement conduit à réfléchir sur le fondement de cet état de choses: *Dieu qui «fait toutes choses avec mesure et ordre».* Il ne sera donc pas nécessaire de nous étendre plus longuement sur ce point.

Quant au second livre consacré à la réfutation de la «gnose» par elle-même, nous savons déjà en quel sens il est une œuvre de lumière. A la question de savoir à quoi se rattache une telle perception de la «foi» considérée ici comme corps de vérités, il est permis d'avoir encore

---

[120] Nous pensons ici particulièrement aux gnostiques de l'école de Valentin.
[121] Cf. *AH.*I.Pr.2 / Hv 5.

recours *à l'activité harmonique de Dieu*. En effet, si Dieu qui agit dans l'histoire agit «avec mesure et ordre», l'ensemble des doctrines qui réfléchit son activité ne peut être que consonant, cohérent.

Le Dieu des faits, le Dieu qui agit effectivement dans l'histoire humaine, qui se révèle ou se manifeste sans cachette, à la pleine lumière du jour et selon un mode harmonique, constitue donc le fondement des phénomènes décrits dans les chapitres précédents. En supposant pour l'instant que cette activité de Dieu soit étroitement reliée à la vision, il se produit que, à partir d'un trait de la personnalité d'Irénée et de son œuvre, nous rejoignons les deux thèmes objets de la présente étude dont il faut maintenant dégager le contenu et la signification.

DEUXIEME PARTIE

CONTENU ET SIGNIFICATION
DE LA MANIFESTATION ET DE LA VISION DE DIEU
SELON SAINT IRENEE DE LYON

Comme nous venons de l'indiquer, nous nous proposons, dans cette seconde partie de notre travail, de préciser ce qu'Irénée veut dire lorsqu'il parle de la manifestation et de la vision de Dieu.

Auparavant, nous voudrions dégager l'espace ou le cadre dans lequel notre auteur traite de ces questions. Un des sens que nous donnons à ces mots renvoie à la manière d'Irénée de situer sa réflexion théologique par rapport à la doctrine de ses adversaires, plus précisément par rapport à celle des valentiniens. Par ce biais, les autres sens des expressions «espace» ou «cadre» apparaîtront d'eux-mêmes.

Une question se pose: sous quel angle aborder la «gnose» pour arriver à dégager le rapport que nous cherchons? Une piste s'offre qui possède de soi un lien avec nos thèmes et qui a l'avantage de nous placer en plein cœur du système valentinien: le thème du «Père invisible». Acceptons donc, à titre d'hypothèse de travail, de réfléchir sur ce point. Nous verrons que cette étude s'avérera féconde.

Chapitre IV

Le thème du «Père invisible» dans la «gnose» valentinienne:
Espace ou cadre de la réflexion théologique d'Irénée sur la manifestation et la vision de Dieu[1]

Trois questions nous serviront de guides: Que signifie que le «Père» soit «invisible»? Qu'en est-il des rapports entre l'homme et ce «Père»? Peut-on parler d'une révélation de ce «Père»? Si oui, en quel sens? Nous placerons ensuite les perspectives et les thèses principales que nous pourrons dégager en regard de la pensée d'Irénée. Nous retrouverons ainsi nos thèmes situés dans leur contexte véritable; nous verrons également s'esquisser leurs exactes proportions ainsi que leurs liens mutuels et leurs sens (§ 9).
On affirme communément que bien des éléments de la «gnose» valentinienne proviennent non seulement du christianisme, mais encore de la philosophie grecque et du milieu juif alexandrin[2]. C'est pourquoi, avant de passer à l'étude de notre thème chez les gnostiques, nous le considérerons rapidement dans l'hellénisme (§ 8).

§ 8: Le thème du «Dieu invisible» dans l'hellénisme

En réactions sans doute contre l'anthropomorphisme outré des croyances populaires[3], la philosophie grecque s'est appliquée, dès ses origines, à accentuer l'invisibilité du divin. Un fragment du poète philosophe Empédocle d'Agrigente en témoigne:

οὐκ ἔστιν πελάσασθαι ἐν ὀφθαλμοῖσιν ἐφικτὸν ἡμετέροις ἢ χερσὶ λαβεῖν[4].

C'est cependant Platon qui fit le pas décisif. Il distingue en effet soigneusement le monde matériel changeant et mortel du monde des Idées immuables, immortelles et divines auquel Dieu appartient «comme cause

---

[1] Il est évident que dans l'étude de nos thèmes nous retrouverons les éléments que nous nous proposons de mettre ici en relief. Dans le présent chapitre d'introduction, il s'agit de les envisager pour eux-mêmes et d'en offrir une vue d'ensemble qui sera de nature à faciliter la recherche détaillée qui va suivre. En d'autres termes et en nous exprimant à l'aide d'une image, avant de soumettre le minerai à l'analyse, nous voudrions repérer le gisement, son ampleur, de même que les conditionnements qui en expliquent la formation.
[2] Cf. F. Sagnard, *La gnose* ..., pp. 575–579; pp. 598–602.
[3] Cf. J. Lebreton, *Histoire du dogme de la Trinité. Des origines à Saint Augustin*. T. 1: *Les origines*, Paris, 1919 (5e éd.), pp. 1–3.
[4] Frag. 133 (éd. Mullach).

formelle et finale»[5]. Or, tandis que celui-là est ὁρατός, celui-ci est ἀόρατος, νοητός[6]. Dieu est donc invisible, épithète qu'il faut comprendre, comme nous venons de le voir, non pas dans le sens d'une plénitude d'être qui rendrait Dieu inaccessible à tout ce qui n'est pas lui[7], mais dans le sens d'une distinction d'avec l'ordre du sensible et du matériel. L'idéal du philosophe religieux sera de voir ce «Dieu», entendons d'avoir le sentiment de la présence, du contact avec l'existence de l'Etre (θεωρεῖν)[8], et cela par le νοῦς doué à cette fin d'organes spéciaux appelés les «yeux de l'âme»[9].

La pensée du maître eut sa destinée. A côté du monisme matérialiste des stoïciens, nous la retrouvons plusieurs siècles plus tard dans le dualisme des néo-platoniciens et des néo-pythagoriciens qui séparait l'esprit de la matière, isolait Dieu et le reléguait hors du monde, hors de la portée de la connaissance, dans un mystère accessible seulement à l'extase[10].

Avec Philon d'Alexandrie, nous sommes à la rencontre de la philosophie grecque et du monde de la Bible[11]. Sur notre sujet, il reprend les catégo-

---

[5] A. J. Festugière, *Contemplation et vie contemplative selon Platon*, Paris, 1967 (3e éd.), p. 204.

[6] Cf. *Rep.*, VI.509d; *Rep.*, VII.524c, etc. D'autres synonymes: ἀειδής, ἀφανής, οὐχ ὁρατός. «Plato statuiert zwei Welten, eine sich wandelnde sichtbare und eine sich gleichbleibende unsichtbare» J. Klein, *RGG*. II. 563. «Que la cause universelle du monde, de la matière, que le premier principe des phénomènes fût assimilé à l'être et reçût, de ce fait, le nom Dieu, Platon en trouvait des exemples dans le passé. L'air d'Anaximène, le feu d'Héraclite, l'ἄπειρον d'Anaximandre, l'Un-Tout de Xénophane, la sphère d'Empédocle, reçoivent tour à tour le prédicat de θεός ou de τὸ θεῖον. Mais on est toujours dans l'ordre matériel. Le progrès nouveau, et définitif, qu'apporte la doctrine des Idées, c'est de faire passer le Dieu des «sages» du visible à l'invisible, du sensible à l'intelligible» A. J. Festugière, *Contemplation* ..., p. 260. Cf. en outre W. Michaelis, *TWNT*. V.323; E. v. Ivanka, *Plato Christianus. Übernahme und Umgestaltung des Platonismus durch die Väter*, Einsiedeln, 1964, p. 37.

[7] Remarquons que nous ne voulons ici ni nier, ni affirmer que notre philosophe conçoive au sommet du monde des Idées un Principe surintelligible, transcendant. C'est là une tout autre question (sur ce point, cf. A. J. Festugière, *Contemplation*..., pp. 219 ss; Id., *La révélation d'Hermès Trismégiste. IV: Le Dieu inconnu et la gnose*, Paris, 1954, pp. 88 ss). Nous voulons simplement relever que l'épithète ἀόρατος ne connote pas pour Platon l'idée de transcendance.

[8] Cf. *Banq.* 212a; *Symp.* 210d, etc. Cf. p. 132 et la note 7.

[9] Cf. *Rep.* VII. 519b; 533d.

[10] Cf. entre autres, Apulée, *De deo Socratis*, 3; *De plat.*, 1,5; Plutarque, *De Eum.*, 20; *De profect. in virt.*, 10; *Is. et Osir.*, 77. Pour de plus amples développements, voir J. Lebreton, *Histoire* ..., *T. 1: Les origines* ..., pp. 28 ss; A. J. Festugière, *La révélation*..., pp. 92 ss.

[11] «(La théologie de Philon) constitue la première tentative pour expliquer les données bibliques au moyen des cadres de la philosophie antique» J. Daniélou, *Philon d'Alexandrie*, Paris, 1958, P. 143. L'auteur opte ici pour la position de Völker et de Wolfson contre celle de Bréhier, Goodenough, Pascher, Bultmann, Jonas, Thyen, qui voient en Philon «un représentant d'une piété syncrétiste, de couleur seulement juive». Sur tout ce débat, voir H. Thyen, *Die Probleme der neueren Philo-Forschung* dans *Theol. Rundschau* 23 (1955), pp. 230–246. Dans la même ligne que J. Daniélou, l'on pourrait rapporter l'opinion de A. J. Festugière: «Philon est juif, il a été formé par les Saints Livres, et l'on ne peut douter un

ries et la terminologie de Platon en changeant au besoin leur contenu selon que l'exige la révélation. Précisons cette affirmation[12].

Au κόσμος αἰσθητός qui reçoit souvent le prédicat ὁρατός[13] appartient l'ἅπασα οὐσία, c'est-à-dire le ciel et la terre[14] ainsi que le σῶμα humain[15]. En revanche, la ψυχή[16] et le νοῦς[17] sont ἀόρατοι parce qu'ils font partie du monde intelligible. Cette épithète est également attribuée à Dieu[18]. Mais, sous la plume de Philon, l'expression ὁ ἀόρατος Θεός a-t-elle la même signification que chez Platon? Pour le savoir, nous aurons recours à son exégèse des textes bibliques où il est question de l'objet qui tombe sous les yeux de l'homme qui désire voir Dieu.

Gen. 32,20 n'est pas cité dans les écrits qui nous sont parvenus. *Nombr.* 12,6–8, rapporté deux fois[19], est interrompu après οὐ δι'αἰνιγμάτων du verset 8. Dans le buisson ardent d'*Ex.* 3,2, il y aurait eu une μορφή non terrestre comme une εἰκὼν τοῦ ὄντος sans que Dieu soit personnellement concerné[20]. *Ex.* 33,13 et 18[21] sont présentés comme des textes justifiant le désir du «philosophe» de voir Dieu[22], plus précisément les ἰδέαι de Dieu[23]. D'*Ex.* 33,23, notre auteur conclut que seulement les πάνθ' ὅσα μετὰ τὸν Θεὸν sont καταληπτά par la vue; l'αὐτὸς δὲ μόνος demeure ἀκατάληπτος[24]. Commentant *Deut.* 32,39, il affirme que «voir» ne peut avoir pour objet que l'existence, non l'Etre de Dieu; Dieu en lui-même échappe aux prises de la créature:

«Car ici encore il n'est pas dit: ‹Voyez-moi› – car il est absolument impossible que l'Etre de Dieu soit perçu par une créature – mais: ‹Voyez que je suis› (*Deut.* 32,39), c'est-à-dire: Voyez mon existence (τὴν ἐμὴν ὕπαρξιν θεάσασθε)»[25].

---

instant qu'il n'attache le plus haut prix à leurs enseignements: après tout, ses nombreux écrits ne sont pas autre chose qu'un commentaire de la Loi mosaïque, ou une refonte de l'histoire sainte adaptée à des oreilles grecques» A. J. Festugière, *La révélation d'Hermès Trismégiste. II: Le Dieu cosmique*, Paris, 1949, p. 583.

[12] Pour ce qui va suivre, nous avons surtout utilisé l'étude de W. Michaelis, *TWNT.* V. 369.

[13] Cf. *De op. mund.*, 12–16; *Quis rer. div. her.*, 111; *De som.*, I, 188; *De Abr.*, 88.

[14] Cf. *De op. mund.*, 111.

[15] Cf. *De migr. Abr.*, 51.

[16] Cf. *De som.*, I. 73.135; *De Jos.*, 255; *De virt.*, 57.172.

[17] Cf. *De migr. Abr.*, 51; *De Abr.*, 73 ss; *De spec. leg.*, I.18; *Quod omnis prob. lib.*, 111; *De vit. cont.*, 78; *De op. mund.*, 69.

[18] Cf. *De Decal.*, 120; *De sacr. Ab. et Caini*, 133.

[19] Cf. *Leg. all.*, II.103; *Quis rer. div. her.*, 263.

[20] Cf. *De vit. Mos.*, I. 66.

[21] Cf. *De spec. leg.*, I. 45.

[22] Cf. *De conf. ling.*, 97; *De Abr.*, 58. 88; *Leg. all.*, III. 101; *De post. Caini*, 13.16; *De mut. nom.*, 8; *De spec. leg.*, I. 41.

[23] Cf. *Leg. all.*, III. 101.

[24] *De post. Caini*, 169.

[25] *De post. Caini*, 168; cf. *De praem. et poen.*, 39.44; *De fug. et inv.*, 141; *De Som.*, I. 66.

Au début du même traité, il avait enseigné une doctrine similaire. Lisons ce texte dont on remarquera la beauté et la grandeur:

> «Et c'est de là[26] que lui (= à l'âme) vient le plus grand bien, à savoir de comprendre que l'Etre de Dieu est incompréhensible à toute (créature) et de voir cela même qu'il est invisible (καὶ αὐτὸ τοῦτο ἰδεῖν ὅτι ἐστὶν ἀόρατος)»[27].

Dieu ne tombe pas dans le champ de vision de l'âme humaine, parce qu'Il est transcendant: le plus grand bien qu'elle puisse tirer de sa recherche de l'être est de comprendre que l'être divin est incompréhensible à tout le créé, de voir qu'il est invisible[28].

«*Voir l'Invisible*»[29] – «*voir que Dieu est invisible*» pourraient servir de raccourcis pour traduire l'idée que Platon et Philon se faisaient respectivement de l'invisibilité de Dieu et des rapports de l'homme avec Dieu.

Après ce regard rapide sur le thème à l'étude dans les courants de pensée qui ont pu avoir une influence sur les valentiniens, passons à l'objet proprement dit de ce chapitre.

§ 9: Le thème du «Père invisible» chez les tenants de la «gnose» valentinienne et les conséquences pour la réflexion d'Irénée sur la manifestation et la vision de Dieu

Dans le premier livre de l'*Adversus Haereses* où, comme nous le savons, Irénée expose les divers systèmes de la «gnose», nous trouvons, à notre connaissance, neuf emplois[30] de l'adjectif *invisibilis* (*ἀόρατος) relié au «Père» du Plérôme de l'école valentinienne. Trois d'entre eux se rapportent au «Père» du Plerôme de Ptolémée[31]; trois autres à celui du

---

[26] ... ὅταν οὖν φιλόθεος ψυχὴ τὸ τί ἐστι τὸ ὂν κατὰ τὴν οὐσίαν ζητῇ, εἰς ἀειδῆ καὶ ἀόρατον ἔρχεται ζήτησιν...

[27] *De post. Caini*, 15.

[28] «Alle diese Aussagen drängen auf eine Erkenntnisformel, die Philo am präzisesten in De posteritate Caini ausgesprochen hat: 1. Die Seele forscht vergeblich nach der οὐσία des Seins. Sie muß erkennen, daß das Wesen Gottes ἀκατάληπτος und ἀόρατος ist. 2. ‹Gott sehen› bezieht sich nicht auf seine οὐσία, sondern seine ὕπαρξις» U. Früchtel, *Die kosmologischen Vorstellungen bei Philo von Alexandrien*, Leiden, 1968, p. 156. – «Les expressions platoniciennes (utilisées par Philon) sur le Dieu incorporel pourraient faire illusion. La pensée est absolument claire. C'est la distinction radicale du monde des idées et du domaine de Dieu qui est absolument transcendant» J. Daniélou, *Philon* ..., p. 147. Voir encore les remarques de J. Lebreton, *Histoire* ..., *T. 1: Les origines* ..., pp. 173–174.

[29] Cf. A. J. Festugière, *La contemplation* ..., p. 128.

[30] Pour écarter toute confusion, relevons qu'en *AH*.I.11,3 / Hv 104,3 et *AH*.I.11,5 / Hv 107,1 ἀόρατος est relié respectivement à l'Eon de la seconde émission du Plérôme d'un «maître réputé» de l'école valentinienne et à la quatrième «puissance» d'une Ogdoade «antérieure à l'Abîme et au Silence», création d'un groupe anonyme de la même école.

[31] *AH*.I.1,1 / Hv 8,4; *AH*.I.2,1 / Hv 13,5; *AH*.I.5,1 / Hv 43,1.

Plérôme de Marc le Mage[32]. Quant aux trois derniers[33], nous pouvons, selon toute vraisemblance, les attribuer à nouveau au «Père» du Plérôme des ptoloméens[34]. En vertu de notre intérêt immédiat et du rebondissement qu'il auront sur la pensée d'Irénée (Art. 2), seuls les deux premiers et les deux avant-derniers passages retiendront notre attention (Art. 1).

Art. 1: La doctrine gnostique

A. Les textes tirés de la *Grande Notice*

«Il existe, disent-ils, dans les hauteurs invisibles et innommables, un Eon parfait, pré-existant, qu'ils dénomment Pro-Principe, Pro-Père, Abîme[35]. Incompréhensible[36] et invisible (*invisibilis** ἀόρατος), éternel et inengendré, il demeure en profond repos et tranquillité dans l'infini des siècles»[37].

Dans ce texte placé en tête de la *Grande Notice,* les ptoléméens affirment l'existence et la perfection absolue de l'Eon présidant au Plérôme qu'ils appellent entre autres «Pro-Père». Viennent ensuite les deux épithètes: «incompréhensible et invisible» qui traduisent la transcendance de cet Eon[38].

---

[32] *AH.*I.14,1 / Hv 129,7; *AH.*I.14,5 / Hv 139,1; *AH.*I.15,5 / Hv 154,6.

[33] *AH.*I.19,1 / Hv 175,13; *AH.*I.19,2 / Hv 176,7; *AH.*I.21,4 / Hv 186,2.

[34] Avec F. Sagnard, *La gnose* ..., p. 141, p. 330, et A. Houssiau, *La christologie* ..., p. 9, nous prenons position contre A. Hilgenfeld, qui attribue les chapitres 19 à 21 du premier livre de l'*Adversus Haereses* à l'exposé de la doctrine de Marc le Mage: «Als den zweiten Hauptvertreter des Valentianismus seiner Zeit beschreibt Irenäus adv. haer. I, 13–21 ... den Marcus, einen Schüler des Kolarbasus» *Die Ketzergeschichte des Urchristentums,* Darmstadt, 1966 (réimpression de l'éd. de 1884, Leipzig), p. 369. Les raisons? 1. Il semble bien qu'Irénée termine son exposé de la «gnose» de Marc avec le chapitre 17 (cf. A. Houssiau, *L'exégèse de Matthieu XI, 27b selon saint Irénée,* dans *ETL* 26 (1953), p. 330, note 10). 2. Il serait étonnant que la thèse du chapitre 19 (cf. pp. 58–60) qui, comme nous le verrons, jouera un rôle si important dans la polémique – antiptoléméenne, du reste – d'Irénée, appartienne à Marc alors que celui-ci est pratiquement oublié dans la suite de l'*Adversus Haereses* (voir encore: *AH.*II.Pr.1 / Hv 249; *AH.*II.14,6 / Hv 299). – Si Irénée souligne à quelques reprises que le «Dieu bon» de Marcion est transcendant – il l'appelle une fois «Père inexprimable« (*AH.*IV.34,3 / SC.852,1); il place plusieurs fois sur le même pied l'«Abîme» des ptolémées (cf. *AH.*II.1,2 / Hv 252; *AH.*II.3,1 / Hv 257; *AH.*II.31,1 / Hv 369; *AH.*IV.6,4 / SC.444); il le réunit au Dieu suprême de l'école valentinienne sous les noms d'«ineffable» et d'«innommable« (cf. *AH.*II.28,6 / Hv 355–356) –, jamais, à notre connaissance, il ne lui applique l'épithète ἀόρατος.

[35] Le latin ajoute: *esse autem illum invisibilem, et quem nulla res capere possit.* Cf. F. Sagnard, *La gnose* ..., p. 31, note 2.

[36] ... *quem nulla res capere possit* * ἀχώρητος.

[37] *AH.*I.1,1 / Hv 8.

[38] Cf. F. Sagnard, *La gnose* ..., p. 296.

Un peu plus bas, nous retrouvons la même épithète avec le même sens. Mais cette invisibilité-transcendance du «Pro-Père» a un vis-à-vis, à savoir les autres Eons du Plérôme, le «Monogène»[39] excepté: «Pour tous les autres Eons, il (le «Pro-Père») était invisible (*invisibilis** ἀόρατος) et insaisissable[40]»[41]. Remarquons que les valentiniens décrivent ici une sorte d'état du Plérôme avant que ce dernier se mette en mouvement. Il s'ensuit que l'idée de l'impossibilité pour les Eons de «voir» le «Père» suprême connote l'idée de l'ignorance qu'ils en avaient.

Deux synonymes d'ἀόρατος que nous retrouvons également au tout début de la *Grande Notice* vont nous permettre de compléter cette doctrine. «Contemplant»[42] le «Père» et «comprenant[43] sa grandeur sans mesure», l'«Intellect» ou Monogène conçoit le dessein de «communiquer» aux autres Eons «la grandeur du Père», c'est-à-dire de leur révéler ou de leur apprendre que «le Père est sans principe, incompréhensible[44] et insaisissable pour la vue (*incomprehensibilis ad videndum** οὐ καταληπτὸς ἰδεῖν)». Par la volonté du «Père», «Silence» l'en empêche de peur qu'il amène les Eons à la pensée et au désir de «rechercher le Père»[45]. «Tous les Eons désiraient donc d'un désir[46] paisible voir[47] le Principe émetteur de leur semence et explorer[48] la racine sans principe»[49].

Comme précédemment, ce synonyme d'ἀόρατος désigne la transcendance du «Père», plus précisément sa transcendance-inaccessibilité à l'endroit des Eons. L'élément nouveau qu'apporte ce texte est que, comme tel, ce «Père» constitue l'objet du message de l'«Intellect» ou «Monogène», seul capable de «voir» ou de «comprendre la grandeur du Père». Ce message ne vient cependant pas à réalisation; le désir comme engourdi de «voir» et d'«explorer» le «Père», que les Eons possèdent de nature, doit auparavant s'activer dans le sens d'une «recherche» du «Père».

---

[39] * Μονογενής ou encore l'«Intellect» * Νοῦς.

[40] *Incomprehensibilis* * ἀκατάληπτος.

[41] *AH*.I.2,1 / Hv 13.

[42] *Videre* * θεωρεῖν.

[43] *Considerare* * κατανοεῖν. *Hanc autem suscepisse semen hoc, et praegnantem factam generasse Nun, similem et aequalem ei, qui emiserat, et solum capientem* (* χωροῦντα) *magnitudinem Patris. AH*.I.1,1 / Hv 9.

[44] *Incapabilis* * ἀχώρητος.

[45] Clause que F. Sagnard interprète de la manière suivante: «Il ne faut pas renseigner trop vite les Eons comme l'Intelligence voudrait le faire, et Silence intervient. C'est pour que naissent chez les Eons … ‹la pensée et le désir de chercher le Père» F. Sagnard, *La gnose* …, p. 258.

[46] Comme le remarque à juste titre F. Sagnard, ce désir est inhérent à leur nature «spirituelle». Cf. *La gnose* …, p. 409 et pp. 256 ss.

[47] *Videre* * ἰδεῖν.

[48] *Contemplari* * ἱστορῆσαι.

[49] CF. *AH*.I.2,1 / Hv 13.

Voici le contexte dans lequel se présente le second texte auquel nous faisions allusion[50]. Le plus jeune Eon du Plérôme appelé «Sagesse» est pris de la passion violente[51] de «rechercher» le Père, de «comprendre sa grandeur». Mais, ne pouvant y parvenir, «Sagesse» menace d'être engloutie dans la douceur du «Père» et de se dissoudre dans l'essence du Tout, c'est-à-dire dans le Plérôme, lorsque «Limite» intervient pour la garder en dehors de la «Grandeur inexprimable». Convertie par retour sur elle-même et persuadée que «le Père est incompréhensible», elle est réintégrée dans sa syzygie, tandis que son «Enthymésis» ou «Achamôth», de substance pneumatique mais informe, et la passion qui en dérive sont séparées d'elle et exclues du Plérôme. Afin qu'aucun des Eons ne subisse désormais une passion de ce genre, le «Monogène», poussé par la providence du «Père», émet un nouveau couple: le «Christ et l'Esprit», destiné à consolider le Plérôme et à remettre en ordre les Eons.

Le «Christ» exécute sa tâche en leur annonçant – c'est notre texte – la «gnose» concernant le «Père», à savoir qu'il est «incompréhensible[52] et insaisissable[53] et que personne ne peut ni le voir (*non est neque videre* * οὐκ ἔστιν οὔτε ἰδεῖν) ni l'entendre, sinon par l'intermédiaire du seul Monogène»[54].

Ici encore, ce synonyme d'ἀόρατος renvoie à la transcendance du «Père», plus précisément à l'impossibilité où se trouvent les Eons d'avoir accès de manière immédiate au «Père suprême»; ils doivent se contenter de connaître ce qu'il y a de saisissable dans le «Père», c'est-à-dire le «Monogène». Cette connaissance est porteuse de perfection[55] et d'existence pacifiée dans le Plérôme après le bouleversement produit par le désir troublé de «Sagesse». «Consolidés et en parfait repos, poursuit Irénée, les Eons chant(ent) avec grande joie des hymnes au Pro-Père tout en participant à un immense bonheur»[56].

Transcendance du «Père» et isolement dans cette transcendance ou impossibilité pour quiconque[57] de voir ce «Père» de manière immédiate, voilà ce que désigne l'épithète ἀόρατος qualifiant l'Eon suprême du Plérôme des valentiniens.

Comme les Eons se voient établis dans la perfection par l'enseignement de «gnose», à savoir que la contemplation directe du «Père» vers lequel

---

[50] Cf. *AH*.I.2,2–5 / Hv 13–21.

[51] «Le désir des Eons se concentre, comme les mauvaises humeurs qui forment un abcès …, sur le dernier et le plus frêle des Eons, Sagesse-Σοφία. C'est sur elle que la perturbation produira son plein effet» F. Sagnard, *La gnose*…, p. 258.

[52] *Incapabilis* * ἀχώρητος.

[53] *Incomprehensibilis* * ἀκατάληπτος.

[54] *AH*.I.2,5 / Hv 21.

[55] C'est-à-dire de la «formation selon la gnose».

[56] *AH*.I.2,6 / Hv 22–23.

[57] L'«Intellect» ou «Monogène» excepté.

ils tendent de nature leur est refusée, ainsi en est-il d'«Enthymésis» et des valentiniens eux-mêmes. Illustrons brièvement ce point qui est d'une importance capitale pour notre sujet[58].

Nous avons déjà dit que l'«Enthymésis» ou «Achamôth» – réalité «pneumatique» comme «Sagesse» de qui elle dérive – se trouvait hors du Plérôme dans un état informe. Voici la suite du récit qui la concerne. Le «Christ d'en-haut» est pris de pitié pour cet «avorton» abandonné dans les lieux de l'ombre et du vide. S'étendant sur la «Croix», il forme l'«Enthymésis» par sa propre vertu, d'une formation «selon la substance». Sa tâche accomplie, il remonte, en lui retirant sa force afin qu'elle prenne conscience de la passion qui est en elle. Il lui laisse cependant «une odeur d'incorruptibilité» afin qu'elle aspire aux réalités supérieures ou à la recherche du «Père»[59]. Ainsi formée et devenue consciente, elle s'élance passionnément à la recherche de la «Lumière» qui l'a abandonnée. Elle est arrêtée dans son élan par «Limite». Laissée à elle-même, elle est accablée de passions multiples et diverses. Presque submergée par elles, elle s'élance à nouveau vers le «Christ» qui l'avait vivifiée. Ne voulant pas descendre à nouveau du Plérôme où il était remonté, celui-ci lui envoie le «Sauveur»[60] entouré de ses Anges. Muni de tout pouvoir par le «Père» et les Eons eux-mêmes (cf. *Col.* 1,16), ce «Sauveur» la forme d'une «formation selon la gnose», c'est-à-dire lui transmet la connaissance des réalités spirituelles, plus précisément celle touchant le «Père» suprême, et il la guérit de ses passions. Dégagée de celles-ci et de sa conversion, qui deviennent respectivement la substance «hylique» matérielle et la substance «psychique», elle devient grosse à la vue des Anges accompagnant le «Sauveur» et enfante par le «Démiurge», mais à l'insu de celui-ci, les «semences» pneumatiques constitutives des valentiniens. Elle n'aura accès à la paix et à la joie du Plérôme, où elle s'unira à son époux, qu'au moment où les «semences» spirituelles seront devenues parfaites et en mesure d'entrer dans le Plérôme, où, dépouillées des éléments «psychique» et «hylique», elles s'uniront aux «Anges» entourant le «Sauveur»[60a].

Cette description du drame se déroulant hors du «Plérôme» montre clairement qu'en plus de sa formation «selon la substance», «Enthymésis» jouit de la formation «selon la gnose», et prend conscience que le «Père» invisible-transcendant ne peut être vu de manière immédiate.

Qu'en est-il, sous ce rapport, de la «semence» spirituelle qu'elle enfante à

---

[58] Pour ce qui va suivre, cf. *AH.*I.4,1.5 / Hv 31–35.38–41 et *AH.*I.7,1 / Hv 58–59.
[59] Sur cette équation, cf. F. Sagnard, *La gnose*..., p. 262.
[60] «Fruit parfait» de tous les Eons du Plérôme après qu'ils aient reçu la «gnose» du «Père» suprême. Cf. *AH.*I.2,6 / Hv 22–23.
[60a] Cf. *AH.*I.7,1 / Hv 58–59; *AH.*I.7,5 / Hv 65. – Voir p. 122, note 220.

la suite de sa rencontre avec le «Sauveur» et ses «Anges»? Un point est certain: cette «semence» est formée «selon la substance». Quant à la question de savoir quand s'effectue pour elle la formation «selon la gnose», il faut reconnaître avec W. Foerster que les gnostiques sont assez peu explicites sur ce point. Disons avec le même auteur que cette «formation» doit nécessairement se produire en relation avec la venue de Jésus[61] qui annonce le «Père» invisible et inconnaissable.

B. Le chapitre 19

Dans le chapitre 19 du premier livre de l'*Adversus Haereses* où nous retrouvons les deux autres emplois de l'adjectif ἀόρατος qui nous intéressent, Irénée se propose de relever les textes scripturaires[62] utilisés par les valentiniens[63] pour fonder une thèse centrale de leur système dont voici le double énoncé:

1. «(Le) Pro-Père était inconnu de tous avant la venue du Christ»;
2. «Notre-Seigneur a annoncé un autre Père que le Créateur de cet univers».

A l'appui du premier énoncé, notre auteur rapporte *Is.* 1,3 *Os.* 4,1 et *Ps.* 13,2–3. C'est après la citation du prophète Isaïe: «Israël ne m'a pas connu et le peuple ne m'a pas compris» que nous trouvons la première mention de notre épithète reliée au nom «Abîme»[64] dans une remarque

---

[61] «Wann die ‹Gestaltung der Erkenntnis nach› geschieht, ist nicht klar, sie muß jedenfalls mit dem Kommen Jesus zusammenhängen. Aber die diesbezüglichen Aussagen sind nicht gerade klar» W. Foerster, *Die Gnosis*. T. I: *Zeugnisse der Kirchenväter*, Zürich–Stuttgart, 1969, p. 168. Relevons que, dans son étude du «mécanisme de la gnose», Sagnard ne touche pas à cette question. Cf. F. Sagnard, *La gnose...*, pp. 264–265.

[62] On remarquera qu'il ne s'agit ici que de textes tirés de l'Ancien Testament. – Irénée rapporte dans ce chapitre des paroles prophétiques dont l'origine remontait, d'après les ptolémées, à la «Puissance suprême». Sur cette doctrine gnostique, voir *AH.*I.7,3 / Hv 62–63; *AH.*IV.33,15 /SC.846; *AH.*IV.35,1 / SC.862; *AH.*IV.36,1 / SC.876; et encore *AH.*I.3,6 / Hv 31; *AH.*I.18,1–4 / Hv 169–175; *AH.*II.27,2 / Hv 348. On lira sur ce point: A. Houssiau, *La christologie...*, pp. 46–47; N. Brox, *Offenbarung, Gnosis und gnostischer Mythos bei Irenäus von Lyon. Zur Charakteristik der Systeme* (coll. Salzburger patristische Studien, 1), Salzburg–München, 1966, pp. 46 ss.

[63] Plus précisément: par les ptolémées. – En faveur de cette précision, relevons encore (cf. p. 54, note 34) les points suivants: 1. l'identité des données du présent texte avec celles de la *Grande Notice*; 2. le relevé de textes bibliques qui sont ailleurs mis explicitement en rapport avec la doctrine des ptolémées (c'est le cas, par exemple, de *Mat.* 11,27 que nous trouvons en *AH.*I.20,3, alinéa de même veine que 19,1 et 2: cf. *AH.*II.14,7 / Hv 300; *AH.*IV.6,1.1.4 et 7,4 / SC.436–438.442–444.452–454 et 464); 3. la portée d'une généralisation de ce genre où notre auteur, en s'élevant au-dessus des dédales d'écoles, cherche déjà à résumer les positions d'un de ses deux grands adversaires (= Ptolémée et Marcion) auxquells il s'attaquera dans la suite de son œuvre.

[64] * Βυθός, autre nom donné à l'Eon suprême du Plérôme.

d'Irénée: «Ils (les ptoléméens) entendent cela de l'ignorance où l'on[65] était de l'Abîme invisible (*invisiblis* * ἀόρατος[66])». Comment comprendre notre expression? En vertu de son contexte dont la pointe porte sur l'ignorance des Anciens à l'égard de l'«Abîme», il semble bien qu'elle serve sans plus à désigner le «Père» transcendant et inacessible du Plérôme des valentiniens.

A l'appui du second énoncé, Irénée mentionne *Ex.* 33,20b. C'est à la suite de cette citation scripturaire que nous retrouvons notre épithète, accolée, cette fois, au nom «Grandeur»[67]:

> «La parole de Moïse: ‹Nul ne verra Dieu[68] et vivra› (*Ex.* 33,20b) se rapporterait également à l'Abîme. Le Démiurge, prétendent-ils, a été vu par les prophètes; la parole ‹nul ne verra Dieu et vivra› concernerait la Grandeur invisible (*invisibilis* * ἀόρατος) et inconnue de tous»[69].

Ici encore, que signifie notre expression? Comme précédemment, l'invisibilité de la «Grandeur» renvoie à sa transcendance et à son inaccessibilité considérées, cette fois, par rapport à l'homme. Elle connote en outre l'idée de l'ignorance: les Anciens ne la connaissaient pas. D'après notre passage, en effet, la «Grandeur» est distincte du «Démiurge» créateur de l'univers[70], qui se rendait accessible aux hommes ou se laissait voir et qui était connu ou vu. Il s'ensuit que, lors de sa venue, le Seigneur a dû annoncer un «Père» invisible ou inconnu de tous jusque là et dorénavant connu, mais connu comme invisible et inconnaissable.

Que ce soit là la doctrine de la «gnose» valentinienne, Irénée le confirme encore. Un peu plus loin, en effet, il rapporte l'exégèse hérétique de *Mat.* 11.27 – texte que les valentiniens plaçaient en tête (*κορωνίς) de la liste des passages scripturaires destinés à fonder leur thèse: «Le Créateur et Ordonnateur, prétendent-ils, a toujours été connu de tous: ces paroles du Seigneur concernent le Père inconnu de tous (et inconnaissable) (*incognitus* * ἄγνωστος[71]), qu'eux-mêmes annoncent»[72]. La même exégèse

---

[65] Entendons les membres de l'ancienne Alliance.

[66] Notons que cette épithète ne trouve pas d'appui en *Is.* 1,3 auquel elle est reliée. Irénée pense sans doute déjà à *Ex.* 33,20b qu'il va citer quelques lignes plus bas.

[67] *Magnitudo* * Μέγεθος, autre nom donné à l'Eon suprême du Plérôme.

[68] Remarquons la transformation que les gnostiques font subir au texte de la *LXX*: τὸ πρόσωπόν μου. Lorsqu'Irénée reprendra ce texte à son compte (cf. *AH.*IV.20,9 / SC.654; en *AH.*IV.20,5 / SC.638, notre auteur utilise de toute évidence *Ex.* 33,20b tel qu'il le trouve rapporté par ses adversaires), il le citera intégralement. Cf. p. 91.

[69] *AH.*I.19,2 / Hv 176,4–8.

[70] Nous sommes en présence d'une thèse fondamentale de la «gnose» valentinienne sur laquelle nous aurons maintes fois l'occasion de revenir.

[71] C'est avec raison que A. Houssian note le double sens de l'expression * ἄγνωστος πατήρ: «(Ils) semblent indiquer que le Père n'est pas seulement inconnu avant la venue du Seigneur, mais qu'il est également inconnaissable» A. Houssiau, *L'exégèse* ..., p. 330, note 12.

[72] *AH.*I.20,3 / Hv 180,8–10.

revient ailleurs avec toute la clarté désirable: «Mais ces gens ... modifient ce texte comme suit: ‹Nul n'a connu[73] le Père si ce n'est le Fils, ni le Fils si ce n'est le Père, et celui à qui le Fils les révélera›; et ils l'expliquent en ce sens que le vrai Dieu n'a été connu de personne avant la venue de notre Seigneur: le Dieu prêché par les prophètes n'est pas, disent-ils, le Père du Christ»[74]. Et un peu plus loin: «... Ils érigent leur doctrine (contre le Christ Jésus notre Seigneur), en prêchant un Dieu inconnaissable (*incognitus* ** ἄγνωστος)»[75].

Art. 2: La position d'Irénée

Pour exposer la position d'Irénée, nous reprendrons d'abord chacun des éléments contenus dans la doctrine adverse en les résumant et en les présentant sous forme de thèses. Nous laisserons ensuite la parole à notre auteur. Précisons encore que nous situerons ce travail dans les cadres fournis par les deux groupes de textes évoqués précédemment, cadres qui – nous le verrons plus clairement – reflètent des préoccupations et des perspectives différentes.

A. Première perspective

1. Le «Père» qui préside au Plérôme des gnostiques de l'école valentinienne jouit d'une perfection absolue. C'est ce qui le rend «invisible»[76], c'est-à-dire transcendant et inaccessible. Seul l'«Intellect» ou «Monogène» peut le «contempler»[77]. –

---

[73] *Cognovit* ** ἔγνω (* ἔγνω: cf. *AH*.I.20,3 / H.I.180). Les gnostiques substituent donc l'aoriste au présent ἐπιγινώσκει.– Un peu plus loin, Irénée s'en prend à la même doctrine à partir de l'interprétation que ses adversaires donnaient au subjonctif futur *revelaverit* ** ἀποκαλύψῃ: «Le mot ‹révélera› n'a pas exclusivement le sens futur, comme si le Verbe n'avait commencé à manifester le Père qu'après être né de Marie ...» (*AH*.IV.6,7 / SC.454). – Pour plus de détails sur ces questions, cf. E. Norden, *Agnostos theos*, Berlin, 1913, pp. 277–308; A. Rousseau, *Note Justif.*, P. 439, n. 2 dans SC.100/1, pp. 207–208; A. Houssiau, *L-exégèse* ..., p. 340; R. Luckhart, *Matthew 11,27 in the ‹Contra Haereses› of St. Irenaeus*, dans *RUO* 23 (1953), pp. 65*–79*; A. Orbe, *La revelación del Hijo por el Padre según san Ireneo (Adv. haer. IV.6). Para la exegesis prenicena de Mt. 11,27*, dans *Gr* 51 (1970), pp. 5 ss.

[74] *AH*.IV.6,1 / SC.438,9.11–14.

[75] *AH*.IV.6,4 / SC.444,60–62. Cf. *AH*.V.17,1.2 / SC.222.224.

[76] De même qu'*incapabilis* * ἀχώρητος et qu'*incomprehensibilis* * ἀκατάληπτος.

[77] Et le «comprendre».

D'après Irénée, le Père est parfait; cela lui donne d'être «invisible» (*ἀόρατος)[78], c'est-à-dire transcendant et inaccessible. Seul le «Dieu Monogène», son Fils, qui est dans son sein, peut le «voir» (*videre** ὁρᾶν) (cf. *Jn* 1,18)[79].

2. Selon les gnostiques, il est impossible pour tous les autres êtres «spirituels» – y compris eux-mêmes – de voir ou de contempler ce «Père» de manière immédiate. Ils peuvent tout au plus le voir à travers ce qu'il y a de visible et de «saisissable» en lui, c'est-à-dire le «Monogène». Leur salut consiste à prendre conscience que le «Père» est inaccessible et à se résigner, en conséquence, à ce que demeure inassouvie la tendance à explorer la Père[80] inhérente à leur nature spirituelle. – «Selon sa grandeur et son inénarrable[81] gloire, écrit Irénée, ‹nul ne verra Dieu et vivra› (*Ex.* 33,20b), car le Père est insaisissable[82]»[83]. Quelques

---

[78] ... *incapabilis* (* ἀχώρητος) *et incomprehensibilis* (* ἀκατάληπτος) * καὶ ἀόρατος (om. lat.) *AH*.IV.20,5 / SC.640,122–123. – C'est donc avec raison que E. Lanne a pu écrire: «En employant les termes d'ἀχώρητος καὶ ἀκατάληπτος καὶ ἀόρατος, Irénée a repris les épithètes par lesquelles les Valentiniens qualifiaient l'éon suprême inaccessible, le Bythos, celui qui est inconnaissable par nature. Dans l'usage de cette terminologie négative, il y a certainement chez Irénée une intention polémique. Il veut faire pièce au système valentinien, maintenir l'absolue transcendance divine ...» E. Lanne, *La vision* ..., p. 316. Cela dit, il ne faut pas croire, comme notre présentation pourrait peut-être le laisser entendre, que le «Père» invisible-transcendant des valentiniens soit identique à celui professé par l'Eglise et, en elle, par Irénée. Comprendre ainsi les choses serait se rendre coupable d'une grave méprise à l'endroit d'une position bien articulée et constante de notre auteur.
Pour ce dernier, en effet, le «Père» invisible-transcendant des gnostiques (présenté ailleurs et à une fin analogue comme distinct et supérieur au Créateur de l'univers) *n'existe pas*. Plus précisément, *il n'existe que dans l'imagination* d'hommes qui, au roc solide des Ecritures transmises et interprétées par et dans l'Eglise, ont préféré les sables mouvants de leurs soi-disant révélations. Voir par exemple:*AH*.II.26,3 / Hv 347,6–10; *AH*.II.27,2 / Hv 348,25–27; *AH*.III.3,3 / SC.36,53–55; *AH*.III.10,4 / SC.130,141–142; *AH*.III.12,12 / SC.230,414–415; *AH*.III.16,8 / SC.318,262–263; *AH*.III.24,1 / SC.470,1–3; *AH*.III.24,2 / SC.476–478,58–60; *AH*.IV.1,1 / SC.392–394,12–13; *AH*.IV.2,2 / SC.400,18–19; *AH*.IV.19,3 / SC.622,54–56; *Epid.* 99/ SC.168–169; les réflexions de A. Rousseau dans SC.210, p. 177, note 1. La même remarque vaut *mutatis mutandis* pour le «Monogène».
[79] Cf. *AH*.IV.20,6 / SC.646,163–164; *AH*.IV.20,11 / SC.660. Voir encore: *AH*.IV.6,3 / SC.442; *AH*.V.1,1 / SC.16. – Et le «comprendre»: *Et bene qui dixit ipsum immensum Patrem in Filio mensuratum: mensura enim Patris Filius, quoniam et capit* (** χωρεῖ) *eum AH*.IV.4,2 / SC.420,33–35.
[80] Informée, cristallisée, en quelque sorte, par l'activité du «Christ» (= Eons), du «Sauveur» (= «Achamôth»), du «Seigneur» (= les valentiniens eux-mêmes).
[81] *Ira*.
[82] *Incapabilis* ** ἀχώρητος.
[83] *AH*.IV.20,5 / SC.638,102–104. Notons une fois pour toutes que, d'après F. Loofs, les alinéas 4 à 11 du présent chapitre seraient en grande partie dépendants du *Contre Marcion* de Théophile d'Antioche (= source IQT): «Eine ganze Reihe für IQT charakteristischer, aber als Formulierung des Irenäus unbegreiflicher Sätze, finden sich in diesem

lignes plus bas, il précise ce qu'il place sous cet **οὐδείς: «Par lui-même …, l'homme ne pourra jamais voir (videre ** ὁρᾶν) Dieu», donc l'homme laissé à ses propres forces. Il poursuit: «Mais selon son amour[84], sa bonté envers les hommes (cf. Tit. 3,4) et sa toute-puissance, il (Dieu) va jusqu'à accorder à ceux qui l'aiment[85] le privilège de voir (videre ** ὁρᾶν) Dieu». L'Ecriture du reste en témoigne: «Bienheureux les cœurs purs, parce qu'ils verront (videre ** ὁρᾶν) Dieu» (Mat. 5,8)[86].

Ce texte nous met donc en présence du thème de la vision de Dieu et montre comment cette vision est située face au système de la «gnose» valentinienne. Certes, les gnostiques ont raison d'affirmer qu'il est vain pour quiconque d'essayer de contempler le «Père»; ils sont néanmoins dans l'erreur puisqu'ils négligent de distinguer entre l'homme comme homme face à Dieu comme Dieu et l'homme sujet de l'amour de Dieu face à Dieu qui aime l'homme. En d'autres termes, pour les gnostiques, l'homme sauvé, c'est l'homme résigné à son incapacité de voir jamais Dieu; pour Irénée, c'est l'homme élevé jusqu'à la vision de Dieu du seul fait de l'agapè insondable de ce Dieu qui l'a affranchi de ses limites de créature. En un mot et en nous exprimant encore un peu différemment: avec le thème de la vision, notre auteur veut s'opposer aux valentiniens qui, sous le couvert du respect de la transcendance divine, ne cherchent et ne veulent en définitive trouver leur salut qu'en eux-mêmes.

Irénée continue: «Car ‹ce qui est impossible aux hommes est possible à Dieu ' (Lc 18,27)»[86a]. Notre auteur semble faire allusion au moyen que Dieu met en œuvre pour réaliser son dessein d'amour sur l'homme: car la citation scripturaire n'insinuerait-elle pas que ce moyen n'est autre que l'incarnation du Fils ou sa «venue visible»[87]? Quoi qu'il en soit, sans s'attarder sur ce point, Irénée précise un peu plus bas en quoi ou comment cette incarnation-venue visible du Fils peut rendre l'homme capable de voir Dieu: elle le pare de l'adoption.

Abschnitt» F. Loofs, Theophilus …, p. 416. – Sur le texte cité, voir les remarques de J. Lebreton, Histoire du dogme de la Trinité. T. 2: De saint Clément à saint Irénée, Paris, 1928, p. 533.

[84] Cf. Jn 3,16; 5,43; 8,42; 10,18; 15,31; 17,23.26; I Jn 3,1; 4,9–10.14; et l'εὐδοκία de Mat. 11,26 (cf. AH.IV.6,3/ SC.442).

[85] Le «privilège» de la vision de Dieu ne sera pas donné aux hommes de manière automatique, comme c'est le cas pour les gnostiques qui possèdent leur «gnose» salutaire sur un plan, pour ainsi dire, de nature au delà et même au mépris de l'agir moral. Les hommes qui pourront jouir de ce don absolument inouï seront exclusivement ceux qui vivront dans l'amour, l'ouverture et la fidélité concrète au dessein de la bienveillance divine. C'est dire que, selon nous, cette clause d'Irénée inspirée, remarquons-le, de l'Ecriture (μακάριοι οἱ καθαροὶ τῇ καρδίᾳ: Mat. 5,8 cité un peu plus bas dans notre texte) vise les gnostiques. Cf. p. 130, note 5.

[86] AH.IV.20,5 / SC.638,108–109.104–106.101–102.

[86a] AH.IV.20,5 / SC.638,107–108.

[87] Mot à mot, cette citation scripturaire s'apparente incontestablement à Lc 18,27. Néanmoins, ne serait-il pas permis de croire qu'en utilisant la formule frappée que lui offrait

Ici encore, nous percevons les intentions polémiques de notre auteur. Tandis que les gnostiques se disent en possession du salut[88] sur la base d'une nature «pneumatique» qu'ils ne doivent d'aucune manière à la venue du «Christ», Irénée parle d'une vision rendue possible par la similitude de l'homme avec Dieu (= adoption) *octroyée* par le Fils fait chair ou rendu visible. En d'autres termes, en présentant l'adoption-*don de Dieu*[89] comme condition absolue de la vision, Irénée s'élève contre la prétention de ses adversaires de posséder le salut par eux-mêmes ou sans l'œuvre absolument nécessaire de la philanthropie divine: la venue visible du Fils.

3 Les gnostiques parlent d'une vision ou d'une saisie de l'«Intellect» ou du «Monogène» par les êtres spirituels du Plérôme auxquels eux-mêmes viendront s'adjoindre au moment de la consommation finale. Cette vision est présentée comme palliatif à l'impossibilité pour quiconque de voir le «Père» de manière immédiate, ce qui a pour conséquence de placer le «Monogène» à un niveau inférieur au «Père». –
Irénée parle[90] d'une vision du Fils (Monogène) médiatrice de la vision du Père, non pas cependant en ce sens qu'elle empêche l'accès au Père, mais qu'elle y «conduit».
Il s'ensuit que le Fils (Monogène) est aux yeux de notre auteur «Dieu»[91] tout comme le Père et que, dès lors, le fondement de la vision n'est pas la «semence spirituelle» des gnostiques, mais l'adoption donnée par l'incarnation ou la venue visible du Fils.

B. Seconde perspective

Toujours d'après les gnostiques de la même école, le «Seigneur» a révélé le «Père» comme «invisible et inconnaissable» (cf. *Ex.* 33,20b; *Mat.* 11,27). En outre, cette révélation ne s'est produite qu'au moment de la «venue» du «Seigneur», donc dans la nouvelle Alliance, ce qui implique la distinction entre le «Père» et le «Démiurge» créateur vu et connu par

ce passage lucanien, Irénée avait en arrière-pensée la question de Marie: πῶς ἔσται τοῦτο, ἐπεὶ ἄνδρα οὐ γινώσκω; (*Lc* 1,34) et la réponse de l'Ange: ὅτι οὐκ ἀδυνατήσει παρὰ τοῦ θεοῦ πᾶν ῥῆμα (*Lc* 1,37), ce qui a pour conséquence de placer notre citation dans un rapport direct avec l'incarnation ou le Fils? En tous les cas, cette manière de percevoir les choses aurait pour avantage de rendre notre péricope pleinement transparente, sans compter qu'elle se trouve pratiquement confirmée en *Epid.* 97 / SC.166, où *Lc* 18,27 est mis en rapport explicite avec la «venue visible de notre Seigneur».

[88] Consistant, comme nous le savons déjà, dans la conscience de l'impossibilité de voir le «Père».

[89] En tant qu'elle est rattachée comme à sa cause à l'incarnation ou à la venue visible du Fils.

[90] Cf. *AH.*IV.20,5 / SC.638.

[91] *AH.*IV.20,6/ SC.646,163: *ira*.

les membres de l'Alliance ancienne. Enfin, cette révélation ne concernait que le «Père» suprême; son artisan ou le «Seigneur»[92] ne fut que le messager de l'invisibilité et de l'«incognoscibilité» paternelles. –
Selon Irénée[93], le Seigneur n'a pas enseigné[94] que Dieu le Père est inconnaissable ou invisible, mais que personne ne peut le connaître à moins que Dieu ne l'enseigne ou, encore, que nous, les hommes, nous ne pouvons pas connaître Dieu sans l'aide de Dieu. Que ce soit sa volonté[95] de se faire connaître à l'homme, c'est bien ce que dit encore l'Ecriture: le Père se fait connaître à qui le Fils le révèle. Pour «se manifester», «le Père révéla le Fils». – Remarquons que c'est le Fils qui, par la volonté du Père, se révèle ou se manifeste et que c'est de cette manière que le Père est révélé ou manifesté –. De plus, le Fils n'a pas commencé à se manifester lui-même et à manifester en lui le Père seulement après être né de Marie, mais depuis toujours, depuis les origines les plus lointaines de l'histoire.

Nous retrouvons donc – dans une autre perspective cependant – le thème de la manifestation de Dieu; nous voyons comment il est présenté et comment il constitue une espèce d'antithèse à la doctrine gnostique. Il est faux, estime notre auteur, d'interpréter *Mat.* 11,27 dans le sens d'un refus du Père de se faire connaître. Certes, ce texte affirme que, sans l'aide de Dieu, l'homme ne peut pas connaître Dieu, mais il dit aussi que Dieu veut se faire connaître à l'homme et, cela, par son Fils, dont l'œuvre couvre la totalité de l'histoire. En dernière analyse, Irénée refuse la théorie gnostique d'un «Dieu» *sauveur* distinct du Créateur de l'univers, qui est sans philanthropie pour l'homme ou se dérobe dans sa transcendance.

* *
*

Avant d'interroger Irénée sur le contenu et la signification de la manifestation et de la vision de Dieu, nous nous étions proposé de dégager les cadres dans lesquels il situe ces thèmes. La voie choisie nous a non seulement permis d'arriver aux résultats que nous connaissons, mais encore de voir apparaître avec une précision toujours croissante deux perspectives que nous pourrions décrire ainsi: Dans la première, notre auteur met l'accent sur *les rapports de l'homme aimant avec Dieu* (= vision)

---

[92] Qui n'est ni le «Monogène», ni le «Verbe», ni le «Christ», mais le «Sauveur». Nous aurons l'occasion de revenir sur ce point. Cf. p. 111, note 168.
[93] Nous nous inspirons ici d'*AH*.IV.6,4–7 / SC.444–454. L'analyse détaillée de ces pages absolument centrales d'Irénée sur ce point sera reprise ailleurs. Cf. § 11 et § 14, Art. 1, A.
[94] Notre auteur se réfère ici à *Mat.* 11,27 qu'il rapproche de *Jn* 1,18; *Jn* 14,9 – d'où le binôme: révélation-manifestation. Cf. § 11.
[95] C'est-à-dire l'εὐδοκία de *Mat.* 11,26.

qui englobent et reposent en définitive sur les rapports que Dieu établit
dans son amour entre Lui et l'homme (= manifestation), plus précisément sur ce qui résulte pour l'homme de ces rapports (= adoption).
Dans la seconde, il s'intéresse surtout aux *rapports de Dieu avec l'homme* (=
manifestation), ce qui n'exclut pas a priori – et de fait, il en est bien ainsi
– qu'il prolonge sa réflexion jusqu'à déterminer les rapports qui s'ensuivent entre l'homme et Dieu[96].

A ces deux perspectives qui se retrouvent constamment dans l'œuvre
d'Irénée correspondront les deux sections de cette partie. L'une sera
consacrée à l'étude de la manifestation de Dieu aux hommes (I), l'autre à
celle de la vision (II).

---

[96] Cela dit, il reste que le point de départ de la réflexion et l'accent de la présente perspective diffèrent de la précédente. C'est cette structure formelle que nous voulons mettre ici
en relief.

PREMIERE SECTION

LA MANIFESTATION DE DIEU

A l'encontre de ses adversaires, Irénée affirme que Dieu le Père veut se manifester et qu'il est de fait manifesté à l'homme par son Verbe-Fils. Comment faut-il entendre cette manifestation? (CHAPITRE V).

Affirmer que le Père est manifesté par le Verbe-Fils, c'est dire implicitement que ce dernier se manifeste et, cela, comme Dieu. Il est dès lors permis d'attribuer à cette manifestation une valeur en soi. Au reste, Irénée le signale bien lorsque, tout au long de son œuvre, il parle et considère cette manifestation de manière plus ou moins indépendante du rôle qu'elle joue par rapport à la révélation du Père. Comment faut-il la comprendre? (CHAPITRE VI).

Chapitre V

La manifestation du Père et son déploiement

Pour les raisons qui s'éclaireront par la suite, nous diviserons cette étude
en trois temps correspondant aux diverses étapes de l'«économie» du
salut, c'est-à-dire à l'Alliance ancienne (§ 10), à l'Alliance nouvelle (§ 11)
et, enfin, au «Royaume du Fils» (§ 12).
L'ampleur du sujet à couvrir nous obligera souvent à suivre des sentiers
sinueux. Pour que notre étude demeure néanmoins aussi transparente
que possible, nous aurons soin de reprendre et d'ordonner, à la fin de
chaque paragraphe, les résultats acquis en cours de route.

§ 10: Dans l'Alliance ancienne

Nous avons vu plus haut que la manifestation du Père était le sens de
l'œuvre du Fils. Inversement, il appartient pour ainsi dire essentiellement au «devenir visible» du Père d'être opéré, effectué par le Verbe-Fils.
Nous voudrions illustrer brièvement ce point avant de passer à l'étude
proprement dite du contenu et de la signification de la manifestation du
Père. – Les données dégagées ici valent également pour les étapes ultérieures de l'«économie». C'est pourquoi nous n'y reviendrons plus explicitement.
Aux prises avec la problématique ptoléméenne du «Père» distinct du
créateur de l'univers[1] et annoncé par le «Seigneur», Irénée écrit quelque
part dans l'*Adversus Haereses:*

«Ainsi, dès le commencement, le Fils est le Révélateur[2] du Père,
puisqu'il est dès le commencement avec le Père: les visions prophétiques …, la glorification du Père …, tout cela, il l'a déroulé devant les
hommes … Le Verbe s'est fait le dispensateur de la grâce du Père …,
montrant Dieu aux hommes …, rendant Dieu visible aux hommes par
de multiples ‹économies› …»[3].

---

[1] Comme nous le savons déjà (cf. pp. 58–60), ces hérétiques soutenaient que le «Père»
inconnu et invisible ou inconnaissable annoncé par «notre Seigneur» lors de sa «venue»
(cf. *Mat.* 11,27; *Ex.* 33,20b) était distinct du «Démiurge» créateur connu ou vu par les
Anciens.
[2] *Enarrator* ** ἐξηγητής: écho direct de *Jn* 1,18b que notre auteur cite quelques lignes plus
haut et qu'il citera encore en *AH.*IV.20,11 pour fonder, toujours à une fin polémique,
l'activité révélatrice du Verbe-Fils dans l'Alliance ancienne.
[3] *AH.*IV.20,7 / SC.646–648,165–179. Cf. encore *AH.*IV.7,4 / SC.462; *AH.*IV.20,11 /
SC.660.

C'est le Fils qui a manifesté le Père «invisible et inexprimable»[4]. Il a exercé cette activité révélatrice depuis les débuts de l'histoire.

Que le Fils soit Dieu comme le Père, c'est-à-dire existant depuis toujours[5] auprès de lui et l'assistant dans l'œuvre de la création[6], qu'il soit apparu dans le monde pour conduire les hommes au Père[7], ce sont là des données de la «foi» de l'Eglise[8]. Conformément au but assigné à la seconde partie de l'*Epideixis*, Irénée va s'efforcer d'en démontrer la véracité en dégageant les rapports avec l'annonce anticipée que sont les prophéties[9]. Le second

---

[4] Expression utilisée dans l'alinéa introduisant immédiatement le passage transcrit: *AH*.IV.20,6 / SC.644.

[5] Cf. *Epid*. 43 / SC.99–102. – Nous nous rangeons ainsi du côté de l'interprétation traditionnelle donnée à ce chapitre de l'*Epideixis* qu'A. Rousseau vient de rétablir sur des bases de critique littéraire. Le R. P. a mené ce travail à la suite de la restitution grecque de *Gen*. 1,1 ainsi que du commentaire qui l'introduit proposés par J. P. Smith.
a) Smith: ὅτι δὲ ἐγένετο μὲν Υἱὸς τῷ Θεῷ ... – – Υἱὸν ἐν ἀρχῇ ἔκτισεν ὁ Θεός ... (*Gen*. 1,1); traduction: «And that there *was born* a Son of God ...» – – – «‹A Son in the beginning God established ...› (*Gen*. 1,1)».
b) Rousseau: ὅτι δὲ ὑπάρχει μὲν Υἱὸς τῷ Θεῷ ... – – Υἱὸς ἐν ἀρχῇ · ἔκτισεν ὁ Θεὸς ἔπειτα τὸν οὐρανὸν καὶ τὴν γῆν (*Gen*. 1,1); traduction: «Or qu'il *existe* un Fils à Dieu ...» – – – «‹Un Fils (était) au commencement; Dieu créa ensuite le ciel et la terre ...› (*Gen*. 1,1)».
– Notons qu'A. Orbe, suivi par J. Ochagavía, a exploité la restitution et l'interprétation de Smith. A l'opposé de J. D. Unger, par exemple, il a cru y trouver un appui à la thèse selon laquelle Irénée aurait enseigné une génération du Fils reliée à la production de la création et effectuée en vue d'elle.
Pour plus de détails sur cette question, on lira l'excellent article déjà mentionné de A. Rousseau, *La doctrine de saint Irénée sur la préexistence du Fils de Dieu dans Dém. 43*, dans *Muséon* 89 (1971), pp. 5–42. En outre, voici, dans l'ordre, les références à la littérature à laquelle nous avons fait allusion: J. P. Smith, *St. Irenaeus. Proof of the Apostolic Preaching* (coll. Ancient Christian Writers, 16), London, 1952, pp. 75 et 180–181; J. P. Smith, *Hebrew Christian Midrash in Irenaeus Epid. 43*, dans *Bibl* 38 (1957), pp. 24–34; A. Orbe, *Hacia la primera Teología de la Procesión del Verbo*. Estudios Valentinianos – Vol. I/2 (coll. Analecta Gregoriana, 100), Roma, 1958, pp. 114–143; J. Ochagavía, *Visibile ...*, pp. 95–104; J. D. Unger, *The Divine and Eternal Sonship of the Word according to St. Irenaeus of Lyons*, dans *Laurentianum* 14 (1973), surtout les pp. 400–408.

[6] Cf. *Epid*. 43 / SC.99–102.

[7] Cf. *Epid*. 44–46 / SC.102–106.

[8] A la fin du chapitre 43, nous la retrouvons dans la citation de *Jn* 1,1–3; dans les autres chapitres, à la suite de chaque apparition vétéro-testamentaire. – Remarquons comment Irénée utilise ailleurs *Jn* 1,1–3: Les gnostiques prétendent «qu'autre est le ‹Démiurge› et autre le ‹Père› du Seigneur». Notre auteur répond en se référant au début du prologue de Jean: «... il n'y a qu'un seul Dieu, qui a fait toutes choses par son Verbe ...» (*AH*.III.11,1 / SC.138,6–7). Il refait donc l'unité entre le Père du Seigneur et le Créateur de l'univers en montrant que la création est due au Père puisqu'elle est produite par l'intermédiaire de son propre Verbe.

[9] Cf. *Epid*. 42 / SC.99; *Epid*. 86 / SC.152–153. Il est évident que l'Ancien Testament comme prophétie se retrouve également dans l'*Adversus Haereses*, mais il est situé, conformément à l'intention de cet ouvrage, dans un contexte différent, puisqu'il s'agit de démontrer, contre les gnostiques, l'identité du Dieu de l'ancienne Alliance et de celui de

passage que nous citerons est extrait de la première partie de l'*Epideixis* consacrée à l'exposition de la «voie» du salut[10].

«Dieu (le Père), écrit Irénée, se manifesta[11] à Abraham en se faisant connaître[12] par le moyen du Verbe comme par un rayon ...»[13].

Comme le dit clairement ce texte, le Père a été manifesté au patriarche par le Verbe comme par un rayon.
– Après avoir relaté les manifestations du Fils de Dieu à Abraham au chêne de Mambré (cf. *Gen.* 18,1–3) et à Jacob sur l'échelle (cf. *Gen.* 28,12–15), notre auteur enchaîne:

> «Toutes les visions de ce genre signifient le Fils de Dieu conversant avec les hommes et présent parmi eux. Car ce n'est certes pas le Père de toutes choses, lui qui n'est pas visible au monde, lui qui a créé toutes choses, qui disait justement: ‹Le ciel est mon trône et la terre, l'escabeau de mes pieds; quelle espèce de maison me construirez-vous et quel (sera) le lieu de mon repos? (*Is.* 66,1)›, et qui empoigne la terre dans (son) poing et dans l'empan le ciel (cf. *Is.* 40,12), (ce n'est certes pas) lui qui se tenait debout dans un tout petit emplacement et conversait avec Abraham; mais bien le Verbe de Dieu qui, lui, était toujours avec notre humanité, faisait connaître à l'avance les choses qui auraient lieu dans l'avenir et enseignait aux hommes ce qui concerne Dieu»[14].

Irénée relève que c'est le Fils de Dieu qui est l'auteur des «visions»

---

la nouvelle. Ajoutons encore ceci. Lorsqu' Irénée s'efforce de prouver l'unicité de Dieu (intention propre à l'*Adversus Haereses*), il ne fait pas autre chose que démontrer la véracité de la «foi» de l'Eglise, ainsi qu'il le répète, d'ailleurs, si souvent. En revanche, quand il entreprend d'affermir les chrétiens dans leur «foi» (intention propre à l'*Epideixis*), il a conscience de réfuter les gnostiques, comme il le signale explicitement à la fin de l'*Epideixis* (cf. *Epid.* 98ss / SC.168ss).

[10] Cf. pp. 15–16.

[11] «Appeared» J. P. Smith, *St. Irenaeus* ..., p. 62.

[12] «Manifesting» J. P. Smith, *St. Irenaeus* ..., p. 62.

[13] *Epid.* 24 / SC.67. Remarquons que la *LXX* ne relie une apparition divine qu'à *Gen.* 12,7 cité plus bas dans le texte d'Irénée: «Dieu lui apparut en vision et (lui) dit: ‹Cette terre-ci, je (te la) donnerai, à toi, et, après toi, à ta postérité, en possession éternelle› (*Gen.* 12,7)», mais non à *Gen.* 12,1 qui est mis immédiatement en rapport avec le passage transcrit dans notre texte. Par ailleurs, *Act.* 7,2 cité en *AH.*III.12,10 / SC.224 fait précéder *Gen.* 12,1 d'une apparition de Dieu: Ὁ Θεὸς τῆς δόξης ὤφθη τῷ πατρὶ ἡμῶν Ἀβραάμ. Irénée a pu associer ici *Gen.* 12,1 à *Gen.* 12,7 qu'il cite, comme nous venons de le dire, quelques lignes plus loin dans le même chapitre, ou bien suivre tout simplement Justin, *Dial.* 109,5.6 / 225; l'influence des *Actes* nous paraît ici assez douteuse. Notons, pour finir, que *I Clément*, 10,2–3 / 36 cite *Gen.* 12,1 selon la *LXX*, donc sans la mention d'une apparition divine.

[14] *Epid.* 45 / SC.104.

vétéro-testamentaires et non «le Père de toutes choses»[15]. Ce dernier demeure invisible au monde ou ne s'y manifeste pas personnellement. Notons la pointe exacte de ce texte. Tandis que, dans le précédent, notre auteur appuyait sur le fait que le Père *avait été manifesté* par le Verbe, ici cet aspect est pratiquement passé sous silence pour faire place à l'affirmation massive que c'est *au Fils* que revient la tâche de manifester Dieu aux hommes[16].

Ainsi donc, aussi bien dans l'*Epideixis* que dans l'*Adversus Haereses*, Irénée affirme clairement que c'est par son Verbe-Fils que le Père est apparu aux Anciens.

---

[15] Le Père est aussi le Créateur de l'univers, thèse fondamentale aux yeux d'Irénée et qui est posée ici sans être démontrée. Nous tenons à souligner ce point pour bien faire ressortir la différence d'avec certains passages de l'*Adversus Haereses* où notre auteur montre, contre la théorie gnostique du «Père» invisible distinct du «Démiurge» créateur visible, que le Père est demeuré invisible dans les théophanies vétéro-testamentaires opérées par le Verbe-Fils (cf. un peu plus bas dans ce §). Ici, l'invisibilité du Père ne joue aucun rôle dans l'affirmation de l'identité du Père et du Créateur d'autant plus qu'elle a une signification tout autre que dans les textes tirés de l'*Adversus Haereses* déjà mentionnés: ce n'est pas du Père que relèvent immédiatement les «visions» de l'Alliance ancienne.

[16] Irénée attribue les théophanies de l'Ancien Testament au Fils; le Père, lui, est demeuré invisible au monde ou ce n'est pas lui qui «se tenait debout dans un tout petit emplacement». Cette dernière expression se retrouve chez Justin: ἐν ὀλίγῳ γῆς μορίῳ (*Dial.* 60,2/165); ἐν ἐλαχίστῳ μέρει (*Dial.* 127,3/248) que traduit fidèlement l'arménien de l'*Epideixis*: i p'ok'ragoyn vayri. Irénée s'est donc ici inspiré de Justin, mais en le transformant. Illustrons brièvement ce point. Chez l'Apologète, le raisonnement et l'intention où s'insèrent ces expressions sont les suivants: Le Dieu transcendant invisible ne pouvait se réduire à «un petit coin de terre» (donnée fermement maintenue dans le judaïsme: cf. par exemple Philon, *De post. Caini*, 14 ss; *Leg. all.*, I. 43 ss; *Leg. all.*, III. 51 ss; *De som.*, I. 61 ss; *De som.*, I. 183 ss). Il s'ensuit que les théophanies vétéro-testamentaires ne pouvaient relever que d'un «autre Dieu» (ἕτερος Θεός). Ainsi, il n'y a pas que le Père en Dieu, mais aussi le Fils – «foi» de l'Eglise que les Juifs refusent malgré l'évidence des Ecritures de l'Ancien Testament qu'ils se vantent pourtant de connaître et d'accepter. Cf. J. Lebreton, *Histoire...*, T. 2: *De saint Clément...*, pp. 663 ss.

Chez Irénée, par contre, l'argumentation et le but poursuivis se présentent comme suit: Ce n'est pas le Père de toutes choses qui, dans l'Alliance ancienne, s'est rendu visible ou s'est tenu debout dans un tout petit emplacement, mais bien le Fils – «foi» de l'Eglise solidement fondée sur l'Ecriture, notamment sur le Prologue de Jean. En d'autres termes, tandis que Justin s'efforce de montrer aux Juifs la divinité du Fils (Père invisible-Fils visible [en relation avec l'«économie»]: rapports éternels du Père et du Fils), Irénée, lui, s'adresse aux chrétiens afin de leur démontrer que déjà dans l'Alliance ancienne leur foi en la manifestation du Fils médiatrice de la manifestation du Père qui ne se manifeste pas (cette donnée n'est pas à comprendre dans un sens subordianiste ontologique-ousiologique – ce qui ne vaut vraisemblablement pas pour Justin: cf. *I Apol.* 32,10/ 48; *Dial.* 61/ 166–167 –, car pour Irénée le Verbe-Fils est aussi invisible que le Père: cf. *AH*.III.16,6 / SC.312,215; *AH*.IV.24,2 / SC.702,37; etc.; sur ce point, voir parmi bien d'autres: J. Kunze, *Die Gotteslehre des Irenäus*, Leipzig, 1891, p. 56; J. Chaine, *Le Christ rédempteur d'après Saint Irénée*, Le Puy, 1919, p. 28; J. Lebreton, *Histoire...*, T. 2: *De saint Clément...*, p. 596; N. Bonwetsch, *Die Theologie...*, p. 62) se trouve déjà annoncée (Père

Qu'en est-il de ces «visions»? Plus précisément, comment faut-il les comprendre? Considérons d'abord les textes tirés de l'*Epideixis*.

Le premier parle d'une *réalité concrète* que le Verbe utilise et par laquelle le Père est manifesté. C'est à peu près tout ce que nous pouvons apprendre de ce texte. Quant aux «visions» ou aux apparitions auxquelles fait allusion l'autre extrait de l'*Epideixis,* elles ne tombent pas sous l'objet de la présente étude. En effet, ce texte ne dit pas – du moins en premier lieu – que le Père est rendu visible par ces «visions», mais qu'il n'en est pas l'auteur. Ce passage et son contenu seront étudiés ailleurs[17].

En raison du fait que l'activité du Verbe-Fils révélant le Père s'accomplit sur le modèle de *Jn* 1,18b[18], il convient de comprendre les «visions» dont il est question dans le texte extrait de l'*Adversus Haereses* comme des *réalités concrètes renvoyant dans leurs aspects extérieurs à la forme* que le Verbe-Fils donnera dans l'avenir au mystère du Père, notamment la forme de sa vie d'homme.

Ces «visions» ou ces apparitions sont «prophétiques», précise encore notre auteur. Qu'est-ce à dire? Il serait permis de penser qu'il s'agit ici de «visions» qui *ressemblent* à l'apparition à venir du Verbe-Fils par laquelle le Père sera un jour rendu visible aux hommes. Dans ce cas, si ces «visions» laissent transparaître quelque chose du mystère paternel en ce sens qu'elles indiquent à l'homme de l'Ancien Testament la manière selon laquelle le Père sera manifesté, elles le laissent encore invisible, puisqu'elles ne sont pas identifiables aux «économies» par lesquelles le Père sera rendu visible. Or, c'est ce qu'Irénée souligne ici lorsqu'il

---

invisible-Fils visible: en relation avec l'«économie»– structure du dessein d'amour de Dieu pour l'homme).

Pour finir, deux remarques:

1. Il faudrait, nous semble-t-il, se garder de prêter ici une intention polémique à l'auteur. Son but n'est pas de s'en prendre aux gnostiques (ils admettent la médiation nécessaire du «Seigneur» dans la révélation du «Père»; l'attaque portera plutôt sur la question du comment de cette révélation – remarquons que la doctrine qui veut que le Verbe-Fils ait commencé dès l'Ancien Testament à manifester le Père (= identité du Père et du Créateur) ne joue ici aucun rôle –), mais d'exposer aux chrétiens une *structure fondamentale* de l'«économie» du salut.

2. Même si notre auteur s'est inspiré explicitement de Justin, il est possible qu'il ait plutôt retenu la doctrine de Théophile d'Antioche que l'on retrouve dans le chap. 22 de son *Ad Autolycum*, chapitre qu'Irénée connaît certainement (cf. *Epid.* 12/SC.50–53). Théophile y parle du «Dieu, du Père de toutes choses», qui «n'est pas localisable» et «qui ne se trouve pas dans un lieu», ainsi que du Verbe qui, en conséquence, « s'est revêtu la figure du Père», qui «venait sous la figure de Dieu …, s'entretenait avec Adam». «Chaque fois, conclut-il, que le veut le Père de toutes choses, ce Père l'envoie à tel lieu; il s'y rend, s'y fait entendre et voir, comme son envoyé, et se trouve dans un lieu» *Ad Aut.* II.22/154–156.

[17] Cf. § 13.

[18] Cf. p. 67, note 2.

affirme que si le Verbe-Fils a montré Dieu ou le Père aux Anciens[19], il a «sauvegard(é) (son) invisibilité». L'homme, ajoute-t-il encore, n'aurait pu, à ce moment de l'«économie», être placé en présence d'une apparition divine, disons, parfaite, sans courir le risque de mépriser Dieu[20]; au reste, il se devait d'avoir toujours vers quoi progresser.

Cela nous amène à un autre passage qui nous aidera à vérifier le bienfondé des données dégagées ici et à les préciser encore.

Faisons une remarque préliminaire. Puisque la présente péricope[21] est dans son ensemble de teneur christologique, nous en ferons l'analyse détaillée dans le paragraphe correspondant du chapitre suivant. Pour ne pas surcharger inutilement ce travail, cette étude de détail ne sera pas reprise ici. Nous nous contenterons tout simplement d'exposer la doctrine qu'il est permis d'en tirer pour notre sujet.

Dans un premier temps, Irénée pose l'équation suivante: Si les prophètes n'ont pas vu Dieu, c'est-à-dire le Verbe-Fils, *proprie*[22] et si ce qu'ils ont vu n'était que des «*ressemblances* de (sa) gloire» ou encore que des «*prophéties des choses à venir*», entendons des «visions» ou des apparitions *figuratives* de sa venue humaine terrestre et glorieuse ou de la manifestation à découvert de sa Face, il est clair que le Père est demeuré invisible. C'est du reste ce qu'a dit le Seigneur: «Dieu, personne ne l'a jamais vu» (*Jn* 1,18a)[23]. Voici le texte en cause:

> «Si donc ni Moïse, ni Elie, ni Ezéchiel n'ont vu Dieu, alors qu'ils ont vu un grand nombre de choses célestes, et si ce qu'ils voyaient n'était que

---

[19] Nous verrons ailleurs (cf. § 17) comment l'homme de l'Ancien Testament est appelé par le truchement de ces «visions» à faire, sous un mode particulier, une certaine expérience de la vision de laquelle dépend sa vie.

[20] «... (Dieu) montra (dans le premier Testament) une figure (*typus* ** τύπος) des choses célestes, parce que l'homme ne pouvait encore voir de ses yeux les choses de Dieu ...», écrit ailleurs notre auteur pour expliquer la différence de l'Alliance ancienne d'avec la nouvelle dont l'auteur est «un seul et même Dieu» *AH*.IV.32,2 / SC.800.

[21] *AH*.IV.20,9–11 / SC.654–660.

[22] Sous-entendu ici.

[23] Cette citation scripturaire est introduite ici pour fonder l'affirmation que le Père est demeuré invisible dans l'Ancien Testament parce que le Verbe ne s'est pas encore manifesté, n'est pas encore venu dans la chair. Elle pourrait également impliquer en sourdine l'idée, déjà connue, que l'homme était encore trop faible à cette étape de l'«économie» pour supporter l'immédiateté de la Face du Père.– Remarquons que *Jn* 1,18a n'est plus utilisé ici pour démontrer la distance infranchissable existant entre Dieu et l'homme, et l'impossibilité pour l'homme *comme homme* de voir Dieu, le Père invisible, *comme Dieu* (cf. *AH*.IV.20,6), mais qu'il est inséré *dans l'«économie» du salut*. Dès lors, il sert à appuyer la doctrine dont nous avons déjà parlé: le Père demeure invisible dans l'Ancien Testament parce que son Verbe-Fils ne s'est pas encore manifesté et que l'homme de ce moment de l'«économie» n'est pas encore assez fort pour pouvoir voir le Père directement.

Relevons enfin qu'*Ex.* 33,20b *AH*.IV.20,5 subit une transformation analogue en *AH*.IV. 20,9 auf qu'il est mis immédiatement en rapport avec le Verbe-Fils (cf. p. 93, note 93).

‹ressemblances de la gloire du Seigneur› (*Ez.* 1,28) et prophéties des
choses à venir, il est clair que le Père demeurait invisible, lui dont le
Seigneur a dit: ‹Dieu, personne ne l'a jamais vu› (*Jn* 1,18a)»[24].

Nous retrouvons donc exactement la doctrine dégagée plus haut avec la
différence que son insertion plus explicite dans un cadre polémique[25] lui
confère une clarté encore plus grande. En effet, contre la thèse déjà
connue du «Père» invisible distinct du «Démiurge» créateur visible aux
Anciens[26], Irénée réagit en affirmant que le Père est demeuré invisible
aux membres de l'Alliance ancienne ou qu'il est aussi le Créateur de
l'univers puisque le Verbe-Fils a suscité, à cette étape de l'«économie»,
des «visions» ou des apparitions qui ne sont qu'*analogues,* que *semblables* à
celles par lesquelles il rendra, à la fin, le Père visible aux hommes[27].
Dans un second temps, notre auteur affirme, en s'appuyant sur *Jn* 1,18b,
que le Verbe-Fils «montrait (aux Anciens) la gloire du Père» par le
truchement d'«économies» ou d'apparitions, *réalités concrètes* donc *renvoyant dans leurs aspects extérieurs à la forme* que prendrait celle à venir, la
forme d'une vie d'homme terrestre et glorieuse.

---

[24] *AH*.IV.20,11 / SC.660.

[25] En *AH*.IV.20,7, l'intention polémique certaine d'Irénée – le fait qu'il souligne que les
«visions» sont «prophétiques» en témoigne – est dissimulée au profit de l'idée que Dieu,
le Père, ne pouvait être montré directement à cause de la faiblesse de l'homme. Il en va
ici inversement. En effet, notre auteur s'en prend explicitement aux gnostiques et laisse
au second plan l'idée de l'incapacité de l'homme de voir Dieu à découvert (cf. supra,
note 23).

[26] Cf. pp. 58–60.

[27] Ailleurs (cf. *AH*.IV.20,4–5 / SC.636), Irénée procède autrement pour démontrer, à une
fin identique, que le Père est demeuré invisible dans l'Alliance ancienne. Il argumente à
partir 1. de l'activité oratoire des Anciens et 2. de l'expérience que ces derniers font déjà
de la vision de Dieu. Illustrons brièvement cela. (En ce qui concerne le second point,
nous anticiperons sur l'étude de la vision que nous ferons dans les § 17 et 20. On voudra
s'y référer là où notre pensée n'apparaîtra pas tout à fait claire).
La destinée finale de l'homme, écrit Irénée, est la vision de Dieu, plus précisement du
Père: «Bienheureux les cœurs purs, parce qu'ils verront Dieu» (*Mat.* 5,8). Cette destinée
est déjà réalisée en partie dans l'Alliance nouvelle en ce sens que, par l'Esprit donné par
le Verbe manifesté-incarné, l'homme peut voir ou «saisir» le Verbe et, en lui, le Père et,
ainsi, être mis sur la route de la vision ou de la saisie immédiate du Père (cf. § 19).
Tout cela, les prophètes, assistés par le Verbe (non, comme ailleurs, par l'Esprit, puisque
notre auteur s'attache ici à démontrer l'unicité du Verbe, plus précisément, qu'il est
agissant dans l'œuvre de la création, dans l'Ancien Testament et dans le Nouveau),
l'annonçaient par avance *en paroles* (*praedicare-praenuntiare* et encore en *AH*.IV.20.8 /
SC.650,189–191, péricope qui est, de toute évidence, de même veine que le présent
passage: *per quos futura praedicabantur ... quem ipsi hominibus videndum intimabant, uti non
solum dicatur prophetice Deus ...*).
Il est donc faux, poursuit Irénée, d'affirmer que le Père demeurait invisible et que,
partant, autre était celui qui était vu par les prophètes. Ces derniers n'ont pas vu Dieu,
ils n'ont fait que *prêcher* à l'avance que Dieu serait vu des hommes. Ceux qui parlent ainsi

Ici encore, nous sommes en présence d'une doctrine identique à celle
dégagée en *AH*. IV. 20,7. Elle est située en outre sur un arrière-fond
polémique analogue[28], notamment celui de renverser la thèse gnostique
du «Père» inconnu et demeurant invisible, distinct du «Démiurge» créateur toujours connu et vu des membres de l'Ancien Testament. Le Père
est aussi le Créateur de l'univers, riposte notre auteur, car le Verbe était

manifestent qu'ils ne savent pas ce qu'est une prophétie: Elle est «la *prédiction* de choses à
venir» (*praedictio futurorum*).
(Nous retrouvons encore cette notion de prophétie dans l'*Epideixis:* cf. *Epid.* 30/SC.80;
Epid. 34 / SC.86; *Epid.* 67 / SC.132–133; *Epid.* 86 / SC.152–153. Elle y est cependant
utilisée à une autre fin que dans le présent texte. Plus précisément, elle sert à affirmer les
croyants, en ce sens qu'elle démontre que leur foi se trouve déjà annoncée par les prophètes: «Que toutes ces choses (exposé de la prédication de l'Eglise) se passeraient ainsi,
l'Esprit de Dieu l'a fait connaître d'avance par le moyen des prophètes, pour que ceux
qui rendent à Dieu un culte en vérité eussent à l'égard de ces (choses) une foi ferme ...»
Epid. 42 / SC.99). Notons ici qu'Irénée ne répond pas directement à l'objection des
gnostiques, puisqu'il n'essaie pas de corriger l'idée que ses adversaires se faisaient de la
vision des Anciens indubitablement affirmée par l'Ecriture, mais que, en se référant à un
des rôles joués par les prophètes dans l'Ancien Testament: *sermone prophetabant prophetae*
AH.IV.20,8 / SC.650,196–197; *quasdam per verbum annuntiabant* ibd. / SC.652,209–210,
il identifie tout simplement ou réduit leur activité à une annonce, à un message de la
vision à venir. Ce n'est cependant là qu'un premier moment de son argumentation.
Tout cela, dit encore Irénée, «les prophètes le *signifiaient de manière prophétique»* (*significa-
bant** ἐσήμαινον* (en raison du contexte, nous préférons «signifier» à «annoncer» [A.
Rousseau]) *prophetice AH*.IV.20,5 / SC.636,93). Qu'est-ce à dire? En vertu du lien que
notre auteur met entre cette affirmation et l'ensemble décrit dans le second alinéa de
cette note d'une part, et en nous référant à *AH*.IV.20,8 – passage de même teneur,
comme nous l'avons déjà dit, que le texte à l'étude – d'autre part, il est permis de
comprendre cette donnée de la manière suivante: Assistés par l'Esprit (rien ne s'oppose à
ce que la présence et l'activité de l'Esprit auprès des Anciens soient implicitement
mentionnées ici: Irénée vient tout juste d'en parler relativement à la nouvelle Alliance
[cf. *AH*.IV.20,4 / SC.636,93]; en outre, cette donnée est clairement affirmée en
AH.IV.20,8), les prophètes font, par le truchement des apparitions du Verbe, *l'expérience
de la vision de Dieu*, plus précisément du Verbe-Fils et, *en lui, du Père, de manière anticipée* ou
prophétique (*necessario oportebat ... videre Deum ... uti non solum dicatur prophetice Deus et
Dei Filius et Filius et Pater, sed et ut videatur omnibus membris ... AH*.IV.20,8 /
SC.648–650,188–193). C'est ainsi qu'ils «signifiaient de manière prophétique» que Dieu
serait vu des hommes (... *prophetabant prophetae ... visione ...* ou encore: *significans
quoniam videbit oculis Deum homo ... AH*.IV.20,8/ SC.650,196–197.201–202).
Irénée s'oppose donc à la thèse gnostique du «Père» demeuré invisible distinct du
«Démiurge» vu par les Anciens, en faisant appel à ce rôle joué par les prophètes ou
encore à ce qu'est la prophétie définie, cette fois, comme une *«signification anticipée* de
réalités ultérieures» (*eorum quae post erunt praesignificatio AH*.IV.20,5 / SC.636,98–99 – ici
encore et pour le même motif, nous préférons «signification anticipée» à «annonce
anticipée» [A. Rousseau] –). Pourquoi cela? Outre que le Père demeurait invisible *en
lui-même* aux membres de l'Alliance ancienne, puisqu'ils ne voyaient qu'à travers son
Fils (la vision immédiate du Père est réservée à la dernière étape de l'«économie»
[*Mat.* 5,8]), ils ne le voyaient de la sorte que *de manière anticipée*.
[28] En plus de ce contexte polémique, Irénée souligne, comme en *AH*.IV.20,7, que le «Verbe»
montrait la gloire du Père *ad utilitatem videntium*. Cf. p. 72, note 19.

déjà à l'œuvre dans l'ancienne Alliance pour faire connaître son Père, non pas pour annoncer qu'il était inconnaissable et invisible, mais pour le rendre visible (*Jn* 1,18b)[29].

* *
*

Avant de poursuivre notre recherche dans les autres étapes du dessein salvifique de Dieu, résumons la doctrine de ce paragraphe.

1. D'abord un premier point auquel nous voulions porter une attention spéciale et que nous verrons se maintenir tout au long des autres

---

[29] L'importance qu'Irénée attache a l'identité du Père et du Créateur de l'univers (cf. *AH*.I.19,2 / Hv 176) et le soin qu'il met à l'établir viennent sans doute du fait que cette doctrine touche le centre de la «foi» de l'Eglise. C'est ce qu'il semble indiquer lorsque, dans le premier article de foi qu'il place en tête de l'*Epideixis,* il est explicitement question du «Père invisible» qui est aussi le «Créateur de l'univers»: «Voilà donc comment se fait l'exposé (de cette doctrine): un seul Dieu *Père* non créé, *invisible, créateur de l'univers» Epid.* 5 / SC.34. Et encore: «Dieu *Père ... invisible,* un Dieu, *le créateur de l'univers;* tel (est) le premier article de notre foi» *Epid.* 6 / SC.39.

La démonstration de cette thèse essentielle comporte plusieurs étapes:

1. Elle suppose ou implique d'abord qu'Irénée rejette la théorie gnostique selon laquelle le «Père invisible» a été révélé par le «Sauveur» comme inconnaissable ou comme invisible. Dans notre prochain paragraphe consacré à la manifestation du Père dans le Nouveau Testament, nous verrons comment notre auteur établit ce point. – Notons que la doctrine que nous y découvrirons est supposée ici (le chapitre 6 du livre IV, où ce sujet est traité de manière exhaustive, précède le chapitre 20 du même livre, auquel nous nous référons ici) ou que, dans la logique de notre propre travail, nous en trouvons déjà l'esquisse.

2. Notre auteur doit ensuite s'efforcer de rétablir l'identité du Père manifesté par le Seigneur et du Créateur de l'univers.

Comme nous le savons déjà, les gnostiques distinguaient le «Démiurge» créateur (= Dieu de l'AT) de leur « Père» suprême en tant

a) qu'il était *toujours connu des Anciens,*
b) qu'il se *laissait voir* d'eux
c) et qu'il se laissait voir *de manière parfaite.*

En conséquence, le projet d'Irénée se présente comme suit:

a) Le Verbe-Fils est déjà présent dans l'Alliance ancienne pour *faire connaître son Père*
b) et le *manifester* (en n'établissant pas ce rapport, Irénée ne se serait pas seulement écarté de sa propre notion de la révélation mise au point dans le Nouveau Testament, mais il n'aurait pas réussi à rétablir l'identité du Père et du Créateur *vu*)
c) *de manière prophétique.* Sans cette correction du rapport établi en b), Irénée serait retombé dans l'erreur qu'il voulait réfuter, puisqu'il aurait fait du Père du Seigneur exactement l'équivalent du «Démiurge» créateur des gnostiques – sans compter qu'il n'aurait pas pu sauvegarder l'originalité de la révélation des «temps de l'accomplissement», originalité relevée à juste titre par ses opposants.

Cette note, on le voit, n'est qu'une présentation plus systématique du matériel tiré des textes que nous venons d'étudier.

moments de l'«économie»: c'est le Verbe-Fils qui a, dans l'Alliance ancienne, la tâche de manifester le Père.

2. S'interroge-t-on ensuite sur le sens à donner à cette manifestation, il est permis de dire ceci: elle est constituée de diverses réalités concrètes, visibles, suscitées par le Verbe-Fils présent et agissant dans l'ancien Testament et renvoyant dans leurs aspects extérieurs à la forme de la manifestation à venir, c'est-à-dire à la venue humaine terrestre et glorieuse du Verbe-Fils (cf. *Jn* 1,18b).

3. Cette manifestation est prophétique. Autrement dit, elle n'est que «ressemblance», «figure», etc., de celle à venir. C'est pourquoi Irénée peut dire que le Père est demeuré invisible aux Anciens (cf. *Jn* 1,18a)[30]. Quant au fondement qui explique cet état de choses, notre auteur le découvre dans le fait que la venue humaine terrestre et glorieuse du Verbe-Fils, qui *équivaut à la Face du Verbe* en laquelle l'homme pourra voir celle du Père, ne s'est pas encore effectivement produite à cette étape de l'«économie»[31]. Cela nous amène au sujet de notre prochain paragraphe.

---

[30] Ailleurs, Irénée parle de l'invisibilité du Père dans l'Ancien Testament sans faire référence aux théophanies vétéro-testamentaires. Dans ce cas, il s'en prend habituellement à Marcion, qui distinguait entre le Créateur-Dieu de l'Ancien Testament (= le mauvais Père) *annoncé* par la Loi et les prophètes et le Dieu du Nouveau Testament (= le bon Père) annoncé par Jésus issu de ce Dieu et venu, au temps de Tibère, en se manifestant sous une forme humaine. Cf. *AH*.I.27,2 / Hv 216–217; *AH*.II.3,1/ Hv 257; *AH*.III.25,2–3 / SC.480–484. Pour une plus large information, cf. A. v. Harnack, *Marcion. Das Evangelium vom fremden Gott* (coll. Texte und Untersuchungen, 45), Leipzig, 1921, pp. 160 ss. Irénée reprend exactement les deux membres de l'affirmation marcionite (a) *annonce* du Père de l'Ancien Testament; b) manifestation de Jésus annonçant le Père du Nouveau Testament – nous laissons pour le moment de côté la teneur exacte des réalités constituant ce second membre de l'affirmation –) en tâchant cependant de les relier l'un à l'autre, plus précisément de démontrer l'identité du Dieu-Père de l'Ancien Testament et de celui du Nouveau Testament. – Notons que nous nous situons ici au plan de l'antithèse théologique (le mauvais *Père* ≠ le bon *Père*), antithèse qui, comme nous le verrons ailleurs (cf. p. 103, note 136), sera transposée au plan christologique.
Illustrons cela à l'aide de deux textes:
1. Le Verbe, le même qui rendra le Père visible dans l'Alliance nouvelle par sa venue visible (*ostendere-videre*), «*annonc(e)*» (*praedicare-audire*) ce Père dans l'Alliance ancienne «par la Loi et les prophètes» (cf. *AH*.IV.6,6 / SC.448).
2. Le Fils devenu visible dans la nouvelle Alliance rend visible le Dieu ou le Père créateur présent et agissant dans l'Ancien Testament de manière *invisible* (sans rapport ici avec les théophanies vétéro-testamentaires) en qui il reconnaît son propre Père (cf. *AH*.III.11,5 / SC.154).
Pour finir, soulignons que l'interprétation des théophanies de l'Ancien Testament dont nous avons parlé dans le texte permet à Irénée de s'en prendre à Marcion et de le réfuter sans entrer en contradiction avec lui-même.

[31] Cf. pp. 101–103.

§ 11: Dans l'Alliance nouvelle

Qu'est-ce que la manifestation du Père dans la nouvelle Alliance? En vertu du paragraphe précédent, nous possédons certes une esquisse déjà assez nette de la réponse à cette question. Il faudra cependant l'illustrer et la préciser encore à l'aide de textes se rapportant plus spécifiquement à la tranche de l'«économie» qui va du Nouveau Testament au temps de l'Eglise. Parmi les nombreux passages susceptibles de nous intéresser, nous ne présenterons et n'analyserons que les plus représentatifs.

«Voilà pourquoi le Fils ‹révèle› (*Mat.* 11,27c) la connaissance du Père par sa propre manifestation; c'est la connaissance du Père que cette manifestation du Fils»[32].

Comment comprendre cette «manifestation du Fils» grâce à laquelle est révélée la «connaissance du Père»? La réponse à cette question ne comporte pas de difficultés majeures si l'on a soin de replacer ce texte dans son contexte.

«Ferme est ma foi dans le (Fils) et inébranlable mon amour pour le Père, le Seigneur nous accordant l'une et l'autre». Ainsi se termine l'extrait du traité *Contre Marcion* de Justin cité en *AH.* IV. 6,2[33]. Irénée va reprendre cette conclusion et la développer à sa manière[34].

Il ouvre *AH.* IV. 6,3 en rappelant, d'une part, que nul ne peut connaître le Père sans que le Verbe-Fils ne le «révèle» (*Mat.* 11,27c) et, d'autre part, que personne ne peut connaître le Fils sans le «bon plaisir» (*Mat.* 11,26) du Père, «bon plaisir» accompli par le Fils, puisque le Père envoie, tandis que le Fils est envoyé et vient. Le Fils est donc l'auteur d'abord de la révélation du Père et ensuite de la sienne propre, mais en tant qu'il réalise la mission du Père[35].

---

[32] *AH.*IV.6,3 / SC.442,45–47. Cf. *Epid.* 7 / SC.41 et Ignace d'Antioche: ... Θεοῦ γνῶσιν ὅ ἐστιν Ἰησοῦς Χριστός *Eph.* 17,2 / 73.

[33] Retraçons à grands traits le contenu des alinéas 2 à 4 de ce chapitre 6. De l'exégèse gnostique de Mt. 11,27 (= Père inconnu avant la venue du Christ: 6,1 fin), Irénée tire deux conséquences: 1. que *le Père* n'aurait pas pris soin des hommes avant l'empereur Tibère ≠ le Créateur; 2. que *le Fils* n'aurait pas assisté le Père depuis l'origine ≠ Dieu. Sa réponse: tout comme notre foi au *Christ,* notre foi au *Père* doit être inébranlable. Justin le dit d'ailleurs: 1. Je n'aurais pas cru *au Christ* s'il avait annoncé et s'il était venu de la part d'un autre Dieu que le Créateur; 2. la foi *au Père* créateur se trouve par le fait même confirmée. C.: La foi en l'un et l'autre est donnée par le Seigneur (6,2). Irénée va reprendre cette conclusion de l'Apologète et la développer de la manière suivante: 1. C'est le Fils qui donne les deux vérités; cela lui fournit l'autorité pour révéler *le Père;* 2. cela le situe dans une relation spéciale avec le Père: il est *Fils de Dieu* (6,3). Or, il annonce que le Père est *le Créateur;* son témoignage est d'une certitude absolue; 3. d'autant plus qu'il est *Fils de Dieu,* ce que les gnostiques de toutes allégeances ne sont pas (6,4 début).

[34] SC.440.

[35] De cette manière, l'activité du Fils qui consiste à se faire connaître lui-même (voir plus bas dans le texte et § 14) relève médiatement du Père. Ailleurs, le rôle joué par le Père

Puis, il poursuit le développement de sa pensée en s'inspirant cette fois de
Jn 1,18. Le Père, tout invisible qu'il soit pour nous, est connu de son
propre Verbe (cf. *Jn* 1,18a) et, quoique inexprimable, est exprimé (*enarrare* ** ἐξηγεῖσθαι) par lui (cf. *Jn* 1,18b). Réciproquement, le Verbe n'est
connu que de son Père[36]. A quoi il ajoute: «telle est la double vérité (cf.
Mat. 11,27 cité un peu plus bas) que nous fait connaître le Seigneur».

– C'est ici que prend place notre texte. A la lumière de ce qui précède, il
est aisé de savoir ce qu'Irénée veut dire lorsqu'il parle de la «manifestation» (*manifestatio* ** φανέρωσις) qui «révèle» (*Mat.* 11,27c) la connaissance intime qu'a ce Fils du Père invisible. En effet, cette expression
est la reprise pure et simple de l'*enarrare* ** ἐξηγεῖσθαι de Jean, ce qui
signifie qu'elle désigne *la venue humaine du Verbe-Fils*[37].

Il s'ensuit que l'intimité du Père, son Visage, oserions-nous dire, est
«révélé», c'est-à-dire *prend l'aspect concret d'une vie d'homme, la vie d'homme de
son propre Fils*. C'est là la doctrine qu'Irénée oppose à ses adversaires qui
réduisaient – comme nous le savons déjà – la révélation de leur «Père» à
une pure parole, à un simple message[38] et qui soutenaient que ce «Père»
était annoncé comme invisible et inconnaissable[39].

Toujours dans la sphère de *Jn* 1,18, nous avons un autre passage d'Irénée[40] qui intéresse notre sujet. «De quel Dieu est le Verbe qui s'est fait
chair (cf. *Jn* 1,14)?»[41]. Par cette question qui ouvre la péricope dont

---

dans la révélation du Fils est défini autrement et de manière plus immédiate (cf. § 14).
Qu'Irénée présente ici le Fils comme le Révélateur envoyé par le Père et comme le
Révélateur et de lui-même et du Père s'explique peut-être par le fait qu'il veut conférer au
Verbe-Fils l'autorité absolue dans la révélation du Père: «‹Nul ne connaît le Père si ce
n'est le Fils, ni le Fils si ce n'est le Père, et ceux à qui le Fils les révélera› (*Mat.* 11,27),
enseignant par là et ce qu'il est lui-même et ce qu'est le Père (= *ira.*), *pour que nous
n'admettions pas d'autre Père que celui que révèle le Fils*» *AH*.IV.6,3 / *SC*.442–444.

[36] Donnée tirée de *Mat.* 11,27a et implicite à *Jn* 1,18.

[37] Inversement, c'est dans les habitudes de Jean de parler de la venue humaine du Seigneur
révélatrice de Dieu comme d'un φανεροῦν: cf. *Jn* 1,31; *Jn* 2,11; *Jn* 7,4; *Jn* 17,6; *Jn* 21,1; *I
Jn* 1,2; *I Jn* 3,5; *I Jn* 4,9; etc. –
Cette «venue humaine du Verbe-Fils» est comprise ici comme la cime d'une immense
vague de fond qui meut l'histoire à partir de ses origines les plus lointaines. Plus précisément encore, elle est considérée comme rattachée à l'activité révélatrice du Verbe qui
pousse ses racines jusqu'au commencement du monde. Un indice en ce sens? Le fait
qu'Irénée pense au présent: *enarrat* ** ἐξηγεῖται, là où *Jn* 1,18b a ἐξηγήσατο. Cf. les pp.
81–82 et la note 58.

[38] Pour Irénée, l'enseignement (= parole) du Seigneur est également un moyen de révéler,
de faire connaître Dieu, mais un moyen toujours relié, de près ou de loin, à la révélation
par la «manifestation». Pour les gnostiques, au contraire, «Jésus» n'est qu'une pure
apparence d'homme – nous reviendrons sur ce point – à travers laquelle le «Sauveur»
d'en-haut délivre un «message» de révélation.

[39] Cf. pp. 58–60.

[40] *AH*.III.11,5 / *SC*.152–154.

[41] *AH*.III.11,4 / *SC*.148,85–86.

fait partie notre texte, Irénée signale clairement son intention: il veut montrer que le Dieu de l'ancienne Alliance est aussi celui de la nouvelle. Au cours de sa démonstration, il évoque la problématique de la nouveauté du Nouveau Testament à laquelle les hérétiques[42] faisaient appel pour en opposer le Dieu à celui de l'Ancien Testament. Les arguments utilisés ici sont divers; seul celui inspiré de l'épisode des noces de Cana (cf. *Jn* 2,1 ss) nous retiendra.

Il était *«bon»*, le premier vin de Cana fait par Dieu selon les lois de la création. Aucun de ceux qui en ont bu ne le critiqua et le Seigneur lui-même en accepta. Mais *«meilleur»* était celui que le Verbe confectionna *compendialiter*[43] à partir de l'eau à l'usage des invités. Et Irénée de poursuivre: Bien que le Seigneur ait pu, sans aucune matière preexistante, servir du vin aux convives et rassasier les affamés, ce n'est pas ce qu'il a fait. Prenant du pain[44], produit de la terre, et rendant grâces[45] et changeant l'eau en vin, il a rassasié les convives[46] et étanché leur soif. Par là, commente notre auteur, le Seigneur a montré que celui qui a fait la terre et lui a commandé de porter du fruit (= le pain), qui a créé les eaux et fait jaillir les sources (cf. *Gen.* 1,9) (= eau), est le même qui, à la fin, donne aux hommes la bénédiction de la nourriture (= pain multiplié = pain eucharistique) et la grâce du breuvage (= eau changée en vin = vin eucharistique) par son Fils. En d'autres termes, Irénée voit dans le fait que le Seigneur ait utilisé les biens de la création pour opérer son miracle

---

[42] Surtout Marcion. Cf. p. 76, note 30 et p. 102, note 136.

[43] A. Houssiau écrit à ce sujet: «L'acte miraculeux du Verbe, par sa puissance instantanée (ou sa concision), exprime la supériorité du Nouveau Testament sur l'Ancien. On compare le vin de Cana, obtenu instantanément, au vin produit par Dieu suivant les lois ordinaires de la création. Tandis que celles-ci impliquent un déroulement temporel, – dont les étapes sont l'eau, la vigne, le vin, – le vin du miracle fut produit de façon raccourcie (* συντόμως); il est donc meilleur, car brièveté connote supériorité» A. Houssiau, *La christologie* ..., p. 221. Dans une autre perspective, voir H. U. v. Balthasar, *Herrlichkeit* ..., p. 50.

[44] Avec la mention du «pain» dans un contexte où il s'agit de l'eau-vin, la teneur eucharistique de ce passage ne peut pas être mise en doute. *Accipiens ... panes:* Irénée pense sans doute ici au récit de la Cène (cf. *Mat.* 26,26; *Mc* 14,22; *Lc* 22,19) et à son annonce, le miracle de la multiplication des pains (cf. *Jn* 6,11; *Mat.* 14,19; *Mc* 6,41; *Lc* 9,16). En outre, voir *AH*.IV.17,5 cité ci-dessous à la note 46. A. Rousseau écrit: «... Les expressions singulièrement prégnantes dont Irénée se sert tout au long du paragraphe suggèrent que, à travers ce double miracle, comme en filigrane, il en voit un autre, plus grand et plus significatif encore, à savoir la ‹bénédiction› qui fait de notre pain le corps même du Christ et la ‹grâce› qui fait de notre vin son sang» dans SC.210, *Note Justif.* P. 155, n. 1, p. 282. Cf. encore A. Hamman, *Irénée de Lyon*, dans *L'Eucharistie des premiers chrétiens* (coll. Le point théologique, 17), Paris, 1976, pp. 90–91.

[45] Cf. *Jn* 6,11; *Lc* 22,19; *I Cor.* 11,24.

[46] ... *Eum qui ex creatura est panis accepit et gratias egit dicens: Hoc est meum corpus* (*Mat.* 26,26). *Et calicem similiter, qui est ex ea creatura quae est secundum nos, suum sanguinem confessus est et novi Testamenti novam docuit oblationem* (cf. *Mat.* 26,28) ... *AH*.IV.17,5 / SC.590,138–143.

la démonstration claire que cette nourriture et cette boisson nouvelles tirent leur origine du Père unique[47]; le «bon» comme le «meilleur» proviennent d'un seul et même Dieu. Puis vient le texte qui nous intéresse:

«... Lui, l'Incompréhensible (*incomprehensibilis* ** ἀϰατάληπτος), par Celui qui peut être compris (*comprehensibilis* ** ϰαταλαμβανόμενος), lui, l'Invisible (*invisibilis* ** ἀόρατος), par Celui qui peut être vu (*visibilis* ** ὁρώμενος): car ce Fils n'est pas en dehors de lui, mais se trouve dans le sein du Père. En effet, ‹Dieu, est-il dit, personne ne l'a jamais vu; seul le Fils unique de Dieu, qui est dans le sein du Père, l'a lui-même fait connaître› (*Jn* 1,18). Car ce Père, qui est invisible, le Fils qui est dans son sein le fait connaître[48] à tous. C'est pourquoi ceux-là le connaissent à qui le Fils l'a révélé (cf. *Mat.* 11,27c)».

Pour que ce texte s'harmonise avec son contexte, il faut, nous semble-t-il, le comprendre de la manière suivante: Le Père «incompréhensible-invisible» – transcendant et œuvrant comme Créateur, dans l'Alliance ancienne, de manière invisible[49], se laisse saisir et voir de tous, dans les temps nouveaux, à travers l'Eucharistie réalisée par son Fils «compréhensible-visible», ou résultant d'un geste de la vie humaine du Fils (cf. *Jn* 1,18b; *Mat.* 11,27c). – Si notre interprétation est juste, nous retrouvons notre doctrine de la «narration» du Visage du Père, cette fois s'accomplissant *dans les réalités concrètes que sont la nourriture et le breuvage eucharistiques considérés comme aboutissement d'une activité miraculeuse humaine du Fils*[50].
Dans le même chapitre du livre IV de l'*Adversus Haereses*, nous trouvons encore un passage hautement significatif pour notre sujet. L'occasion en est la doctrine ptoléméenne déjà connue selon laquelle le «Christ», lors de

---

[47] A partir de l'Eucharistie que les hérétiques continuaient de célébrer, Irénée montre ailleurs l'absurdité de la thèse d'un «Père» (= Nouveau Testament) distinct du Créateur de l'univers (= Ancien Testament): «Les uns disent en effet qu'il y a un Père autre que le Créateur: mais alors, en lui offrant des dons tirés de notre monde créé, ils prouvent qu'il est cupide et désireux du bien d'autrui» *AH*.IV.18,4 / SC.606–608. En soutenant, poursuit notre auteur, que les réalités de ce monde sont mauvaises, l'offrande de l'Eucharistie est une insulte à leur «Père»: «D'autres disent que notre monde est issu d'une déchéance, d'une ignorance et d'une passion (on aura reconnu ici les gnostiques de l'école de Valentin): mais alors, en offrant les fruits de cette ignorance, de cette passion et de cette déchéance, ils pèchent contre leur Père et l'outragent plus qu'ils ne lui rendent grâce» (Ibd.).

[48] Remarquons la substitution de l'indicatif présent (*enarrat* ** ἐξηγεῖται) à l'aoriste du texte johannique. Cf. la note 37 de ce §. – Notons aussi le rapprochement déjà rencontré (pp. 77–78) de *Jn* 1,18b et de *Mat.* 11,27c.

[49] Cf. encore *AH*.V.18,1 / SC.238,26–27.

[50] Même s'il ne s'est pas donné le mal d'analyser ce texte difficile, J. Ochagavía a vu juste lorsqu'il écrit: «... This passage points explicitly to the revelatory function of the sacramental Bread and Wine: incomprehensibilis per comprehensibilem. In the Eucharist the Son reveals the Father...» J. Ochagava, *Visibile...*, p. 138. Cf. pp. 121 ss.

sa venue, aurait annoncé un «Père» ἄγνωστος-ἀόρατος, inconnaissable-invisible[51]. «Que nous le[52] connaissions, répond Irénée, c'est la volonté même du Père, puisque ceux-là le connaîtront auxquels le Fils le révélera (cf. *Mat.* 11,25–27)»[53]. Puis il enchaîne: «Tel fut bien le but dans lequel le Père révéla le Fils: se manifester (*manifestare* ** φανεροῦν) à tous[54]»[55], révélation-manifestation qu'il décrit à la fin du même alinéa de la manière suivante:

«C'est ... à tous que le Père s'est révélé, en rendant son Verbe visible (*faciens Verbum suum visibilem* ** τὸν Λόγον αὐτοῦ ὁρατὸν ποιήσας) à tous ...»[56]

ou, en observant les choses du côté de l'activité du Verbe:

«C'est ... à tous que le Verbe a montré (*ostendere* ** δεικνύναι) le Père ..., puisqu'il a été vu (*videre* ** ὁρᾶν) de tous ...»[57].

Cette visibilité qui renvoie à la fonction révélatrice du Verbe-Fils embras-

---

[51] Cf. pp. 58–60.

[52] C'est-à-dire *Deus* désignant ici le Père et non pas le Père et le Fils, comme c'est le cas dans les lignes précédant et suivant le présent texte.

[53] *AH*.IV.6,4 / SC.446,74–76.

[54] Remarquons l'ampleur bien évangélique qu'Irénée confère aux νήπιοι de *Mat.* 11,25–27 qu'il commente. La révélation-manifestation du Père par le Fils s'adresse aux νήπιοι (cf. *Mat.* 11,25 fine), c'est-à-dire «à tous», à tous les hommes de tous les temps. De la sorte, il entend s'opposer à la doctrine gnostique de la révélation du «Père» suprême faite par le «Christ» seulement à quelques-uns, seulement aux «pneumatiques». Aux yeux de notre auteur, ce n'est pas Dieu qui fait acception de personnes; ce serait la plus vilaine des injustices. Bien au contraire, le Père «est manifesté à tous». Si seul un nombre restreint d'hommes ont accès à son salut, les hommes en sont eux-mêmes la cause par leur accep-tation (= foi) (cf. *AH*.IV.6,3: ... *ipse* [= le Fils] *est qui agnitionem Patris facit* [*in = ira*.], *credentibus sibi* SC.442,49–50) ou leur refus de cette révélation. C'est ainsi qu'en accueil-lant les uns «dans l'incorruptibilité et l'éternel rafraîchissement» et en enfermant les autres «dans les ténèbres», Dieu ne fera que sanctionner en toute justice leur décision libre.

Nous pourrions aussi constater l'application d'une idée johannique, notamment de *Jn* 3, 11ss (cf. *Jn* 1,9: πάντα ἄνθρωπον cité en *AH*.I.9,2 / Hv 82,8; voir encore: *Jn* 8,12; 9,39; 12,45ss; etc.) qu'Irénée transcrit explicitement en *AH*.V.27,2–28,1 / SC.344–346 dans un contexte analogue (cf. encore *AH*.IV.39,3–4 / SC.968–972; *AH*.V.13,2 / SC.166–168), d'autant plus que la présence du φανεροῦν laisse clairement entendre que notre auteur considère, ici comme ailleurs, la péricope matthéenne à travers le prisme johannique. Rappelons encore qu'Irénée fonde en d'autres endroits la manifestation *à tous* du Verbe-Fils sur *Is.* 40,6: καὶ ὄψεται πᾶσα σὰρξ τὸ σωτήριον τοῦ Θεοῦ cité à travers *Lc* 3,6 (cf. *AH*.III.9,1 / SC.102; *AH*.III.10,2 / SC.118). En *AH*.III.9,1, il est question comme ici de la justice du jugement de Dieu.

[55] *AH*.IV.6,5 / SC.446,77–78.

[56] *AH*.IV.6,5 / SC.448.

[57] Ibd. – Ce texte n'est pas tout à fait identique au précédent, puisque nous y trouvons non seulement la mention du Père, mais également celle du Fils.

sant «la totalité du temps»[58], Irénée l'évoque un peu plus loin dans le cadre, cette fois, de l'Alliance nouvelle:

«... Par le Verbe en personne devenu visible et palpable (*per ipsum Verbum visibilem et palpabilem factum* ** δι' αὐτοῦ τοῦ Λόγου ὁρατοῦ καὶ ψηλαφητοῦ γεγονότος)[59], le Père s'est montré (*ostendere* ** δεικνύναι[59a]) et tous ... ont .. vu (*videre* ** ἰδεῖν)[60] le Père dans le Fils (cf. *Jn*

[58] Cette interprétation se fonde sur trois raisons:
1. L'hérésie gnostique affirmait que «le Père ne se serait souvenu qu'à partir de l'empereur Tibère de prendre soin des hommes» (*AH*.IV.6,2 / SC.438,16–18) et que le «Christ» «(n'aurait) commencé à manifester le Père qu'après être né de Marie» (*AH*.IV.6,7 / SC.454,134–135). Devant cette doctrine, l'on comprend qu'Irénée pense la manifestation du Père par le Verbe-Fils en termes d'universalité: comme il le dit lui-même, elle «vise la totalité du temps» (*AH*.IV.6,7 / SC.454,135–136).
2. Les gnostiques soutenaient encore que la révélation du Père était réservée à un petit groupe d'hommes. Irénée rétorque: elle vaut pour tous les hommes de tous les temps ou, selon ses propres mots, elle s'adresse «à tous», «elle a une portée générale» (*AH*.IV.6,7 / SC.454,135). Remarquons à cet égard les indicatifs présents de notre texte: *credunt, non credunt, fugiunt lumen.* Cf. la note 54 de ce §. Sur ces deux points, voir encore le texte clair à souhait: *AH*.IV.22,2 / SC.688,27–35.
3. Qu'Irénée parle de l'occurence d'une révélation de cet ordre, c'est tout le mouvement de sa pensée qui le prouve. Après avoir affirmé l'universalité de la manifestation du Père par le Fils (*AH*.IV.6,5), il entend parer à une objection possible en montrant comment, sans cesser d'être elle-même, cette révélation du Père par le Fils a pu revêtir des modalités très différentes ou, si l'on préfère, s'accomplir de façon progressive par une succession d'étapes (*AH*.IV.6,6).

[59] Il est permis de croire que ces lignes n'ont pas été écrites sans qu'Irénée pense à *I Jn* 1,1:
... ὃ ἑωράκαμεν τοῖς ὀφθαλμοῖς ἡμῶν, ὃ ἐθεασάμεθα καὶ αἱ χεῖρες ἡμῶν ἐψηλάφησαν, περὶ τοῦ Λόγου τῆς ζωῆς ...

[59a] Rétroversion d'autant plus exacte qu'Irénée pense sans doute ici au δεικνύναι de *Jn* 14,8.9 qu'il mentionne implicitement ici et qu'il a déjà cité explicitement en *AH*.III.13,2.

[60] Cette vue du Père (et du Fils) dans le Fils par «tous», amis comme ennemis (désignant les contemporains du Seigneur), s'inscrit dans le prolongement de la confession par tous (désignant les *ethnici* [cf. *AH*.II.9,1 / Hv 272,6] d'hier et d'aujourd'hui: remarquer le temps présent *omnes colloquuntur* du Père Créateur et Engendreur du Fils révélé (*revelat*) par le Verbe, et dans le prolongement de l'audition (remarquer le temps passé: *audivit*) par tout le peuple de l'Ancien Testament de la Loi et des prophètes par lesquels le Verbe s'est annoncé (*praedicabat*) lui-même ainsi que le Père.
Il est permis de croire qu'Irénée veut ici non seulement 1. accumuler le témoignage (idée johannique: cf. *Jn* 1,32–34; 3,32–33; 5,31–32; 6,28; 12,17; *I Jn* 5,6; etc.) universel des amis comme des ennemis de Dieu (cf. *AH*.IV.6,7) en faveur, d'une part, de l'unicité du Père (et du Fils) et, d'autre part, de leur manifestation dans l'Alliance nouvelle (= originalité du Nouveau Testament) et 2. insister sur la justice du jugement de condamnation de Dieu faisant suite au refus d'une telle révélation-manifestation (cf. supra, note 54), mais encore 3. montrer qu'avec leur négation de l'unicité du Père (et du Fils) et de l'apparition divine dans le Nouveau Testament, les gnostiques sont pires que les païens incrédules (*omnes similiter quidem colloquuntur* – *non autem similiter credunt*), que les Juifs rebelles de l'Ancien Testament (*audivit quidem universus populus similiter* – *non similiter autem omnes crediderunt*), que les incrédules du Nouveau Testament ainsi que les démons eux-mêmes (cf. *Mc* 1,25; *Lc* 4,34; *Mat*. 4,3; *Lc* 4,3) (*omnibus quidem videntibus ... Filium et Patrem* – *non autem omnibus credentibus;* thème johannique: cf. *Jn* 3,11–12; 5,38–47; 6,36; 6,64; 7,5; 8,45; 10,25; 12,37; 15,24; etc.), en ce sens que non seulement ils ne croient pas, mais encore qu'ils ne donnent même pas ce témoignage.

14,9; *Jn* 12,5; etc.): car la Réalité invisible (*invisibile* ** τὸ ἀόρατον) (qu'on voyait dans) le Fils (était) le Père[61] …»[62].

D'après ce texte, il ne fait pas de doute que la révélation-manifestation du Père se réalise dans la *visibilité-palpabilité,* entendons dans la *chair* du Verbe ou encore dans la *vie humaine* du Fils. Autrement dit, dans *l'homme* qu'est le Verbe-Fils, tous peuvent voir et voient, de fait, le Père. C'est de cette manière qu'Irénée s'oppose à la doctrine ptoléméenne d'un «Père» annoncé par le «Christ» comme «inconnaissable» ou «invisible».

Deux autres passages sont encore à relever pour confirmer et compléter notre étude. Le premier se situe dans l'orbite de *Jn* 14,9 cité, non seulement, comme plus haut, en filigrane, mais de manière explicite, en réponse à Marcion qui soutenait que les apôtres[63] «n'ont pas connu la Vérité»:

«Le Seigneur aussi répondait à Philippe qui voulait voir le Père: ‹Il y a si longtemps que je suis avec vous, et tu ne me connais pas, Philippe? Qui m'a vu a vu le Père. Comment peux-tu dire: Montre-nous (*ostendere* ** δεικνύναι) le Père (*Jn* 14,9)? Car je suis dans le Père et le Père est en moi (*Jn* 14,10). Dès à présent vous le connaissez et vous l'avez vu

---

[61] *Invisibile etenim Filii Pater* ** τὸ μὲν γὰρ ἀόρατον τοῦ Υἱοῦ ὁ Πατήρ; l'arménien: *k'anzi tesaniln ordwoyn hawrn é (videri enim filium patris est)* n'a aucun sens. En raison de son extrême concision, ce texte ne manque pas d'être obscur. Cependant, grâce au contexte, il ne peut y avoir de doute sérieux sur son interprétation. C'est elle que reflète la traduction française transcrite qui est celle de A. Rousseau (cf. sa *Note justif.* dans SC.100/1, pp. 208–209).

Par la présente formule et son pendant: *visibile autem Patris Filius* ** τὸ δὲ ὁρατὸν τοῦ Πατρὸς ὁ Υἱός (cf. p. 104), Irénée se placerait, selon Houssiau, non seulement sous l'influence de thèmes johanniques, mais encore sous celle du système ptoléméen. Plus précisément encore, en vertu de la forme littéraire ** τὸ ἀόρατον – ** τὸ ὁρατόν, notre docteur moulerait une idée de Jean «dans une forme analogue à une formule ptoléméenne» (= τὸ ἀκατάληπτον – τὸ καταληπτόν: cf. pp. 55–56). Cette observation nous semble juste, de même que celle où le même auteur fait remarquer que par l'antithèse: ** τὸ ἀόρατον – τὸ ὁρατόν Irénée désigne non pas, comme ses adversaires, «la relation éternelle entre le Père et l'Intellect», mais «la relation historique qui naît entre le Père et le Verbe par sa manifestation» A. Houssiau, *L'exégèse…*, p. 346.

[62] *AH*.IV.6,6 / SC.448–450,96–100.

[63] A l'exception de l'apôtre Paul *cui per revelationem manifestatum est mysterium* (cf. *Eph.* 3,3) *AH*.III.13,1 / SC.250,1–3. Pour les gnostiques de l'école de Valentin, les apôtres connaissaient le «mystère inexprimable». Cependant, «… ce n'est pas selon les exigences de la vérité, mais avec hypocrisie et en se conformant à la capacité de chacun, que le Seigneur et les apôtres auraient livré leur enseignement» *AH*.III.5,1 / SC.56,31–33; cf. *AH*.III.12,6 / SC.200–204; *AH*.III.12,13 / SC.234–238.

(*Jn* 14,7)[64]>. Ainsi, de ceux-là auxquels le Seigneur rend ce témoignage qu'ils ont connu et qu'ils ont vu en lui le Père – et le Père est Vérité –, on ose dire qu'ils n'ont pas connu la vérité!»[65].

Ce texte n'exige pas de commentaires supplémentaires. Concernant notre sujet, il contient une doctrine en substance identique à celle du passage précédent.
Ailleurs, Irénée écrit:

«De la sorte, enfin, en la chair de notre Seigneur a fait irruption la lumière du Père ...»[66].

Ce court passage s'insère dans un contexte où notre auteur s'efforce de montrer que le Verbe entretient des relations spéciales, qu'il est situé sur un pied d'égalité avec le Père-Créateur de l'univers, non seulement en ce sens qu'il est placé au-dessus de toutes créatures, qu'il a primauté sur

---

[64] En *AH*.IV.7,3, Irénée cite *Jn* 14,7 auquel il ajoute *Jn* 14,6 pour établir la nécessité de passer par le Verbe-Fils homme pour connaître le Père. Cf. § 13. – Sur l'exégèse origénienne de *Jn* 14,9, cf. M. Harl, *Origène et la fonction révélatrice du Verbe incarné* (coll. Patristica Sorbonensia, 2), Paris, 1958, pp. 183–186.

[65] *AH*.III.13,2 / SC.252–254,21–28. – En *AH*.III.6,2 / SC.70,45–48, nous trouvons une doctrine analogue: *Per Filium itaque qui est in Patre* (*Jn* 14,10) *et habet in se Patrem* (*Jn* 14,10), *is qui est* (cf. *Ex.* 3,14a) *manifestatus est* (cf. *Jn* 14,9) *Deus, Patre testimonium perhibente Filio* (cf. *Jn* 14,10; *Jn* 5,37; *Mat.* 11,27a) *et Filio adnuntiante Patrem* (cf. *Jn* 17,26; *Mat.* 11,27d), mais dans un contexte tout différent. Illustrons brièvement ce point.
Notre texte vient couronner la péricope commencée en III.6,1 où Irénée, conformément à la problématique exposée en III.5,1 (cf. p. 83, note 63), s'est efforcé de montrer à partir de l'Ancien Testament (= les prophètes) – témoignage confirmé par le Nouveau Testament – que seuls le Père et le Fils sont appelés Dieu au sens absolu (*absolute*) du terme. – Dans l'*Epid.* 47ss / SC.107ss, Irénée se livrera à une entreprise similaire. Mais les témoignages de l'Ancien Testament qu'il évoque à cette fin – ils sont sensiblement les mêmes que ceux rapportés ici – ne sont pas destinés à appeler les prophètes dans le concert (= Apôtres et le Seigneur) des témoignages en faveur de la divinité du Père et du Fils, mais à affirmer la foi des chrétiens en tant que ce point de foi est déjà annoncé dans l'Ancien Testament.
Plus précisément encore, Irénée veut réunir ici les deux objets (= divinité du Père et celle du Fils) de sa recherche qu'il a traités jusqu'à présent indépendamment l'un de l'autre: le Fils étant le Fils de Dieu qui vient parmi les hommes «en se manifestant à eux» (cf. *Ps.* 49,3: ὁ Θεὸς ἐμφανῶς ἥξει; *Is.* 65,1: ἐμφανὴς ἐγενόμην τοῖς ἐμὲ μὴ ζητοῦσιν; *Ex.* 3,8; *Eph.* 4,10 cités plus haut), c'est par lui que le Père s'est manifesté (*manifestatus est*: notre auteur reprend certainement l'idée johannique de *Jn* 14,9 dont il vient tout juste de citer le v. 10 – *adnuntiare Patrem*: *Jn* 17,26; *Mat.* 11,27d), comme c'est du Père que le Fils «venu» reçoit témoignage de sa filiation divine (cf. *Jn* 14,10: ὁ δὴ Πατὴρ ἐν ἐμοὶ μένων ποιεῖ τὰ ἔργα αὐτός; *Jn* 5,37; *Mat.* 11,27a). En *Is.* 43,10, Irénée voit un texte vétéro-testamentaire qui suggère cette synthèse.

[66] *AH*.IV.20,2 / SC.630,20–21.

elles[67], qu'il est le Juge juste[68] des vivants[69] et des morts (cf. *Act.* 10,42)[70], mais encore en ce sens qu'il reçoit cette domination du Père lui-même (cf. *Mat.* 11,27a). Autrement dit, le Verbe est Verbe de Dieu, Verbe du Père, non seulement parce qu'il est le «Roi» de tout le créé et de tout le sauvé, mais encore parce qu'il partage la seigneurie paternelle sur toutes choses. Cela explique qu'il soit question, dans ce contexte foncièrement christologique, du Père, plus précisément de l'éclatement de sa «lumière»[71].

Cela dit, comment faut-il comprendre cette «chair» rutilante de la «lumière» paternelle? Certainement, selon *Jn* 1,14 cité plus haut, comme une chair concrète impliquant la vie humaine, davantage: comme une vie humaine *vécue dans la justice*. En effet, en évoquant *I P.* 2,22, Irénée parle plus haut du Verbe «homme *juste*» «qui n'a pas commis de péché et ‹dans la bouche duquel il ne s'est pas trouvé de fourberie› (*Is.* 53,9)». En d'autres termes, dans sa chair concrète-vie humaine animée, informée par

---

[67] 1. a) «Dans le ciel» (*Apoc.* 5,3) –

b) en tant que *Verbe* (cf. *AH*.III.16,3 /SC.298, 94–95; *AH*.III.16,6 / SC.314,218–219; *AH*.V.18,3 / SC.246,81–83; *Epid.* 39 / SC.94) qui assiste le Père dans la création de toutes choses (cf. *Epid.* 39 / ibd.) –

c) sur les «êtres invisibles» (cf. *AH*.III.16,6 / ibd.) auxquels «il commande d'une manière spirituelle, et (auxquels) il ... donne ses lois ... selon un mode intelligible» *AH*.V.18,3/ibd.), ou encore sur les anges qu'il place à son service dans l'œuvre de la création (cf. *AH*.IV.7,4 / SC.464,70–71). Notons que ce point n'est pas explicitement évoqué en *AH*.IV.20,2.

2. a) «Sur la terre» (*Apoc.* 5,3) –

b) en tant que Verbe *fait homme* (Jn 1,14) (cf. *AH*.III.9,1 / SC.102,39–41; *AH*.III.16,6 / ibd.; *AH*.V.18,3/ibd.) et «homme *juste*» (*I P*.2,22) (cf. *AH*.II.22,4 / Hv 330) (sur ces deux éléments, voir *Epid.* 39/ibd.) –

c) sur les «vivants» (cf. *AH*.II.22,4/ibd.); «sur le monde visible et corporel» (*AH*.III.16,6/ibd.); «sur les êtres visibles et humains» (*AH*.V.18,3/ibd.).

3. a) «Sous la terre» (*Apoc.* 5,3) –

b) en tant que Verbe incarné-mort-*ressuscité* (= l'Agneau immolé *vivant: Apoc.* 5,12) (cf. *AH*.II.22,4/ibd.; *AH*.III.16,3/ibd.; *Epid.* 39/ibd.) –

c) sur les morts (cf. les mêmes textes que ceux cités dans l'item précédent).

Cette primauté tripartite correspondant aux divers états du Verbe ne se retrouve qu'en *Epid.* 39. Dans les autres textes rapportés ici, elle est bipartite correspondant 1. a) au Verbe; b) au Verbe incarné: cf. *AH*.III.9,1/ibd.; *AH*.III.16,6/ibd.; *AH*.V.18,3/ibd.; 2. a) au Verbe; b) au Verbe incarné-mort-ressuscité: cf. *AH*.III.16,3/ibd.; 3. a) au Verbe incarné-mort; b) au Verbe ressuscité: cf. *AH*.II.22,4/ibd.

[68] Cf. *AH*.III.9,1 / SC.102,41–44; *AH*.V.18,3 / SC.246,85.

[69] Ici, des hommes vivant sur la terre.

[70] Seul l'Agneau immolé et vivant, c'est-à-dire le Verbe incarné-mort-ressuscité possédant la primauté sur toutes choses, pouvait ouvrir «le livre du Père» (*paternum* est un ajout d'Irénée) et le regarder (cf. *Apoc.* 5,3.7.9.).

[71] Ici, il s'agit bien du Père (cf. *AH*.IV.39,3–4 / SC.970–972) et non du Fils appelé ailleurs, dans le sillage de Jean, «Lumière» (*Jn* 1,7) et «Lumière du Père» ou appartenant au Père, en ce sens que c'est ce dernier qui l'a promis dans l'Ancien Testament par les prophètes et qui l'envoie à la fin (cf. *AH*.III.11,4 / SC.150–152).

l'attitude de *disponibilité, d'obéissance au Père jusqu'à la mort,* le Seigneur fait luire aux yeux des hommes la lumière paternelle[72].

Par rapport aux textes précédents, nous avons donc ici un élément nouveau, sans compter – on l'aura remarqué – que les relations d'ordre absolument unique du Verbe au Père qui l'autorisent à le manifester ne sont plus, comme auparavant, établies à partir de «l'être dans le Père» (cf. *Jn* 14,10; voir encore *Jn* 1,18; *Mat.* 11,27c), mais à partir de la seigneurie du Verbe sur toutes choses, plus précisément à partir de la seigneurie que, par le Père, il partage avec le Père.

* *
*

Nous nous proposions de préciser la signification donnée à la manifestation du Père invisible dans la nouvelle Alliance. Nous pouvons maintenant dire ceci:

1. Cette manifestation désigne la réalité concrète de la chair-vie humaine terrestre du Verbe-Fils; c'est en voyant le Verbe-Fils fait homme vivre en homme parmi les hommes que tous peuvent voir le Père.

2. D'après le dernier passage cité, appartient également à cette notion de la manifestation du Père l'attitude de renoncement au péché ou de disponibilité à la volonté divine. Autrement dit, c'est en étant non seulement homme, mais encore l'homme juste, que le Verbe-Fils fait luire aux yeux des hommes la gloire de son Père.

En cours de route, nous avons été amené à considérer un texte où la manifestation néo-testamentaire du Père invisible-transcendant et actif dans l'Ancien Testament de manière invisible se produisait dans un acte du Verbe fait homme ou devenu visible. Cet acte aboutissait dans l'Eucharistie. En vertu de la visée sacramentaire de ce geste révélateur, il est bien possible qu'Irénée pense également au prolongement ou à la perpétuation de la manifestation du Père dans les temps de l'Eglise ou, si l'on veut, dans les temps postérieurs au départ du Seigneur pour le ciel.

Et ceci nous amène à l'étude de la manifestation du Père dans l'étape de l'«économie» appelée «Royaume du Fils».

§ 12: Dans le «Royaume du Fils»

Lorsqu'Irénée réfléchit de manière exhaustive sur la destinée finale des

---

[72] C'est ainsi que le Seigneur exerce sa domination «sur la terre», c'est-à-dire non seulement en s'unissant à la chair, en se l'appropriant, mais encore en la maîtrisant dans sa rébellion ou encore en l'ajustant à la volonté paternelle.

justes[73], il se représente les choses comme un «ordre», un «rythme» se déroulant en trois temps. Avant de citer le texte qui est de nature à préciser et à illustrer cette doctrine, rappelons-en brièvement l'occasion.

Les gnostiques affirment qu'il n'y a pas de résurrection de la chair et que, par conséquent, «aussitôt après leur mort ils monteront par-dessus les cieux et par-dessus le Créateur lui-même, pour aller vers la ‹Mère›, ou vers le Père …» Si les choses étaient telles qu'ils le prétendent, il faudrait qu'il en soit ainsi pour le Seigneur lui-même en lequel ils se targuent de croire. Plus précisément, il faudrait que ce dernier n'ait pas opéré sa résurrection après trois jours, mais qu'il soit, aussitôt après avoir expiré sur la croix, remonté dans les hauteurs en abandonnant son corps à la terre.

Or, telle n'est pas la réalité, riposte notre auteur. D'après les Ecritures, en effet, le Seigneur a d'abord séjourné trois jours là où étaient les morts ou dans les enfers[74] (cf. *Ps.-Jér.*[75]; *Mat.* 12,40; *Eph.* 4,9; *Ps.* 85,13). Puis, il est ressuscité dans sa chair de façon à se montrer à Marie-Madeleine (cf. *Jn* 20,14.18) et aux disciples (cf. *Jn* 20,20.25.27). Enfin, il est monté vers son Père (cf. *Jn* 20,17). C'est ici que s'insère le texte auquel nous faisions allusion:

> «Puisque le Seigneur ‹s'en est allé au milieu de l'ombre de la mort› (*Ps.* 22,4), là où étaient les âmes des morts, qu'il est ensuite ressuscité corporellement[76] et qu'après sa résurrection seulement il a été enlevé au ciel[77], il est clair qu'il en ira également de même pour ses disciples[78], puisque c'est pour eux que le Seigneur a fait tout cela: leurs âmes iront donc au lieu invisible qui leur est assigné par Dieu et elles y séjourneront jusqu'à la résurrection, attendant cette résurrection; puis elles recouvreront leurs corps et ressusciteront intégralement, c'est-à-

---

[73] *AH.*V.31,1ss/ SC.388ss.

[74] cf. *AH.*III.20,4 / SC.394–396,98–105; *AH.*IV.22,1 / SC.686,11–17; *AH.*IV.33,1 / SC.804,21–23; *AH.*IV.33,12 / SC.834–836,261–265; *AH.*V.31,1/ SC.390,17–27; *AH.*V.33,1 / SC.404,71–72; *Epid,* 39/ SC.94; *Epid.* 78 / SC.144–145; voir encore: Ignace d'Antioche, *Ad Magn.,* 9,2/88; *Ad Trall.,* 9,1/100; *Ad Philad.,* 9,1/128; Justin, *Dial.,* 72,4/182.

[75] Cf. les remarques d'A. Rousseau, *Note Justif.,* P. 687, n. 2 dans SC.100/1, p. 255.

[76] *Corporaliter* ** σωματικῶς. C'est à dessein qu'Irénée utilise ce mot empreint d'un réalisme absolu; il polémique contre les gnostiques négateurs de la résurrection de la chair.

[77] Ou «il est monté vers le Père». Voir un peu plus haut dans le même alinéa. On aura reconnu l'influence certaine de *Jn* 20,17 cité du reste explicitement en 31,1, donc dans l'alinéa précédent.

[78] (Cf. *Lc* 6,40) évoquant tantôt le «nous», c'est-à-dire les fidèles de l'Eglise (31,2), tantôt les «justes» en général auxquels fait suite la mention d'Abraham et de sa postérité, l'Eglise (32,2), tantôt et tour à tour Jacob (33,1–3), l'Eglise, postérité d'Abraham (34,1), et à nouveau le «nous» (34,2). De cette manière, la pensée d'Irénée est claire; sous ce mot «disciples» sont compris aussi bien les membres de l'ancienne Alliance que ceux de la nouvelle. Au reste, voir *AH.*V.34,3 / SC.430,63–65; *AH.*IV.22,2 / SC.688,35–38.

dire corporellement, de la manière même que le Seigneur est ressuscité, et elles viendront de cette manière en la présence de Dieu ...»[79].

La destinée finale des disciples comporte donc trois étapes correspondant à l'expérience du Seigneur: après leur mort, leurs âmes séjourneront d'abord dans un «lieu invisible»; puis, ils recouvreront leurs corps; enfin, dans cet état, ils viendront en présence de Dieu, c'est-à-dire du Père.

Dans l'alinéa suivant le texte cité, Irénée précise que la seconde étape de la destinée à venir des justes sera inaugurée par le Seigneur, plus précisément par son «apparition»[80]. Ce sera alors le temps dit du «Royaume du Fils», où les justes revivant dans leur chair de par la venue du Seigneur ressuscité, règne ont avec lui dans un monde rénové[80a]; en outre, ils s'y prépareront, en lui, à passer à la troisième et dernière étape de leur destinée, c'est-à-dire au royaume du Père[81].

---

[79] *AH*.V.31,2 / SC.392–394,40–50.

[80] *Apparitio* ** ἐπιφάνεια. Remarquons que le mot *apparitio* est un hapax dans la version latine de l'*Adversus Haereses*.

[80a] Nous nous demandons si Irénée ne voit pas un parallélisme entre le séjour du Seigneur sur la terre après sa résurrection et le temps proprement dit de son «Royaume». Dans ce cas, l'apparition inaugurative du «Royaume» serait en substance analogue à celle du matin de Pâques.

[81] L'on sait que les pages de l'*Adversus Haereses* consacrées au «royaume du Fils» ou au millénarisme ont été l'objet de réserve, sinon de refus, de la part des auteurs plus anciens qui se sont penchés sur l'œuvre d'Irénée. Loofs n'y a vu qu'un emprunt pur et simple à la source IQT (F. Loofs, *Theophilus* ..., pp. 305–308). Cremers leur refuse toute authenticité irénéenne en s'appuyant sur les citations de l'Écriture et sur la théologie dont elles témoignent (V. Cremers, *Het Millenarisme van Irenaeus,* dans *Bijdr* 1 (1938), pp. 28–80). Scharl, pour sa part, les juge de la manière suivante: «Um es gleich zu sagen, die Lehre vom tausendjährigen Reich Christi auf Erden paßt nicht in das Lehrgebäude unseres Kirchevaters» (E. Scharl, *Recapitulatio mundi* ..., p. 85). Ce jugement n'empêche pas l'auteur de découvrir dans ces derniers chapitres de l'*Adversus Haereses* un matériel important touchant la doctrine bien irénéenne de la récapitulation du monde (cf. o.c., pp. 74–85)!

Depuis une vingtaine d'années cependant, les auteurs se sont réconciliés avec ces pages concluant le grand ouvrage d'Irénée. Il y ont vu l'aboutissement ou le couronnement normal préparé et voulu des grands principes ou intuitions théologiques mis en place par notre auteur dans les autres parties de son œuvre. A cet égard, citons ces deux témoignages: «On sait, écrit B. Reynders, sur quelles perspectives réalistes se clôt l'*Adversus Haereses*. Elles ne sont pas grossières, et il ne faut ni chercher à les voiler ou à les excuser comme un tribut payé aux erreurs du temps, ni les juger, avec condescendance, accidentelles ou étrangères au fond de la pensée d'Irénée. Toute sa psychologie et toute sa foi appellent cette restauration universelle» B. Reynders, *Optimisme* ..., pp. 249– 250. Et encore, ces lignes de Balthasar: «Die Eschatologie Irenäus' muß zunächst als die konsequente Zu-ende-Führung seines Baus gesehen werden, als der vielleicht linkische Ausdruck seiner christlich-antiplatonischen Grundbestrebung, das Heil Gottes an den Menschen, an die Erde und die Geschichte zu binden» H. U. v. Balthasar, *Herrlichkeit* ..., p. 92. Voir encore A. Houssiau, *La christologie* ..., pp. 129 ss; A. Bengsch, *Heilsgeschichte* ..., p. 167 ss; G. Joppich, *Salus carnis. Eine Untersuchung in der Theologie des hl. Irenäus von Lyon,* Münsterschwarzach, 1965, pp. 130 ss. Envisageant les choses sous l'angle

Après cette courte présentation de l'eschatologie irénéenne destinée à situer et à définir l'étape de l'«économie» appelée «Royaume du Fils», venons-en à notre sujet: retrouvons-nous dans le «Royaume du Fils» l'affirmation d'une manifestation du Père? Si oui, comment faut-il l'entendre?

Dans les derniers chapitres de l'*Adversus Haereses* auxquels nous faisions à l'instant allusion, Irénée ne donne pas de réponse à cette question. Il y parle plutôt de la vision ou de la saisie immédiate du Père à laquelle les justes se prépareront en ce temps du «Royaume» en voyant le Fils[82].

Toutefois, en d'autres endroits du même ouvrage, il perçoit les choses différemment. Le texte suivant en fait foi:

> «Il (Jean) ne connaît qu'un seul et même Jésus-Christ, pour qui les portes du ciel se sont ouvertes (cf. *Ps.* 23,7.9)[83] à cause de son ascension dans la chair[84] et qui, dans cette même chair en laquelle il a souffert, viendra nous révéler (*revelans* * ἀποκαλύπτων) la gloire du Père»[85].

Dans cette conclusion-transition à l'étude des témoignages johanniques et pauliniens destinés à démontrer, contre l'hérésie, que le Verbe s'est uni réellement à la chair, ou que le Christ est Jésus, et que cette unité se retrouve dans les autres mystères du Seigneur (= ascension [résurrection]-mort-venue eschatologique), nous avons donc une référence claire à la révélation-manifestation du Père attribuée au Christ Jésus venant, à la fin, pour inaugurer – pourrions-nous ajouter – le temps de son «Royaume».

Dans la ligne de la question posée plus haut, ce passage permet encore d'affirmer ceci: Reliée comme à sa cause au Christ Jésus de la seconde venue, cette révélation-manifestation ne peut qu'évoquer une réalité concrète, notamment *la chair* à laquelle le Christ reste uni dans l'au-delà; elle renvoie en outre à la chair *glorieuse,* passée de ce monde terrestre au monde céleste.

---

particulier des thèmes à l'étude, nous ne pouvons – et la suite de notre travail en démontrera le bien-fondé – que souscrire à cette opinion.

[82] Cf. pp. 150 ss.

[83] Cf. Justin, *Dial.* 36,4–6 / 132–133.

[84] Remarquons ici que notre auteur fonde le fait de la résurrection et du même coup de l'union du Christ à la chair après sa vie de souffrance et sa mort, non pas à partir des témoignages touchant directement la résurrection, mais à travers l'allusion à l'ascension (pour un procédé analogue, voir *AH.*III.19,3 / *SC.*380,69–72 sous l'inspiration de *Eph.* 4,10). Un peu plus loin cependant, il distingue très bien les deux mystères: cf. *AH.*III.16,9 / *SC.*324,310–313 sur le fondement de *Ro.* 8,34 cité explicitement; voir encore dans le même sens *AH.*II.32,3 / Hv 374,9–13; *AH.*III.12,1 / *SC.*176,1–2; *Epid.* 83 / *SC.*149–150; etc.

[85] *AH.*III.16,8 / *SC.*320,278–282. – En vertu du caractère stéréotypé de ce passage, il se pourrait que notre auteur coule ici sa pensée dans une confession de foi déjà existante.

C'est ainsi que, dans le «Royaume du Fils», le Visage du Père continue à resplendir à travers la chair glorieuse du Christ ou du Verbe-Fils. Il y brille d'un éclat accru, oserions-nous dire, en raison du plein accès de cette chair à la sphère du divin.

* *
*

Contre ses adversaires, Irénée maintient fermement que Dieu le Père a voulu se faire connaître ou être manifesté aux hommes. Au terme de ce chapitre, nous pouvons résumer le matériel dégagé de la façon suivante:

1. En général, la manifestation du Père évoque toujours une réalité concrète. En particulier, elle est constituée, dans l'ancienne Alliance, de visions, d'événements suscités par le Verbe-Fils – événements qui, dans leurs aspects extérieurs, renvoient à la forme de la venue humaine terrestre et glorieuse encore à venir du Verbe-Fils. Si ces réalités rendent le Père visible, elles le laissent également invisible, puisqu'elles ne sont pas identiques à sa manifestation proprement dite; elles n'en sont que des «figures» ou des «prophéties». Cette dernière s'effectue dans l'Alliance nouvelle. Elle équivaut à la chair-vie humaine du Verbe-Fils, perçue parfois sous l'angle d'une vie humaine d'obéissance. Elle équivaut encore à l'Eucharistie comme résultat d'un acte du Verbe visible, du Verbe fait homme. C'est enfin dans la chair glorieuse du Christ que le Père continuera à être manifesté dans le «Royaume du Fils».

2. Le sujet de cette manifestation est, bien entendu, le Père, plus précisément son mystère intérieur. Au moins en deux passages traitant tour à tour des théophanies vétéro-testamentaires et de l'acte → Eucharistie du Verbe devenu visible, le Père fut aussi manifesté comme le Père unique ou comme le Dieu identique au Créateur de l'univers et au Seigneur de l'Ancien Testament. En raison de l'hérésie gnostique du «Père» distinct du Créateur de l'univers, Irénée ne peut insister sur le dévoilement réel du mystère paternel, sans établir, en même temps, qui est ce Père qui se révèle.

3. L'artisan immédiat de cette manifestation n'est pas le Père en personne, mais son propre Fils qu'il envoie. Cette donnée importante inhérente au matériel étudié, nous avons cru bon de la mettre en relief dès le début de ce chapitre.

4. Relevons enfin que notre auteur se représente cette manifestation ou ce dévoilement du Père comme quelque chose de graduel, de progressif. Il la décrit en effet comme un événement en mouvement, allant des «figures» à la réalité – réalité passant, à son tour, du clair-obscur du terrestre à la pleine transparence du céleste ou du glorieux. Cette perception des choses n'est pas attribuable seulement aux motifs d'ordre polémique que

nous connaissons déjà, mais encore au souci de rendre compte du respect condescendant de Dieu pour la faiblesse de son «plasma».

Chapitre VI

La manifestation du Verbe-Fils et son déploiement

En de nombreux passages de l'œuvre irénéenne, il est question de la manifestation du Verbe-Fils reliée – pour les raisons exprimées ailleurs – de manière plus ou moins large à son rôle de Révélateur du Père. Il faudra maintenant considérer ces textes à la lumière de la question qui préside à cette section.

Bien que cette étude ne puisse apporter d'éléments substantiellement nouveaux à la doctrine exposée jusqu'à présent, elle n'en sera pourtant pas une répétition pure et simple. Son sujet sera d'abord plus restreint; elle fournira ensuite sur certains points des précisions importantes que, dans le contexte précédent, Irénée ne pouvait que supposer.

Les cadres de ce chapitre seront identiques à ceux du chapitre précédent. Nous diviserons donc notre étude en trois temps correspondant à l'Alliance ancienne (§ 13), à l'Alliance nouvelle se prolongeant dans le temps de l'Eglise (§ 14) et, enfin, au «Royaume du Fils» (§ 15).

§ 13: Dans l'Alliance ancienne

«Et le Verbe[86]‹parlait à Moïse face à face[87], comme quelqu'un qui parlerait à son ami› (*Ex.* 33,11). Mais Moïse désira voir à découvert (*manifeste* ** φανερῶς) celui qui lui parlait. Alors il lui fut dit: ‹Tiens-toi sur le faîte du rocher, et je te couvrirai de ma main; quand ma gloire passera, tu me verras par derrière (*tunc videbis quae sunt posteriora mea* ** τότε ὄψῃ τὰ ὀπίσω μου); mais ma face (*facies* ** πρόσωπον) ne sera pas vue de toi, car l'homme ne peut voir ma face et vivre› (*Ex.* 33,20–23[88]). Cela signifiait deux choses: que l'homme était impuissant

---

[86]La *LXX* a κύριος.

[87] *Ira.*

[88] Le texte de l'Exode est cité ici de manière assez particulière: *Sta in loco alto petrae* (v. 21b) (** στῆθι ἐπὶ σκοπῆς τῆς πέτρας; *LXX*: στήσῃ ἐπὶ τῆς πέτρας) – dans le rayonnement du récit de la transfiguration du Seigneur sur le mont Thabor (cf. *II P.* 1,18; *Mat.* 17,1; *Mc* 9,2; *Lc* 9,28), Irénée modifie donc la *LXX* en y ajoutant ** σκοπή(= *irl* et *ira*); à cet égard, relevons encore que le v. 22b: θήσω σε εἰς ὀπὴν τῆς πέτρας n'est pas cité –, *et manu mea contegam super te* (v. 22c). *Quando vero transierit claritas mea* (v. 22a), *tunc videbis quae sunt posteriora mea* (v. 23b); *facies autem mea non videbitur tibi* (v. 23c): *non enim videt homo faciem meam et vivet* (v. 20b).

à voir Dieu, et que néanmoins, grâce à la Sagesse de Dieu[89], à la fin, l'homme le verrait sur le faîte du rocher, c'est-à-dire dans sa venue comme homme (*in eo qui est secundum hominem ejus adventu* ** ἐν τῇ κατ'ἄνθρωπον αὐτοῦ παρουσίᾳ)[90]. Voilà pourquoi il s'est entretenu avec lui face à face (*facie ad faciem* ** ἐνώπιος ἐνωπίῳ) sur le faîte de la montagne en présence d'Elie, comme le rapporte l'Evangile (cf. *Mat.* 17,1 ss; *Mc* 9,2–8; *Lc* 9,28–36; *II P.* 1,16–18), acquittant ainsi à la fin l'antique promesse»[91].

---

[89] Sous cette expression: *Sapientia Dei* ** σοφία τοῦ Θεοῦ, il est permis de voir plus que la bonté et la philanthropie de Dieu, mais sa bonté et sa philanthropie vivante et, pour ainsi dire, personnifiée, l'Esprit-Saint. Cf. p. 130, note 5 et le § 19, Art. 1 et 2.

[90] Sur l'interprétation d'*Ex.* 33,20b par Grégoire de Nazianze, voir T. Spidlík, *Grégoire de Nazianze. Introduction à l'étude de sa doctrine spirituelle* (coll. Orientalia Christiana Analecta, 189), Roma, 1971, pp. 46–47.

[91] *AH*.IV.20,9 / SC.654,222–236. – «Jean, le disciple du Seigneur» ... «‹se retourn(e) pour voir la voix qui (lui) parlait› (*Apoc.* 1,12)» (*AH*.IV.20,11 / SC.662,295.297–298). Remarquons le parallélisme de cet événement avec celui raconté dans le texte cité, parallélisme qu'Irénée exploite pour montrer «comment, de tout temps, le Verbe de Dieu montrait aux hommes les images (*liniamenta* ** τὰ σχήματα) de ce qu'il avait à accomplir et les figures (*species* ** τὰς ἰδέας) des ‹économies› du Père» (*AH*.IV.20,11 / SC.668,338–341). Notre auteur pense ici à «la venue pontificale et glorieuse» du Seigneur dans son «Royaume». (Avant d'aller plus loin, notons comment Irénée découvre chez Jean un relais à l'expérience des Anciens et montre que cette manifestation s'est trouvée annoncée tout au long de l'«économie». La même préoccupation se manifestera à la fin du livre V lorsque notre auteur réfléchira à partir des textes apocalyptiques néo-testamentaires (*Apoc.* 17,12–14; *Mat.* 12,25; etc.), sur le «Royaume du Fils» et sur son apparition finale. Il cherchera alors et, de manière inverse, à en retrouver des témoignages chez les prophètes (*Dan.* 2,33–34; 2,41–45). Cf. *AH*.V.26,1–2 / SC.324–334). De ce point de vue, Jean et les membres de l'Ancien Testament sont sur un pied d'égalité, puisque lui comme eux n'ont pas encore été les sujets de cette apparition. Mais, d'un autre point de vue,. la qualité de l'expérience de Jean ne peut être en tout semblable à celles des prophètes. En effet, puisque le Verbe est déjà venu dans la chair et a été glorifié en elle, ces figures-images devraient avoir une autre densité que celle expérimentée par les Anciens. Autrement dit, elles devraient laisser luire effectivement la Face de Dieu, être des signes pleins de son apparition, analogues à l'Eucharistie, par exemple. C'est, nous semble-t-il, ce qu'Irénée souligne subtilement par les faits 1. qu'il n'est pas question, comme pour Moïse, du désir de voir la Face du Verbe «à découvert»: c'est comme si Jean la voyait déjà d'une certaine manière; 2. qu'après la première apparition, l'apôtre «tomb(e) comme *mort*» (*Apoc.* 1,17) («c'était, commente notre auteur, afin qu'arrivât ce qui est écrit: ‹Personne ne peut voir Dieu et vivre› (*Ex.* 33,20b)» *AH*.IV.20,11 / SC.666,315–316): encore ici, indice qu'il voyait déjà Dieu d'une certaine manière; 3. qu'il ne tombe que «*comme* mort», ce qui laisse entendre que l'homme jouissait déjà du don (dans notre texte, ce don est identifié à la Sagesse [= Esprit-Saint] promise) octroyé par le Verbe incarné-manifesté (cf. *chap.* VII) qui l'habilitait à supporter la vision de Dieu: «Alors le Verbe le ranima et lui rappela qu'il était celui sur la poitrine de qui il s'était penché à la cène, en demandant quel était celui qui devait le trahir (cf. *Jn* 13,15)» *AH*.IV.20,11 / SC.666,316–319, Cf. *AH*.III.1,1 / SC.24.

Au désir[92] de voir «à découvert» Celui qui lui parlait dans la Tente de Réunion, Moïse s'entend répondre qu'il verra, en se tenant sur le faîte du rocher, la gloire du Verbe «par derrière», mais non sa «Face», parce qu'il en mourrait. Irénée découvre dans cette réponse du Verbe une double signification. Dans l'Alliance ancienne, l'homme ne peut pas, il est impuissant[93] à voir la Face même de Dieu[94]. Néanmoins, par l'expérience, faite sur le faîte du rocher, de la vision ou de l'apparition «par derrière» de la gloire de Dieu, Moïse obtient la promesse qu'à la fin[95] son désir sera exaucé. Dans l'apparition du Thabor, c'est-à-dire dans la venue humaine glorifiée du Verbe[96], l'antique promesse est réalisée.

Notre auteur retrace la même doctrine dans l'expérience d'Elie (cf. *I Rois* 19,11–12) – introduite, dans le texte, par sa présence sur le Thabor – et, avec plus d'évidence encore, en celle du prophète Ezéchiel (cf. *Ez.* 1,5–25):

> «Car il eut une ‹vision de Dieu› (*Ez.* 1,1) et il décrivit les chérubins, et leurs roues, et le mystère de toutes leurs évolutions; et il vit au-dessus d'eux ‹la ressemblance d'un trône› et, sur ce trône, ‹la ressemblance et comme la forme d'un homme›, et ce qui était au-dessus de ses reins était «comme une apparence de métal brillant», et ce qui était au-dessous était «comme une apparence de feu» (*Ez.* 1,26–27); et lorsqu'il eut raconté tout le reste de cette vision du trône, de peur qu'on ne s'imaginât qu'il y avait vu Dieu de façon parfaite (*proprie vidisse Deum* ** ὁλοτελῶς[97] ἑωρακέναι τὸν Θεόν), il ajouta: ‹Telle fut la vision de la ressemblance (*similitudo* ** ὁμοίωμα) de la gloire du Seigneur› (*Ez.* 1,28)»[98].

Ainsi donc, Ezéchiel n'a pas vu Dieu ou le Verbe *proprie*, mais seulement des «ressemblances» de sa gloire. Autrement dit et en nous inspirant des

---

[92] Cf. p. 167, note 155.

[93] Notons qu'*Ex.* 33,20b n'est plus appliqué, comme en *AH*.IV.20,5, à Dieu le *Père*, comme *Dieu* invisible-inaccessible, et à l'homme, comme *homme* incapable de voir Dieu, mais immédiatement au *Verbe* (cf. la note suivante) dont la Face demeure invisible *dans l'Ancien Testament* parce qu'il n'est pas encore venu dans la chair, et à l'homme *de l'Alliance ancienne* encore impuissant à voir Dieu, c'est-à-dire pas encore habilité à voir sa Face.

[94] Pour Irénée, le Verbe est donc aussi Dieu que le Père. En outre, en utilisant l'expression *Deus* ** Θεός, notre auteur prépare déjà l'élargissement qu'il va donner à ce texte scripturaire en 20,11 en parlant du Père demeuré invisible dans l'Ancien Testament.

[95] En référence à la nouvelle Alliance et au «Royaume du Fils».

[96] Sans oublier que cette apparition se produit déjà dans la venue humaine terrestre du Seigneur: «Par là (cf. *I Rois* 19,11–12: Elie) était aussi signifiée la venue du Seigneur comme homme, cette venue qui, après la Loi donnée par Moïse, devait être douce et paisible, et en laquelle il n'a pas brisé le roseau froissé ni éteint la mèche encore fumante (cf. *Mat.* 12,40; *Is.* 42,3)» *AH*.IV.20,10 / SC.658,249–252.

[97] *Ira.*

[98] *AH*.IV.20,10 / SC.658–660,260–269.

expressions mêmes d'Irénée, le prophète n'a vu les «‹économies› de Dieu» que «de façon imparfaite» (cf. *I Cor.* 13,9 et 12a[99])[100]; il n'a vu que «les mystères par lesquels l'homme verrait Dieu un jour»[101].

Tirons un premier bilan de notre recherche. Les Anciens n'ont pas été mis en présence du Visage même du Seigneur. Ils n'ont été les sujets d'apparitions de sa gloire que *par derrière* (*Ex.* 33,23b). Ou encore: ils ne furent les témoins que de *«ressemblances»* (*Ez.* 1,28) de sa gloire, d'«économies» encore *imparfaites* (*I Cor.* 13,9 et 12a), de «mystères» ne faisant qu'*esquisser*, que *figurer* ceux par lesquels le Verbe-Fils se montrerait un jour.

L'insistance d'Irénée sur cet aspect des théophanies vétéro-testamentaires s'explique par le fait que l'homme de l'Alliance ancienne aurait été incapable de supporter l'apparition «à découvert» de la «Face» de Dieu. A cela vient s'ajouter – ce point de vue devient prédominant vers la fin de la présente péricope – son souci de démontrer aux gnostiques que le Père est demeuré invisible dans l'Ancien Testament (cf. *Jn* 1,18a)[102].

Cette doctrine n'est pourtant qu'un premier temps de la pensée de notre auteur. En effet, après avoir souligné que, néanmoins, le Verbe «montrait la gloire du Père»: «Le Dieu Monogène, qui est dans le sein du Père, c'est lui qui l'a révélé» (*Jn* 1,18b), il poursuit:

> «Et comme le Révélateur du Père, le Verbe, était riche et multiple[103], ce n'est pas sous une seule forme ni sous un seul aspect[104] qu'il se

---

[99] Cf. pp. 160–161, notes 133 et 136.

[100] Par opposition à voir «Dieu lui-même de façon parfaite» (*proprie* ** ὁλοτελῶς = *integre: ira.*).

[101] *AH.*IV.20,10 / SC.656,238–239: par opposition à «voir ... la face même de Dieu manifestée à découvert».

[102] Cf. § 10.

[103] Sur les problèmes de restitution liés à cette expression, voir A. Rousseau, *Note Justif.* P.545 n. 2 dans SC.100/1, p. 235.– Tandis qu'ici Irénée se contente de relever la richesse et la multiplicité du Verbe Révélateur du Père traduites par l'abondance et la diversité des théophanies vétéro-testamentaires et renvoyant aux nombreuses facettes de sa future venue dans la chair, il prend soin ailleurs de souligner que la multiplicité des manières d'être et d'agir de Dieu dans l'«économie» ne va pas contre l'unicité de ce Dieu, de l'«abondance» et de la «richesse» duquel elle tire son origine. Cf. par exemple *AH.*III.10,6 / SC.136,187–193; *AH.*IV.14,2 / SC.544. En *AH.*III.16,7 / SC.316–318,243–252, Irénée montre que l'incarnation ne va pas contre l'unicité du Verbe-Fils, puisqu'elle se produit au moment opportun fixé par le Père, Dieu de la «mesure» et de l'«ordre». Cf. § 5, Art. 2.

[104] Comme objet de recherche légitime confiée au théologien, Irénée avait, au début de l'*Adversus Haereses*, proposé le suivant: ... * διὰ τί ἀόρατος ὢν ἐφάνη τοῖς προφήταις ὁ Θεός (nous en trouvons la raison dans l'alinéa terminant l'étude du passage cité dans le texte), οὐκ ἐν μιᾷ ἰδέᾳ, ἀλλὰ ἄλλως ἄλλοις, συνίειν (le même passage en fournit encore la raison: la diversité des visions vétéro-testamentaires s'explique par les aspects nombreux ou les facettes multiples de la venue humaine du Seigneur révélatrice du Père) *AH.*I.10,3 / Hv 95–96.

faisait voir à ceux qui le voyaient (*videbatur videntibus eum* ** ἐθεωρεῖτο τοῖς ὁρῶσιν αὐτόν), mais selon les divers accomplissements de ses «économies»»[105].

Puis, il décrit quelques-unes des «formes» ou «aspects» de ces apparitions qu'il emprunte au livre de Daniel:

«Tantôt il se fait voir en la compagnie d'Ananias, d'Azarias et de Misaël, se tenant auprès d'eux dans la fournaise et les sauvant du feu: ‹La vision du quatrième, est-il dit, est semblable à un Fils de Dieu› (*Dan.* 3,92); tantôt il est ‹la pierre détachée de la montagne sans mains humaines›, frappant et balayant les royaumes passagers et remplissant elle-même toute la terre (*Dan.* 2,34–35)[106]; tantôt encore il apparaît comme un Fils d'homme venant sur les nuées du ciel, s'approchant de l'Ancien des jours et recevant de lui puissance, gloire et règne universels: ‹Sa puissance, est-il dit, est une puissance éternelle et son royaume ne sera jamais détruit› (*Dan.* 7,13–14)»[107].

Le Verbe-Fils se manifeste, apparaît aux Anciens, dit Irénée. Comment faut-il comprendre ces «visions»? De toute évidence elles évoquent des *réalités concrètes,* des réalités qui tombent, si l'on veut, sous les yeux des hommes, *renvoyant, dans leurs aspects extérieurs, à la forme de l'apparition à venir* du Verbe-Fils, à savoir de sa venue humaine terrestre et glorieuse.

On aura remarqué que, contrairement au passage précédent, notre auteur accentue l'aspect effectivement révélateur de l'activité du Verbe-Fils dans l'Alliance ancienne. Deux raisons expliquent son attitude: d'une part, l'homme devait déjà jouir de la vie[108]; d'autre part, les gnostiques devaient savoir qu'ils avaient tort de distinguer entre le «Démiurge»

---

[105] *AH*.IV.20,11 / SC.660,279–662,282.

[106] Cette manière de décrire le rôle de la «pierre détachée» nous dit sous quel angle Irénée considère ici la vision de Daniel: elle renvoie à la venue humaine glorieuse du Verbe-Fils révélatrice de lui-même et de son Père. Pour une perspective similaire, voir encore *AH*.V.26,1 / SC.326ss.

En *AH*.III.21,7 / SC.420,159–161, notre auteur observe la même vision sous l'angle de «la pierre détachée *sans mains d'hommes*» (*Dan.* 2,34; 2,45). Elle désigne alors la naissance virginale du Christ destinée à établir la divinité de Jésus. Cf. Justin, *Dial.* 76,1 / 185–186. Cet argument est dirigé contre les Ebionites (cf. *AH*.IV.33,4 / SC.810–812; *AH*.V.1,3 / SC.24–26 et encore *AH*.III.19,1 / SC.370–374) qui s'en tenaient – comme Cérinthe et Carpocrate (cf. *AH*.I.26,2 / Hv 212–213) – à l'évangile de Matthieu (cf. *AH*.III.11,7 / SC.158,158–161), évangile de l'humanité du Christ (cf. *AH*.III.11,8 / SC.166, 208–214). Remarquons que nous ne sommes plus ici à l'intérieur d'un schéma consacré à refaire l'unicité de Dieu, mais à l'intérieur d'un schéma christologique, plus précisément d'une perspective où Irénée s'attache à démontrer, à l'aide des prophètes, l'unité du Christ Jésus: l'homme Jésus est Dieu. Cf. § 14, Art. 1, B.

[107] *AH*.IV.20,11 / SC.662,284–294.

[108] Cf. p. 72, note 19.

créateur toujours connu et vu des Anciens et le «Père» invisible connu
seulement «à la venue du Seigneur»[109].

Ailleurs, Irénée écrit:

> «Et voilà pourquoi les Juifs se sont égarés loin de Dieu: ils n'ont pas
> reçu son Verbe et ils se sont imaginé qu'ils pourraient connaître Dieu
> par le Père lui-même, sans le Verbe, c'est-à-dire sans le Fils. C'était
> méconnaître Celui qui, sous une forme humaine (*in figura humana* ** ἐν
> σχήματι ἀνθρωπίνῳ), s'était entretenu avec Abraham[110], et une autre
> fois avec Moïse[111], en lui disant: ‹J'ai vu l'affliction de mon peuple en
> Egypte, et je suis descendu pour le délivrer› (*Ex.* 3,7.8). Cette
> activité, en effet, le Fils, qui n'est autre que le Verbe de Dieu, l'exerçait
> depuis le commencement»[112].

«C'était méconnaître *Celui qui*, sous une forme humaine, s'était entretenu
avec Abraham ...» Nous reconnaissons ici un argument tiré de l'apologie
contre les Juifs qui, afin de fonder et d'autoriser à l'adresse d'Israël la
prétention de Jésus de Nazareth à être le seul à pouvoir faire connaître
Dieu, le Père, cherche à retrouver dans leurs Ecritures, c'est-à-dire dans
l'Ancien Testament, une certaine incarnation du Verbe.

Irénée suit la même démarche et reprend même mot à mot l'argumentation en lui donnant une signification différente. Contre les gnostiques, qui
affirmaient que le Père n'était connu que de son Fils (cf. *Mat.* 11,27),
à l'exclusion des autres Eons du Plérôme et des «pneumatiques»

---

[109] Cf. § 10 et la note 29 (p. 75).

[110] Notons que ce n'est plus ici, comme un peu plus haut dans le texte (cf. § 20), l'épisode du
sacrifice d'Isaac qui est évoqué (cf. *Gen.* 22,1–18), mais celui du chêne de Mambré (cf.
Gen. 18,1–3; cf. *Epid.* 44 / SC.102 et la note 128 de ce §). Nous avons là un des éléments
qui nous autorisent à croire que l'allusion d'Irénée aux Juifs vient du fait qu'il s'inspire
d'une source tirée de l'apologétique contre Israël, notamment de Justin: cf. *I Apol.* 63 /
72.

[111] La mention de l'apparition – il est vrai que le «sous une forme humaine« ne se rapporte
qu'à l'épisode du chêne de Mambré, mais, en vertu du contexte, il est permis de croire
qu'Irénée pense implicitement à l'apparition du Verbe dans le buisson (*Ex.* 3,2) (cf.
AH.IV.10,1 / SC.492) – et de la parole adressée à Moïse (*Ex.* 3,7.8) dans cette longue
péricope dominée par le personnage d'Abraham et où le prophète fut jusqu'à présent
absent, confirme encore l'utilisation d'une source appartenant à l'apologie contre les
Juifs. Cela est d'autant plus certain que nous retrouvons le même texte dans le chapitre
46 de l'*Epideixis* (SC.105) où l'influence de Justin ne peut pas être mise en doute.
En *AH*.III.6,2 / SC.68–70, *Ex.* 3,8 est utilisé comme témoignage prophétique en faveur
de la divinité du Seigneur «qui rend fils de Dieu ceux qui croient en son nom», –
argument dirigé contre une erreur gnostique dont Irénée expose la problématique en
AH.III.5,1. En *AH*.IV.12,4 / SC.518, *Ex.* 3,7.8 est employé dans un contexte consacré,
sans doute contre Marcion, à démontrer l'unicité du Verbe-Fils: si le Seigneur est celui
qui a amené la fin de la Loi justificatrice (cf. *Ro.* 10,3–4), il est aussi celui qui en a réalisé
le principe (cf. *Ex.* 3,7.8). Cf. pp. 43–44.

[112] *AH*.IV.7,4 / SC.462,55–62.

eux-mêmes, et qui, en partant de là, introduisaient «un autre Père inconnaissable»[113], notre auteur soutient que non seulement le Père a voulu se faire connaître ou se manifester et qu'à cette fin il a envoyé le Fils[114], mais encore qu'il a envoyé son *propre* Fils, celui qui est seul à le connaître ou encore à le voir[115]. Pour prouver cela, il insiste sur le fait que c'est depuis les origines les plus reculées de l'«économie», en passant par l'ancienne Alliance, que le Fils est à l'œuvre. Comme il est aisé de le voir, l'affirmation qui nous intéresse n'est pas en premier lieu une affirmation qui touche le Verbe-Fils comme médiateur de la manifestation ou de la connaissance du Père, mais une affirmation qui concerne le Verbe-Fils luimême, plus précisément *ce qu'est* ce Verbe-Fils. Nous trouvons ici la raison pour laquelle nous avons situé ce texte dans le présent paragraphe. – Ce point précisé, revenons à notre sujet.

Comment comprendre cette apparition du Verbe-Fils dans l'Ancien Testament? Elle est certainement constituée d'une *réalité concrète*, d'une «forme humaine» empruntée par le Verbe-Fils, qui *renvoie dans son aspect extérieur à la forme* de sa manifestation à venir, notamment à sa vie humaine terrestre dont parle Jean et que notre auteur cite explicitement en tête du passage transcrit:

> «C'est pourquoi le Seigneur disait à ses disciples: ‹Je suis la Voie, la Vérité et la Vie, et personne ne vient au Père que par moi. Si vous m'avez connu, vous connaîtrez aussi mon Père. Dès à présent vous l'avez connu et vous l'avez vu› (*Jn* 14,6–7)»[116].

En plus des textes où il est dit que le Verbe-Fils apparaissait lui-même aux Anciens, qu'il se suscitait des modes concrets, visibles de présence[117], il faudrait encore évoquer ces passages où les prophètes ne sont plus perçus comme les témoins de cette manifestation, mais où ils sont considérés comme des éléments constitutifs du dessein révélateur du Verbe ou, plus précisément encore, où le Verbe s'empare de certains événements de leur vie pour en faire des manifestations vivantes de son œuvre annonciatrice de l'avenir:

> «C'est jusque dans leurs actes, écrit notre auteur, qu'il (le Verbe) s'est

---

[113] *Vani igitur sunt qui propter hoc quod dictum sit: Nemo cognoscit Patrem nisi Filius, alterum introducunt incognitum Patrem AH.*IV.7,4 / SC.464,71–73.

[114] *... et neque sine bona voluntate Patris neque sine administratione Filii cognoscet quisquam Deum AH.*IV.7,3 / SC.460–462,47–49.

[115] Remarquons, à cet égard, les particules qui reviennent comme un leitmotiv tout au long de notre péricope: *... per Filium, hoc est per Verbum ...; ... sine Verbo, hoc est sine Filio ...; ... Filius qui est Verbum Dei ...*

[116] *AH.*IV.7,3 / SC.462,49–52.

[117] cf. *AH.*IV.33,11 / SC.824–826.

servi des prophètes pour préfigurer et montrer à l'avance par eux les choses à venir»[118].

Si ces actes renvoient ici à un éventail assez large de «choses» qui se réaliseront dans les temps de l'accomplissement, ailleurs Irénée en relève un qui renvoie explicitement à la manifestation du Verbe:

> «D'autres encore ont dit: ... ‹J'allai vers la prophétesse et elle mit au monde un fils (cf. *Is*. 8,3); son nom est: Conseiller merveilleux, Dieu fort (cf. *Is*. 9,6)›, ...: par là ils faisaient connaître l'union du Verbe de Dieu avec l'ouvrage par lui modelé, à savoir que le Verbe se ferait chair, et le Fils de Dieu, Fils de l'homme ...»[119].

Ainsi donc, par l'union féconde d'Isaïe à son épouse, plus précisément par l'enfant qui en naît, le prophète, pris dans le projet révélateur de Dieu, manifestait l'union du Verbe au «plasma», union ou venue dans la chair appelée un peu plus loin une «manifestation»[120].

Ici encore, nous avons une manifestation en ce sens qu'elle est constituée de *réalités concrètes* (des actes humains – un enfant) *renvoyant dans leurs aspects extérieurs* au devenir chair ou au devenir visible du Verbe-Fils qui se réalisera dans l'Alliance nouvelle. Simultanément, Irénée ne manque pas de souligner que ces actes théophaniques n'étaient que des *pré*-figurations[120a] de ce qui était encore à venir.

On aura sans doute remarqué que la théophanie de ce passage ne se fixe plus, comme précédemment, sur la manifestation-*vie humaine* terrestre et glorieuse du Verbe-Fils, mais bien sur la manifestation-*union à la chair* du Fils de Dieu. Bien sûr, en parlant de la première, Irénée incluait et supposait la seconde, mais, justement, il ne faisait que la supposer. C'est qu'à l'une et à l'autre correspondent habituellement deux perspectives[121], l'une consacrée à la problématique de l'unicité de Dieu, du Verbe-Fils, l'autre à celle de l'unité du Christ Jésus. Et cela nous amène à un dernier texte important tiré de l'*Adversus Haereses*.

L'occasion en est l'hérésie des Docètes[122] d'après laquelle le Seigneur «s'est montré de façon purement apparente»[123]. Dans l'alinéa précédent, Irénée avait déjà démontré le non-sens de cette doctrine. Si c'est «en

---

[118] *AH*.IV.20,12 / SC.668–670,343–345; cf. encore *AH*.III.21,8 / SC.422; *AH*.V.17,4 / SC.230–232; etc.

[119] *AH*.IV.33,11 / SC.830.

[120] ... *etiamsi nunc nobis manifestatus est AH*.IV.33,15 / SC.844,331–332.

[120a] Cf. *AH*.IV.30,10 / SC.824.

[121] Cela vaut, avant tout, pour l'*Adversus Haereses*.

[122] Irénée réunit, à la fin de l'alinéa, l'hérésie des Docètes à celle des disciples de Valentin d'après laquelle le «Sauveur» n'aurait rien reçu de Marie. Cf. en outre *AH*.I.9,3 / Hv 84–85; *AH*.III.22,1 / SC.430–432. Nous aurons l'occasion de revenir de manière plus exhaustive sur les hérésies évoquées ici. Cf. § 13.

[123] Nous sommes donc dans un contexte consacré à l'unité du Christ Jésus.

toute certitude et vérité» que l'antique ouvrage modelé est gratifié du salut par la communion avec le Seigneur, «Verbe puissant et homme véritable», dit-il, c'en est fait de tous les enseignements des hérétiques.
Irénée poursuit sa réfutation en indiquant à quelles absurdes conséquences conduit une telle doctrine. L'une d'entre elles nous intéresse:

> «Au reste, nous avons dit précédemment qu'Abraham et les autres prophètes le voyaient d'une manière prophétique ...: si donc même maintenant il est apparu de cette manière, sans être réellement ce qu'il paraissait (*talis apparuit, non existens quod videbatur* * τοιοῦτος ἐφάνη, μὴ ὢν ὅπερ ἐφαίνετο), c'est une sorte de vision prophétique qui a été donnée aux hommes, et il nous faut attendre une autre venue de ce même Seigneur, en laquelle il sera tel exactement (*oportet alium exspectare adventum ejus, in quo talis erit* ... * δεῖ ἄλλην ἐκδέχεσθαι παρουσίαν αὐτοῦ, ἐν ᾗ τοιοῦτος ἔσται ...) qu'il aura été vu maintenant de façon prophétique»[124].

De l'argumentation par l'absurde sur laquelle il n'est pas nécessaire d'insister, nous pouvons extraire la donnée suivante. Aux yeux d'Irénée, la doctrine christologique des Docètes équivaut aux «apparitions» vétérotestamentaires du Seigneur, ou est synonyme de la manière selon laquelle le Seigneur est venu pour se laisser voir des Anciens, à savoir *«sans être réellement ce qu'il paraissait être»*. Une fois dégagé de la polémique, ce passage nous assure, en d'autres termes, que le Verbe de Dieu était bien présent dans l'Alliance ancienne pour se montrer aux prophètes, mais que cette présence visible n'était que *prophétique*, puisqu'il *n'y avait pas d'identification entre son être et «ce qu'il paraissait être»*.
Pour finir, considérons rapidement les témoignages de l'*Epideixis*.
Dans l'exposé de la «règle de foi» placé en tête de l'ouvrage, le début du second article se lit comme suit:

> «Le Verbe de Dieu, le Fils de Dieu, (le) Christ Jésus Notre-Seigneur, qui est apparu aux prophètes selon le genre de leur prophétie et selon l'état des économies du Père»[125].

Dans la seconde partie de l'ouvrage, consacrée, comme nous le savons déjà[126], à dégager les harmonies de l'Ancien Testament avec la «foi» de l'Eglise, nous trouvons les textes suivants:

> «Et Moïse dit encore que le Fils de Dieu s'approcha d'Abraham pour l'entretenir: ‹Et Dieu lui apparut au chêne de Mambré à midi; et, ayant

---

[124] *AH.*V.1,2 / SC.22–24,48–54.
[125] *Epid.* 6 / SC.39.
[126] Cf. pp. 15–16. 68–69.

porté son regard en haut, il vit; et voici que trois hommes se tenaient debout auprès de lui ...» (*Gen.* 18,1–2). Or, deux des trois étaient des anges, mais l'un (d'eux était) le Fils de Dieu ...»[127].

Un peu plus loin:

«Abraham était donc prophète et voyait dans une forme humaine les choses qui arriveraient dans l'avenir ...»[128].

«Et Jacob, alors qu'il allait en Mésopotamie, le voit en songe qui se tenait debout sur l'échelle (cf. *Gen.* 28,12–15) ...»[129].

«C'est lui (le Fils) qui, dans le buisson, s'entretint avec Moïse (cf. *Ex.* 3,7) ...»[130].

En vue de démontrer la préexistence du Fils, Irénée écrit enfin:

«Car ici, d'abord, c'est la préexistence du Fils de Dieu qui ressort de ce que le Père s'entretenait avec lui et de ce que, avant sa naissance, il le rendit visible aux hommes ...»[131].

---

[127] *Epid.* 44 / SC.102. – Sur l'identification des trois personnages, voir Justin, *Dial.* 56,1–10.22 / 155–157; *Dial.* 127,4 / 248–249.

[128] *Epid.* 44 / SC.103. – Froidevaux ainsi que Smith et Weber traduisent la fin du chapitre 44 de telle sorte que l'arménien *mardkayin jewov* (rétroversion de Froidevaux: ** (ἐν) ἀνθρωπίνῳ σχήματι) se rapporte à la manifestation-venue humaine du Fils de Dieu: «Abraham était donc prophète et il voyait les choses qui arriveraient dans l'avenir, (à savoir) que le Fils de Dieu dans une forme humaine s'entretiendrait avec les hommes ...» (SC.103). – «So Abraham was a prophet, and saw what was to come to pass in the future, the Son of God in human form, that He was to speak with men ...» J. P. Smith, *St. Irenaeus* ..., p. 76. – «Hiermit ward Abraham ein Prophet und sah das Zukünftige, welches geschehen sollte, in menschlicher Gestalt den Sohn Gottes, denn dieser sollte mit den Menschen reden ...» S. Weber, *Des heiligen Irenäus Schrift zum Erweis der apostolischen Verkündigung* (coll. Bibliothek der Kirchenväter, 62), Kempten–München, 1912, p. 33 (615). Cependant, comme Froidevaux le fait remarquer en note, il serait permis de raccrocher l'expression (ἐν) ἀνθρωπίνῳ σχήματι à ce qui précède et de traduire ainsi: «Abraham voyait par une image humaine les choses qui devaient arriver dans l'avenir». Cette traduction ne serait-elle pas mieux en situation étant donné *Gen.* 18,1 cité quelques lignes plus haut? En outre, ne s'inscrirait-elle pas mieux dans le contexte général de tout ce passage qui, comme nous le savons, s'attache à prouver la véracité de la «foi» des chrétiens en la trouvant déjà annoncée d'avance par les prophètes? Enfin, n'aurait-elle pas de la sorte un texte exactement parallèle où, nonobstant la diversité du contexte, Irénée semble bien, comme ici, s'inspirer d'une source apologétique dirigée contre les Juifs: «C'était méconnaître Celui qui, sous une forme humaine (*in figura humana* ** ἐν ἀνθρωπίνῳ σχήματι), s'était entretenu avec Abraham ...» *AH.*IV.7,4 / SC.462,58–59? Tous ces arguments, nous fait savoir le R. P. A. Rousseau, n'enlèvent néanmoins rien au fait que la traduction de Froidevaux (Smith–Weber) est, d'un point de vue philologique, «plus naturelle». Laissons donc cette question ouverte, d'autant plus que *l'Epideixis* nous fournit suffisamment de textes pour connaître la pensée d'Irénée.

[129] *Epid.* 45 / SC.104. – Cf. Justin, *Dial.* 136,2 / 258–259.

[130] *Epid.* 46 / SC.105.

[131] *Epid.* 51 / SC.111. Smith et Weber sont moins explicites: «... Caused Him *to be revealed* to men before His birth ...» J. P. Smith, *St. Irenaeus* ..., p. 81; «... und ihn, bevor er geboren

Comment faut-il comprendre ces théophanies? Comme il est loisible de le constater, elles sont toutes constituées de *réalités concrètes, perceptibles à la vue, renvoyant, dans leurs aspects extérieurs*, à la forme de l'apparition à venir du Verbe-Fils, c'est-à-dire à la chair à laquelle il s'identifiera, ou à sa venue humaine terrestre[132]. A cela, il faut ajouter qu'elles ne sont que des «*prophéties*»[133], des «*signes*»[134], des «*types*»[135] de la manifestation à venir du Verbe-Fils.

* *
*

Concluons.

1. Le Verbe-Fils s'est manifesté dans l'Alliance ancienne. Qu'est-ce à dire? A cette question, nous pouvons maintenant répondre de la manière suivante: Cette manifestation est faite de réalités concrètes renvoyant, dans leurs aspects extérieurs, soit à la venue humaine terrestre ou glorieuse à venir du Verbe-Fils, soit à la chair à laquelle le Fils de Dieu s'unira.

---

wurde, den Menschen *geoffenbart hat* ...» S. Weber, *Des heiligen Irenäus* ..., p. 38 (620). Remarquons la parenté de ce texte avec *AH*.IV.7,4. Cf. un peu plus haut dans ce §.

«Le Verbe de Dieu se promenait (dans le Jardin) constamment et s'entretenait avec l'homme, préfigurant les choses futures, à savoir qu'il serait son compagnon d'habitation et causerait avec lui et serait avec les hommes, leur enseignant la justice» *Epid.* 12 / SC.51–52. (cf. *AH*.V.17,1.2 / SC.222–224.228, où l'aspect théophanique de la présence du Verbe dans l'Eden n'est pas mentionné).

Si, en parlant d'une «promenade» du Verbe dans le Jardin, Irénée laisse entendre que ce dernier était présent à Adam de manière matérielle-visible (cf. J. P. Smith, *St. Irenaeus* ..., p. 26), il n'évoque pourtant ni ne décrit explicitement ce point, comme il le fait pour Abraham et les autres. C'est pourquoi nous avons omis ce passage dans notre texte. Insistons-y: c'est là la seule raison qui explique notre manière de faire, et non un refus du fait que le Verbe-Fils soit apparu à l'homme dès les premiers moments du dessein de l'amour de Dieu. L'idée de la «promenade» dans le Jardin ainsi que la perception irénéenne de l'«économie» et la source utilisée (cf. Théophile d'Antioche, *Ad Aut.* II.22/154: οὗτος παρεγένετο εἰς τὸν παράδεισον ἐν προσώπῳ τοῦ Θεοῦ καὶ ὡμίλει τῷ 'Αδάμ) ne permettent pas d'hésitations sur ce point.

[132] Plus précisément au «devenir homme parmi les hommes, visible et palpable» du Verbe-Fils: *Epid.* 6 / SC.39–40; «... (à savoir) que le Fils de Dieu ... s'entretiendrait avec les hommes ...» *Epid.* 44 / SC.103; «toutes les visions de ce genre signifient le Fils de Dieu conversant avec les hommes et présent parmi eux ...» *Epid.* 45 / SC.104; «... il doit être homme parmi les hommes ...» *Epid.* 51 / SC.111. – Remarquons ici qu'il n'est pas question, comme dans l'*Adversus Haereses*, de la venue humaine *glorieuse* du Verbe-Fils. Cela s'explique sans doute par le but propre à l'*Epideixis* qui est, surtout dans la seconde partie de l'ouvrage, de fortifier les chrétiens dans leur foi à partir des témoignages annonciateurs de l'Ancien Testament.

[133] *Epid.* 6 / SC.39.

[134] *Epid.* 45 / SC.104.

[135] *Epid.* 46 / SC.106.

2. Cette manifestation, ajoute Irénée, est prophétique, préfigurative, typique, etc., de celle encore à venir. De là, il peut affirmer que les Anciens n'ont pas été les sujets de l'apparition de la «Face» même du Verbe-Fils ou de son Visage «à découvert». Dans l'Alliance ancienne, dit-il encore, le Verbe-Fils est demeuré invisible[136].

Cherchons-nous à dégager le fondement de cet état de choses? Deux textes nous renseignent clairement sur ce point. *La Face du Verbe de Dieu, c'est sa venue humaine terrestre ou glorieuse.* Puisque cette venue ne s'est pas encore produite dans l'Alliance ancienne, les théophanies vétéro-testamentaires laissent le Verbe-Fils invisible. L'autre texte confirme et précise encore cette donnée. Dans l'Ancien Testament, *il n'y a pas d'unité* entre ce qu'est le Verbe-Fils et ce qu'il «paraît être», c'est-à-dire les

---

[136] Ailleurs, il est question de l'invisibilité du Verbe-Fils dans l'Alliance ancienne sans que notre auteur se rapporte aux théophanies vétéro-testamentaires. Il vise alors Marcion qui, en transposant l'antithèse théologique déjà connue (cf. p. 76, note 30) à un plan christologique (cf. *AH.*III.11,2 / SC.144,42–44: *Secundum autem Marcionem ... neque mundus per eum* (i.e. le Verbe) *factus est ...*), distinguait entre le Jésus manifesté sous une forme humaine (= Nouveau Testament) et le Créateur-Dieu de l'Ancien Testament «*annoncé par la Loi et les prophètes*».

Irénée reprend exactement les deux membres de l'affirmation et cherche à en dégager l'unité, plus précisément à démontrer l'identité du Verbe créateur présent et agissant auprès des Anciens *de manière invisible* et du Verbe devenu visible. Voici, à cet égard, quelques exemples:

1. Le Verbe qui se rendra visible dans l'Alliance nouvelle s'«*annonc(e)*» (*praedicare-audire*) lui-même dans l'ancienne par «la Loi et les prophètes» (cf. *AH.*IV.6,6 / SC.448).

2. Les prophètes (et la Loi) qui venaient du Seigneur lui-même ont *annoncé* (*praedicare-annuntiare-praenuntiare;* les Anciens n'ont fait que «désirer contempler» (*I P.* 1,12) le Seigneur qu'ils annonçaient, sans obtenir, de leur vivant, l'exaucement de leur désir (cf. encore *AH.* IV.11,1 / SC.498 inspiré par *Mat.* 13,17); cf. p. 167, note 155) sa venue visible ou la venue du Roi. Cette annonce ne va pas contre la nouveauté de l'Alliance nouvelle, puisque le Seigneur «a apporté toute nouveauté en apportant sa propre personne» (sur le thème de la nouveauté chez Irénée, on lira l'article érudit et suggestif de K. Prümm cité à la note 93 de la p. 36) (cf. *AH.*IV.34,1–2 / SC.846–848).

3. Le Verbe présent, comme créateur, à l'univers «au plan *invisible*» est le même qui, «dans les derniers temps», vient «dans son propre domaine», se rend visible. «Cette venue visible du Verbe, David l'avait annoncée, lorsqu'il *disait (ait):* ‹Notre Dieu viendra, et il ne se taira pas› (*Ps.* 49,4)» (cf. *AH.*V.18,3 / SC.244–246; voir encore *Epid.* 84 / SC.150–151). Par cette venue visible de la fin, il rend visible sa présence *invisible* dans les temps antérieurs (cf. *AH.*V.15,3 / SC.208; *AH.*V.16,2 / SC.216 et *Epid.* 22 / SC.64–65; *AH.*V.18,3 / SC.244 et *Epid.* 34 / SC.86–87).

Notons, enfin, que grâce à son interprétation des théophanies de l'Ancien Testament, Irénée peut s'en prendre à Marcion sans entrer en conflit avec lui-même. – Les quelques pages que Barbel consacre à la doctrine résumée dans les deux premiers points de notre conclusion manquent de nuances. Cf. J. Barbel, *Christos Angelos. Die Anschauung von Christus als Bote und Engel in der gelehrten und volkstümlichen Literatur des christlichen Altertums* (coll. THEOPHANEIA. Beiträge zur Religions- und Kirchengeschichte des Altertums, 3), Bonn, 1941, pp. 65–66.

réalités concrètes qu'il suscite et emprunte[137]. Et ceci nous amène au sujet du prochain paragraphe.

§ 14: Dans l'Alliance nouvelle et dans le temps de l'Eglise

Art. 1: Dans l'Alliance nouvelle

Avant d'aborder les passages situés dans des contextes strictement con-

---

[137] Et ainsi s'avère inexacte l'opinion de J. Ochagavía selon laquelle le Verbe se serait *réellement* manifesté dans l'Ancien Testament. Etendons-nous quelque peu sur ce point. Sans prendre en considération le passage auquel nous faisons ici allusion, l'auteur pense découvrir chez Irénée l'affirmation qu'il y a de fait une *unité* entre le Verbe et les réalités concrètes constitutives des théophanies vétéro-testamentaires: «All these texts point to the fact that typological actions, according to the thought of Irenaeus, were something more than a rapid and preliminary sketch of the future drama: a sketch draws the general line of the action of the drama and gives the main traits of the members of the cast, but the real actors are not there. *For Irenaeus, on the contrary, the actors of the drama of our salvation the Word, the Spirit of God, and even Jesus Christ, that is to say, the Word made flesh – were present and active in the typological actions.* On the other hand, Irenaeus says repeatedly that the Word appeared as man in order to fulfil the prophecies and Old Testament types. If such is the case, *this would mean at first sight that He was not really present in the Old Testament events*» J. Ochagavía, *Visibile* ..., p. 56 (c'est nous qui soulignons); voir encore à la p. 81 du même ouvrage.

Ici, nous croyons que l'affirmation indubitablement irénéenne de la présence du Verbe *dans* l'Ancien Testament à laquelle l'auteur se réfère est mal interprétée, en ce sens que, par un court-circuit, elle est transposée aux rapports, aux liens que le Verbe entretient avec ces réalités, rapports et liens qui sont de fait d'un tout autre ordre. En effet, si, d'après Irénée, le Verbe est bien présent *dans* l'alliance ancienne, il n'est par contre présent *à ces* réalités qu'en ce sens qu'il les suscite par sa présence, les emprunte ou les revêt, mais jamais ne s'y identifie. On peut être présent à quelque chose en tant que l'on en est la cause ou l'origine – cela, bien sûr, sur la base d'un «être là» – sans donc qu'il soit nécessaire que l'on s'y assimile. Or c'est ainsi qu'il faut comprendre ici Irénée.

Cherchons-nous à remonter à la cause explicative de cette confusion commise par l'auteur, il nous semble permis de dire ceci. Il est indéniable que l'intention ou le réflexe spontané d'Ochagavía de devoir – au nom d'Irénée – conférer un certain réalisme à l'Ancien Testament est juste. Mais ici, il n'a pas vu qu'il fallait distinguer entre les théophanies et la vision de Dieu qui, ainsi que nous le verrons (cf. § 14 et § 17), est déjà, grâce à l'Esprit, expérimentée sous un mode réel-anticipé par les Anciens. Il s'ensuit qu'il est obligé d'attribuer aux unes ce qui ne vaut en définitive que pour l'autre. Un texte comme le suivant en témoigne clairement: «In the events above mentioned, on the contrary, the Word Himself is actively present: He is ‹descending› to us *in* those events. They are an *anticipated rehearsal – anticipated, but real!* – of what our Saviour and our salvation was to be» J. Ochagavía, *Visibile* ..., p. 51 (c'est nous qui en second lieu soulignons). Quant au fondement auquel Ochagavía se doit d'avoir recours pour appuyer sa position: « ... a sort of visibility to the mind that was anterior to the visibility to the eyes of the flesh» que le Verbe préincarné aurait possédée (o.c., p. 91) – fondement qu'il emprunte à A. Orbe, *Hacia* ..., pp. 655–656 –, il devient dès lors hors de notre propos de le discuter.

sacrés à la démonstration de l'unité du Christ Jésus (B), nous allons considérer ceux situés dans des cadres de plus large envergure (A).

A. Analyse des textes situés dans des cadres à buts divers

Voulant démontrer, surtout contre les ptoléméens, que le Père invisible n'a pas été annoncé comme tel et que cette soi-disant révélation n'a pas eu lieu qu'à la venue du «Christ», mais qu'il s'est révélé effectivement à tous les hommes de tous les temps en rendant son Verbe visible[138], Irénée note expressément que, par cette visibilité, le Verbe-Fils s'est aussi manifesté: «... C'est ... à tous ... que le Verbe[139] a montré ... le Fils, puisqu'il a été vu de tous»[140].
En se référant ensuite au temps de la nouvelle Alliance, il écrit un peu plus loin:

«La Réalité visible (*visibile*** τὸ ὁρατόν) (cf. *I Jn* 1,1; *Jn* 1,14; *Jn* 14,9a) (en laquelle on voyait le Père) était le Fils»[141].

Qu'est-ce donc que cette «Réalité visible»? D'après le sens obvie du texte tout imprégné de la pensée johannique, il ne fait pas de doute qu'il s'agit de *la chair*, plus précisément de *la vie humaine du Fils*. Autrement dit, le Fils, c'est *son «être»-homme*. Ou encore: *En cet homme vivant parmi les hommes*, tout homme peut contempler le Visage du Verbe-Fils.

---

[138] C'est le Père qui rend le Verbe visible, affirme notre auteur. La même doctrine se retrouve ailleurs, inscrite dans un contexte consacré à la démonstration de l'unicité du Père: «Il n'y a donc qu'un seul et même Dieu, le Père de notre Seigneur: c'est lui qui, par les prophètes, a promis d'envoyer le Précurseur, et c'est lui qui a rendu son ‹Salut›, c'est-à-dire son Verbe, visible pour toute chair (allusion à *Is.* 40,5 qu'Irénée cite, à travers *Lc* 3,6, un peu plus haut) ...» *AH*.III.9,1 / SC.102,36–39; «Quel autre doit régner sans interruption et à jamais sur la maison de Jacob, sinon le Christ Jésus notre Seigneur, le Fils du Dieu Très-Haut, de Celui qui, par la Loi et les prophètes, avait promis de rendre son ‹Salut› visible pour toute chair (cf. *Lc* 3,6; *Is* 40,5) ...» *AH*.III.10,2 / SC.116–118, 42–46.

[139] Etant sous-entendue la clause: «en rendant (le sujet est ici le Père) (le) Verbe visible à tous».

[140] *AH*.IV.6,5 / SC.448,84–85. – Sur le sens et la portée à donner à cette manifestation, cf. note 37 de la p. 78; les pp. 81–82 et la note 58.

[141] ... *visibile autem Patris Filius* ** τὸ δὲ ὁρατὸν τοῦ Πατρὸς ὁ Υἱός *AH*.IV.6,6 / SC.450,100. Ici encore l'arménien: ... *isk antesaniln hawr ordwoyn* (*non-videri autem patrem filii*) est incompréhensible. En vertu du contexte et des dépendances surtout johanniques (cf. *Jn* 14,9a) de cette formule, son interprétation rendue ici par la traduction du R. P. A. Rousseau ne comporte pas de difficultés majeures. L'on sait que R. Seeberg a cru voir dans ce texte l'expression du modalisme d'Irénée: «In diesem Zusammenhang ist begreiflich, daß der Vater als «das Unsichtbare des Sohnes» und der Sohn als «das Sichtbare des Vaters» bezeichnet wird. Diese Ausdrucksweise ist ganz modalistisch». R. Seeberg, *Lehrbuch der Dogmengeschichte*, t. I (réimpression de la 3e éd.), Darmstadt, 1963,

Dans le cadre de la démonstration de l'unicité du Verbe Créateur invisible et du «Verbe rendu visible», d'une part, et, d'autre part, du Verbe visible-Créateur et du Sauveur[142], Irénée nous a laissé la péricope suivante.

La source d'inspiration en est l'épisode de l'aveugle-né relaté par *Jn* 9,1 ss[143]. Par l'acte (*operatio* ** ἔργον) de pétrir de la boue[144] et d'en enduire les yeux de l'infirme, écrit notre auteur, «le Verbe en personne … rendu visible aux hommes» «fait apparaître au grand jour»[145] Celui qui nous modèle dans le secret du sein maternel (cf. *Jér.* 1,5; *Gal.* 1,15–16) et «fait connaître» la Main qui a modelé l'homme à l'origine (cf. *Gen.* 2,7). – Ainsi donc, la manifestation du Verbe modelant l'homme de manière invisible depuis les origines est perçue ici comme *un acte concret humain* du Verbe «rendu visible», c'est-à-dire fait homme, vivant en homme parmi les hommes.

A cet acte du «Verbe … visible» fait suite un autre consistant à envoyer l'aveugle-né[146] aux yeux recouverts d'argile à la piscine de Siloé (cf. *Jn* 9,7) pour s'y laver et y être guéri de sa cécité. Bien que cet acte[147] ne subisse pas de la part de notre auteur un traitement explicitement analogue au premier, tout porte à croire qu'il le conçoit également comme révélateur ou laissant voir ce que le Verbe est devenu pour l'homme en se

---

p. 403 (remarquons comment l'auteur réagit en face de notre expression ainsi que de sa corrélative *invisibile … Filii Pater:* il n'en dépasse pas le mot à mot matériel).

A l'encontre de cette interprétation, nous ne pouvons mieux faire que de transcrire les remarques que A. Houssiau fait à la suite de l'opinion de Seeberg. Par un chemin différent, il rejoint en substance la traduction interprétative de A. Rousseau qui est à la base de notre réflexion:

«Nous croyons que Saint Irénée désigne ici non pas des aspects de la divinité, mais plutôt deux êtres en Dieu. Des expressions fort semblables, dans le système ptoléméen, τὸ καταληπτόν – τὸ ἀκατάληπτον, désignent des êtres fort distincts, l'Intellect et le Propatôr. Notons par ailleurs que pour Irénée le Verbe ne se distingue pas du Père en tant que visible il est tout aussi invisible et inconnaissable que le Père; c'est l'incarnation qui rend visible le Verbe qui est invisible. Mais en devenant visible il ne se manifeste pas seulement lui-même, il manifeste également le Père. Par le fait de l'incarnation, le Fils est le Visible qui manifeste le Père, et le Père est l'Invisible que manifeste le Fils; le Père est le mystère caché et révélé des Fils» A. Houssiau, *L'exégèse* …, p. 345.

[142] Pour de plus amples renseignements sur les préoccupations polémiques d'Irénée, on voudra bien se référer à *AH*.III.11,1–3 / SC.138–148.

[143] *AH*.V.15,2–4 / SC.204–212. Cf. *AH*.II.17,9 / Hv 311.

[144] Irénée découvre encore ici la preuve que l'homme a bien été modelé au moyen de cette terre (cf. *Gen.* 2,7) et non pas, ainsi que le voulaient les disciples de Valentin, d'une «matière fluide et diffuse». Cf. *AH*.V.15,4 / SC.210,108. Sur la doctrine gnostique à laquelle notre auteur fait ici allusion, cf. encore *AH*.I.5,5 / Hv 49.

[145] Cette expression, comme l'*ostendere* dont il sera question un peu plus bas, est à comprendre dans l'orbite du φανεροῦν de *Jn* 9,6: cf. *AH*.V.15,2 / SC.204. Cf. p. 78, note 37.

[146] La cécité de naissance est considérée, par Irénée, comme le signe de la chute de l'homme dans la transgression. Cf. *AH*.V.15,3 / SC.208.

[147] Qu'il nous soit permis d'insister: composé de l'envoi, du lavage et de la guérison.

rendant visible ou en se manifestant[148]: son «remodeleur». Nous aurions une confirmation du caractère révélateur relié à cet acte dans le fait que l'aveugle-né «s'en revint voyant clair» (cf. *Jn* 9,7) vers le Seigneur non seulement pour reconnaître son Créateur, mais encore pour apprendre quel était son Sauveur ou le Seigneur qui lui avait rendu la vie. – Si notre interprétation est juste, nous sommes en présence d'une manifestation du Seigneur «remodeleur» de l'homme équivalant encore à un *acte concret humain* du Seigneur ou du Verbe manifesté. A la différence du précédent, cependant, celui-ci est *rapproché* ou *identifié au baptême*[149].

Terminons cette première étape de notre étude par les deux passages suivants:

«Comme les prophètes qui se trouvaient avec (Elisée) coupaient du bois pour édifier leur habitation, le fer de la hache se détacha du manche et tomba dans le Jourdain. Il leur fut impossible de le retrouver. Etant arrivé en cet endroit et ayant appris ce qui s'était passé, Elisée jeta alors un morceau de bois dans l'eau: à peine l'avait-il fait, que le fer se mit à surnager, et ceux qui venaient de le perdre purent le reprendre à la surface de l'eau (cf. *II Rois* 6,1–7)»[150].

Par cet acte, dit notre auteur, le prophète signifiait que ce serait par l'«économie» du bois que nous redécouvririons le Verbe[151] perdu par le bois à cause de notre négligence. A l'annonce fait suite l'accomplissement. En effet, suspendu au bois de la Croix, ou en y étendant ses deux mains au centre desquelles il n'y a qu'une seule Tête, le Verbe «montr(e) en lui-même la hauteur, la longueur et la largeur» (cf. *Eph.* 3,18)[152]. Plus précisément, il montre qu'il est l'unique Dieu qui fut présent (cf. *Eph.*

---

[148] *Sed idem ipse qui ab initio plasmavit Adam … in novissimis temporibus semetipsum manifestans hominibus ei qui ab Adam caecus erat formavit* (l'arménien: andrēn stełc = lat. *replasmavit* ** ἀνέπλασε serait mieux en situation pour traduire le rapprochement entre «modeler» et «remodeler» qui constitue une des structures fondamentales de cette péricope) *visionem* AH.V.15,4 / SC.210,114–115.117–118.

[149] *Et quoniam in illa plasmatione quae secundum Adam fuit in transgressione factus homo indigebat lavacro regenerationis* (** τοῦ λουτροῦ τῆς παλιγγενεσίας) (cf. *Tit.* 3,5) AH.V.15,3 / SC.208,98–100.

[150] AH.V.17,4 / SC.230–232.

[151] Symbolisé par le fer de la hache. Cf. *Mat.* 3,10 et *Jér.* 23,29 cités explicitement par Irénée.

[152] *Irl* et *ira;* le fragment grec ajoute: καὶ βάθος. En vertu de l'accord du latin et de l'arménien, deux témoins par surcroît indépendants l'un de l'autre, – sans compter l'argument d'ordre interne bien mis en relief par A. Rousseau: «… L'allusion à *Ephés.* 3,18 et l'explicitation subséquente se correspondent terme pour terme, moyennant un chiasme: à la longueur et à la largeur correspondent les deux mains étendues, évoquant les deux peuples dispersés aux extrémités du monde; à la hauteur correspond l'unique tête, symbolisant l'unique Dieu» *Note Justif.* P. 235, n. 1 dans SC.152 p. 284 –, l'addition du fragment grec a bien peu de chance d'être conforme à l'original. Avec le R. P. Rousseau, nous croyons que l'excerpteur a voulu ici harmoniser le texte irénéen à *Eph.* 3,18.

4,6)[152a] au peuple de l'Ancien Testament comme il l'est à celui du Nouveau, pour les rassembler vers lui. C'est ainsi que, *grâce au bois sur lequel il est étendu,* le «Verbe» – entendons l'unique Verbe Sauveur – «est redevenu visible pour tous».

«Et cette prodigieuse ‹économie›, enchaîne notre auteur, le Seigneur l'a réalisée, non à l'aide d'une création étrangère, mais à l'aide de sa propre création»[153]. De cette manière, il amorce une autre étape de sa réflexion. Elle aboutira dans un passage qui nous intéresse. Retraçons-en d'abord rapidement les avenues.

Comment, argumente Irénée, la Croix, ou la création dont elle est le symbole, aurait-elle pu «porter Celui qui renferme la connaissance de toutes choses et qui est vrai et parfait»? Comment aurait-elle pu «porter» le Verbe de Dieu qui, après s'être incarné, a été suspendu au bois (cf. *Act.* 5,30; 10,39; *Gal.* 3,13; *Deut.* 21,22–23), si, comme l'affirment les gnostiques, elle avait été «le produit de l'ignorance et de la déchéance»? Par sa suspension sur le bois de la Croix, il devient clair que le Verbe incarné est également l'Auteur de l'univers.

C'est du reste, poursuit notre auteur un peu plus loin, ce qu'atteste Jean, le disciple du Seigneur[154]. Il cite alors les versets du Prologue se rapportant, d'une part, au Verbe présent auprès de Dieu et Créateur du monde (cf. *Jn* 1,1–3. 10) et, d'autre part, à ce Verbe venant dans le monde, son propre domaine (cf. *Jn* 1,11a)[155], c'est-à-dire se faisant chair et habitant parmi nous (cf. *Jn* 1,14a), que les siens ont refusé ou accueilli avec les conséquences qui s'ensuivent (cf. *Jn* 1,11b–12). Il relève ensuite l'ajout de Jean: «Et nous avons contemplé sa gloire, gloire comme celle qu'un Fils unique tient de son Père, plein de grâce et de vérité» (*Jn* 1,14b). Cette citation est suivie d'un commentaire que nous pourrions paraphraser ainsi: à ceux qui ont des oreilles pour entendre (cf. *Mat.* 11,15), l'apôtre fait clairement connaître qu'à travers la chair du Verbe nous avons vu la gloire, non seulement du Verbe-Fils de Dieu, mais encore du «*seul* Verbe de Dieu», de celui «qui est à travers toutes choses» (*Eph.* 4,6) et qui est l'Auteur de toutes choses. Puis vient notre texte:

«Car l'Auteur du monde, c'est en toute vérité le Verbe de Dieu. C'est lui notre Seigneur: lui-même, dans les derniers temps, s'est fait homme, alors qu'il était déjà dans le monde (cf. *Jn* 1,10) et qu'au plan invisible

---

[152a] Cette citation scripturaire évoquant aussi la présence créatrice de Dieu à l'univers sert également, nous semble-t-il, de transition au chapitre 18. Cela nous paraît d'autant plus certain qu'elle revient en plein cœur de ce chapitre. Cf. *AH.*V.18,2 / SC.240.

[153] *AH.*V.18,1 / SC.234.

[154] *AH.*V.18,2 / SC.240–242.

[155] Allusion certaine à la doctrine de Marcion: «D'après Marcion et ses pareils, au contraire, le monde n'a pas été fait par son entremise, et il n'est pas venu dans son propre domaine, mais dans un domaine étranger» *AH.*III.11,2 / SC.144,42–45.

il soutenait toutes les choses créées (cf. *Sag.* 1,7) et se trouvait planté[156] dans la création entière, en tant que Verbe de Dieu gouvernant et disposant toutes choses. Voilà pourquoi ‹il est venu› de façon visible[157] ‹dans son propre domaine› (*Jn* 1,11), ‹s'est fait chair› (*Jn* 1,14) et a été suspendu au bois[158], afin de récapituler toutes choses en lui-même (cf. *Eph.* 1,10). ‹Et les siens ne l'ont pas reçu› (*Jn* 1,11) – les siens, c'est-à-dire les hommes –, ainsi que Moïse l'avait annoncé en disant au peuple: ‹Ta Vie sera suspendue sous tes yeux, et tu ne croiras pas en ta Vie› (*Deut.* 28,66). Ainsi, ceux qui ne l'ont pas reçu n'ont pas reçu la Vie. ‹Mais à tous ceux qui l'ont reçu il a donné le pouvoir de devenir enfants de Dieu› (*Jn* 1,12)»[159].

Ce texte pourrait se laisser paraphraser de la manière suivante. L'Auteur du monde, c'est le Verbe de Dieu; il est aussi notre Seigneur. Dans les derniers temps, le Verbe s'est fait homme, alors qu'il était déjà dans le monde et qu'au plan invisible il était planté ou, si l'on veut, fiché, enfoncé dans l'univers créé[160], pénétrant donc celui-ci de son influx créateur pour, de la sorte, le soutenir, le gouverner et le disposer. C'est pourquoi il vient dans son propre domaine de manière visible, c'est-à-dire comme homme, et non seulement comme homme, mais encore comme *un homme suspendu, pendu au bois de la Croix.*

---

[156] *Infixus* (*ira : i ners xačaçeal*) ** ἐμπεπηγώς. Pour les raisons exprimées dans sa note justificative (voir: SC.152, pp. 296ss) et reprises plus en détail dans son article: *Le Verbe ‹imprimé en forme de croix dans l'univers›: A propos de deux passages de saint Irénée,* dans ‹*Armeniaca*›. *Mélanges d'études arméniennes,* St. Lazare-Venise, 1969, pp. 74–75.80, A. Rousseau avait jadis cru bon de proposer κεχιασμένος (SC.245,67–68) comme substrat grec à *infixus- i ners xačaçeal.* Or, à la suite d'un nouvel examen du problème, il est aujourd'hui d'avis qu'il faudrait plutôt opter pour ἐμπεπηγώς (participe parfait de ἐμπήγνυμι: ficher dans, enfoncer dans [Bailly]). Les explications que le R. P. a eu l'amabilité de nous communiquer nous semblent plus que convaincantes. C'est pourquoi nous adoptons la modification proposée avec ce qui s'ensuit pour la traduction française.

[157] L'*irl* et l'*ira* ont *invisibiliter.* Comme A. Rousseau le remarque avec raison (cf. *Note Justif.* P. 245, n. 3 dans SC.152, p. 302), les exigences contraignantes du contexte plaident dans aucun doute pour *visibiliter* ** ὁρατῶς.

[158] Cf. *Act.* 5,30; 10,39; *Gal.* 3,13; *Deut.* 21,22–23.

[159] *AH.*V.18,3 / SC.244–246,66–79.

[160] Dans son livre: *Los primeros herejes ante la Persecución.* Estudios Valentinianos, Vol. V (coll. Analecta Gregoriana, 83), Roma, 1956, A. Orbe prend occasion du mot *infixus* pour parler d'une «crucifixión [invisible] del Verbo»: «Y ese mismo Verbo, en cuanto invisible, da cohesión al mundo, por él creado. Pues bien, esta segunda actividad es considerada por S. Ireneo como una crucifixión» A. Orbe, o.c., p. 214. Sans parler des raisons d'ordre philologique et contextuel qui rendent difficile, pour ne pas dire impossible, la restitution d'*infixus- i ners xačaçeal* par ἐσταυρωμένος (restitution forcément sousjacente à l'interprétation de l'auteur) – ici encore, nous nous référons aux arguments que le R. P. A. Rousseau nous a fait parvenir; nous lui laissons le soin de les faire connaître lui-même à un public plus vaste –, l'idée d'une «crucifixión (invisible) del Verbo» est, à notre connaissance, inconnue des Pères de l'Eglise.

De cette manière, notre Seigneur est l'expression concrète-visible de sa présence et de son activité démiurgiques invisibles auprès de toutes choses. Cela, Moïse l'avait déjà annoncé: «Ta vie[161] sera suspendue sous tes yeux …» (*Deut.* 28,66)[162], texte faisant ici écho à l'enseignement de Jean selon lequel la gloire du «Fils unique» – entendons du Fils qui est aussi le Créateur – éclate aux yeux des hommes à travers la chair du Verbe (cf. *Jn* 1,14b)[163].

Le seul et unique Verbe-Fils s'offre ainsi à voir aux «siens, c'est-à-dire aux hommes». Les uns ne l'ont pas accueilli, selon le mot de Jean (cf. *Jn* 1,11) et de Moïse (cf. *Deut.* 28,66). «Mais à tous ceux qui l'ont reçu il a donné le pouvoir de devenir enfants de Dieu» (*Jn* 1,12). Comme Verbe de Dieu uni à la chair et crucifié, il récapitule en lui les hommes et leur manifeste la royauté qu'il exerce de manière invisible sur la création universelle; il peut donc faire venir sur tous un juste jugement.

A la suite de cette paraphrase, il apparaît clairement que nous sommes en présence d'une manifestation du Verbe-Fils Créateur s'effectuant dans *la suspension du Verbe fait homme au bois de la Croix*. En d'autres termes, en contemplant *l'homme pendu à la Croix,* les hommes ont pu voir, de leurs yeux de chair, celui qui, planté, enfoncé, fiché, de manière invisible, dans l'univers créé, le pénétrait de sa puissance.

C'est à une conclusion analogue que nous a conduit le début de cette péricope, sauf que l'objet de cette manifestation était le Verbe présent, de manière invisible, auprès du peuple ancien.

Dans un passage de l'*Epideixis*, Irénée perçoit les choses autrement:

«Et, parce que lui-même est le Verbe du Dieu tout-puissant, (Verbe) qui, au plan invisible, s'étend à la création entière et soutient (cf. *Sag.* 1,7) sa longueur et sa largeur et sa hauteur et sa profondeur (cf. *Eph.* 3,18) – car c'est par le Verbe de Dieu que l'univers est régi –, il a été aussi crucifié en ces (quatre dimensions), lui, le Fils de Dieu qui se trouvait (déjà) imprimé en forme de croix (**κεχιασμένος) dans l'univers: il fa/llait/ en effet que le (Fils de Dieu), en devenant visible, produisît au jour son impression en forme de croix /dans/ l'univers, afin de révéler, par sa posture visible (de crucifié), son action au plan /in/visible …»[164].

---

[161] C'est-à-dire le Verbe créateur: cf. *Jn* 1,4 qui est appliqué en *AH*.III.11,1 / SC.142 au Verbe créateur. Voir, du reste, le texte cité à la note suivante.

[162] «Il (Moïse) indique encore que Celui qui les a créés et faits au commencement, le Verbe, se montrera aussi dans les derniers temps, ‹suspendu au bois› (*Act.* 5,30; 10,39; *Gal.* 3,13; *Deut.* 21,22–23) pour nous racheter et nous vivifier, et qu'ils ne croiront pas en lui:‹Ta Vie, dit-il, sera suspendue sous tes yeux, et tu ne croiras pas en ta Vie› (*Deut.* 28,66)» *AH*.IV.10,2 / SC.496,42–47.

[163] *AH*.V.18,2 / SC.242. Voir un peu plus haut dans notre texte.

[164] Nous reproduisons ici la traduction de A. Rousseau (*Note Justif.* P. 245, n. 2 dans SC.152, p. 298) faite d'après la version arménienne que l'auteur corrige à quelques endroits. Ces

Tandis que, dans la péricope précédente, il s'agissait d'une manifestation centrée sur le fait d'être porté par le bois, symbole de la création, ou, si l'on veut, sur le fait de la suspension à la Croix, il s'agit ici *de la forme de la Croix*. En effet, *par sa posture de Crucifié*, ou *par sa crucifixion aux quatre dimensions du monde,* dit Irénée, le Verbe visible-incarné révèle sa présence et son action invisibles dans la totalité de la création, il se révèle comme Créateur invisiblement «imprimé en forme de croix dans l'univers»[164a].

B. Analyse des textes situés dans le cadre de la démonstration de l'unité du Christ Jésus

Dès les premières lignes du chapitre 16 du troisième livre de l'*Adversus Haereses* où Irénée traite de la démonstration de l'unité du Christ Jésus, il se réfère à la christologie gnostique, notamment à celle des disciples de

corrections sont indiquées dans notre transcription par les mots ou parties de mots placés entre des traits parallèles. Pour la justification de cette traduction, voir la note justificative mentionnée plus haut (o.c., pp. 298–300) et A. Rousseau, *Le Verbe...,* pp. 71–78.

[164a] Depuis l'étude de W. Bousset, *Platons Weltseele und das Kreuz Christi,* dans ZNW 14 (1913), pp. 273–285, la plupart des auteurs reconnaissent qu'Irénée reprend ici un mot de Platon (*Timée,* 8, 36 BC) à travers Justin: Καὶ τὸ ἐν τῷ παρὰ Πλάτωνι Τιμαίῳ φυσιολογούμενον περὶ τοῦ Υἱοῦ τοῦ Θεοῦ ὅτε λέγει· «'Εχίασεν αὐτὸν ἐν τῷ παντί», παρὰ Μωϋσέως λαβὼν ὁμοίως εἶπεν « I Apol 60,1/69 (voir encore: Ibd. 5/29 et 7/30). – Sur la théologie de la Croix de l'évêque de Lyon, voir, outre les monographies déjà citées de A. Rousseau, J. P. Smith, *St. Irenaeus ...,* p. 172, note 171; A. Orbe, *Los primeros...,* pp. 213–241; A. Houssiau, *La christologie...,* pp. 107–110; A. Grillmeier, *Der Logos am Kreuz. Zur christologischen Symbolik der älteren Kreuzigungsdarstellung,* München, 1956, pp. 64ss; J. Daniélou, *Théologie du Judéo-christianisme* (coll. Bibliothèque de théologie), Paris–Tournai–New York–Rome, 1958, pp, 303–311. – A l'occasion de cette étude, citons ce beau texte de Balthasar: «Das Denken des Irenäus bildet eine große Achse: Die eine Bewegung geht steil zu Gott: aus dem kalten Hochmut und der irdischen Geheimwissenschaft der Gnostiker flieht er geradenwegs in die rettende Höhe des immer größeren, immer unerfaßlichen Gottes. Der andere Bewegung aber unterstreicht breit, langsam, schwer, die Längslinie der Erde: gegen den leeren Spiritualismus und die stolze Verachtung des Leibes bei den Gnostikern bindet er unerbittlich den Menschen an das unverkürzte, unverhimmelte Diesseits. Irenäus ist der ausgesprochene Vater des ‹Realismus› der christlichen Theologie. Diese Erde und keine andere, dieser Leib und kein anderer muß die Gnade in sich aufnehmen können, wenn es überhaupt Erlösung geben soll.

In dieser Achse steht das Bild des Menschensohnes, der Himmel und Erde in Eins bindet. Er ist der erste Prüfstein christlicher Wahrheit. Nur in ihm löst sich das Paradox, das die Gnosis vergeblich zu bewältigen sucht: daß Gott wesenhaft unsichtbar ist, der Mensch aber wesenhaft nach Anschauung Gottes verlangt.

Aber diese Einung von Gott und Welt vollzieht sich im Leiden im Ausgespanntwerden zwischen Höhe und Tiefe, Breite und Länge. Die Kreuzbalken werden Weltmitte, und sofern alle Kreatur in diesem Zeichen erlöst wird, werden sie zum ‹Wasserzeichen› jeglichen Seins in der Welt» H. U. von Balthasar, *Geduld des Reifens. Die christliche Antwort auf den gnostischen Mythos des zweiten Jahrhunderts,* Basel, 1943, p. 20.

Ptolémée[165]. Il nous avertit, de ce fait, qu'il situera sa réflexion christologique sur un arrière-fond polémique.

Pour bien comprendre les textes qui intéressent notre sujet, il faudra donc avoir clairement présente à l'esprit la position de l'adversaire. C'est pourquoi, avant de passer à l'analyse de ces passages (b), nous allons exposer brièvement la christologie de ce groupe de gnostiques. Nous le ferons en nous référant, dans un premier temps, aux données de la *Grande notice*; puis, nous reviendrons aux résumés du livre III qui spécifieront encore l'angle sous lequel notre auteur entend s'attaquer à ses adversaires (a).

a) Eléments de christologie ptoléméenne

D'après la *Grande Notice,* le «Sauveur d'en-haut»[166] est issu de tous les Eons du Plérôme[167]; il est leur «fruit parfait» émis en l'honneur et à la gloire de l'«Abîme»[168].

Dans un dessein de salut[169], il va prendre les prémices de ce qu'il peut sauver. Il prend d'abord l'élément pneumatique (= «semence spirituelle») qui lui vient d'Achamôth. Il prend encore l'élément psychique dont le revêt le «Démiurge». C'est le Christ psychique, fils du «Démiurge», celui «qui est passé par Marie comme l'eau par un tube». Comme il ne peut prendre l'élément hylique (= la chair) «incapable de salut», il va se voir entouré d'un corps de substance psychique, «organisé avec un art indicible de manière à devenir visible, palpable et passible»

---

[165] *AH*.III.16,6 / SC.310–312. Nous la retrouvons, dominante et bien identifiée, dès les premières lignes de ce chapitre 16. Cf. encore *AH*.III.16,8 / SC.328; *AH*.III.17,1 / SC.318; *AH*.III.17,4 / SC.338.

[166] Il peut porter également le nom «Christ«, comme «Logos«, «Tout», «car il provient de tous» (*AH*.I.2,6 / HV 23). Remarquons cependant que le nom «Christ» est, au sens propre, celui de l'Eon émis par le «Monogène» pour consolider le Plérôme (cf. *AH*.I.2,5 / Hv 21).

[167] *AH*.I.7,2 / Hv 60–62.

[168] *AH*.I.2,6 / Hv 23. – Le «Sauveur d'en-haut» se situe à la fin d'une série d'émissions ayant pour sujets en remontant vers l'«Abîme»: 1. le «Christ» (cf. *AH*.I.1,5); 2. le «Logos» (cf. *AH*.I.1,1); 3. le «Monogène» (cf. *AH*.I.1,1). Irénée perçoit cette doctrine comme une «mise en pièces du Fils de Dieu»: ... *alterum autem Christum, et alterum Unigenitum, alterum autem rursus esse Verbum, et alterum Salvatorem* ... AH.III.16,255–257; cf. *AH*.I.9,2 / Hv 82; *AH*.IV.Pr.3 / SC.386 ; *AH*.IV.33,3 / SC.808–810; etc. En se référant, comme ses adversaires, au Prologue de Jean (cf. *AH*.I.9,2 / HV 82), il affirme vigoureusement (pour la réfutation en bonne et due forme de ces émissions, cf. *AH*.II.13ss / Hv 280ss) qu'il n'y a qu'un Fils unique (sur sa génération, il convient de se taire: cf. *AH*.II.28,6 / Hv 355) ou qu'il y a un Monogène qui est aussi bien le Verbe, le Christ, le Sauveur. C'est lui qui vient parmi les hommes, et non l'Eon «Sauveur» totalement distinct de ses comparses, plus particulièrement du «Monogène» et, de là, du «Père» suprême.

[169] L'exposé qui va suivre est tiré de *AH*.I.6,1 / Hv 51–53 et de *AH*.I.7,2 / Hv 60–62.

(*ut et visibile, et palpabile, et passibile fieret* * ὁρατὸν καὶ ψηλαφητὸν καὶ παθητὸν γενέσθαι); c'est l'élément d'«économie» d'incarnation.

Le «Sauveur d'en-haut» assume ces divers éléments au moment du baptême du Christ psychique; il descend en lui sous forme de colombe[170]. «Impassible» (*impassibilis* * ἀπαθής) parce qu'«insaisissable et invisible» (*incomprehensibilis-invisibilis* * ἀκράτητος-ἀόρατος)[171], il s'envole [172] vers son lieu d'origine, les «régions ‹invisibles et inexprimables›»[173], au moment où le Christ psychique est traîné devant Pilate. Ce Christ psychique doit affronter seul les souffrances de la passion[173a].

Telle qu'Irénée la présente dans la première moitié de la seconde partie du livre III, cette christologie se trouve quelque peu retouchée. Le «Sauveur d'en-haut» y porte le nom de «Christ»[174]. Il n'y est, en outre, pas question de l'élément «pneumatique» dont Achamôth dotait le «Sauveur d'en-haut». Enfin, le «Christ psychique» y est considéré comme ne formant qu'une seule entité avec l'élément d'«économie»[175]; c'est «Jésus»[176].

Grâce à ces retouches, notre auteur indique clairement où se situe, selon lui, la faille profonde de la doctrine adverse: autre *(alter)* est le «Christ» qui descend du Plérôme au moment du baptême de «Jésus» et y remonte avant la passion; autre *(alter)* est «Jésus» qui naît et qui souffre[177]. C'est dans le cadre de la réfutation de cette erreur que prennent place les textes auxquels nous faisions allusion.

[170] En *AH.*III.10,4 / SC.126, Irénée relève la doctrine gnostique selon laquelle le «Christ supérieur» ou le «Sauveur d'en – haut» serait descendu au moment de la naissance du «Jésus de l'économie». Il note la contradiction de ces deux positions et y voit une réfutation du système par lui-même.

[171] *AH.*I.7,2 / Hv 61,5–7; *AH.*III.16,6 / SC.312,200–201. Ces épithètes ne traduisent pas, nous semble-t-il, la transcendance du «Sauveur», comme c'était le cas pour le «Père» suprême, mais l'irréductibilité de cet Eon au monde d'ici-bas (par opposition au Plérôme). Comme nous le verrons bientôt, Irénée reprendra ces épithètes, mais en leur conférant une autre portée.

[172] Cérinthe (cf. *AH.*I.26,1), les Ophites (cf. *AH.*I.30,12; A. Orbe, *Cristologia de los Ofitas (S. Iren. adv. haer. I 30,11–14)*, dans *EE* 48 (1973), pp. 191–230), Marc le Magicien (cf. *AH.*I.15,3) parlent également de la descente du «Christ d'en-haut» sur «Jésus». Pour le premier et le dernier, cette descente s'effectue au moment du baptême.

[173] *AH.*III.17,4 / SC.340,90.

[173a] Cf. A. Orbe, *La pasión según los gnósticos,* dans *Gr* 56 (1975), pp. 26 ss.

[174] Cf. *AH.*III.16,2 / SC.294,63; *AH.*III.16,6 / SC.310,196; *AH.*III.17,4 / SC.338,84.

[175] *... alterum vero ex dispositione ... AH.*III.16,1 / SC.288,25–26; *... et esse alterum eorum Demiurgi aut eum qui sit ex dispositione ... AH.*III.16,6 / SC.310,196–197; *... in Jesum ... in eum qui sit dispositionis ... AH.*III.17,1 / SC.328,2–3.

[176] Cf. supra, note 174.

[177] Cf. *AH.*III.16,1 / SC.288,26; *AH.*III.16,6 / SC.310,193; *AH.*III.16,9 / SC.322,288–289; *AH.*III.17,4 / SC.340,87. – Dans sa réfutation, Irénée ajoutera aux mystères de la naissance et de la mort de Jésus – Christ celui de sa résurrection: cf. *AH.*III.16,3 / SC.298,93 en relation avec *Ro.* 1,1–4; *AH.*III.16,5 / SC.308,171 en relation avec *Lc* 9,22 et *Lc* 24,44–47; *AH.*III.16,6 / SC.312,207; *AH.*III.16,9 / SC.324,310–311 en relation avec *Ro.* 6,9 et *Ro.* 8,11.34; *AH.*III.18,3 / SC.348,47 en relation surtout avec *I Cor.* 15.

b) Les textes irénéens

Dans l'enfant de Marie qu'il «portait» dans ses bras (cf. *Lc* 2,28) et qu'il voyait de ses yeux de chair[178], écrit Irénée[179], Siméon voyait son «Salut» (cf. *Lc* 2,30)[180] ou reconnaissait le «Christ en personne», le «Fils de Dieu», «la Lumière des hommes et la Gloire d'Israël» (*Lc* 2,32), la «Paix» et le «Rafraîchissement de ceux qui se sont endormis». Car, comme le disait Isaïe: «‹Appelle son nom: ‚Dépouille promptement, fais du butin rapidement›› (*Is.* 8,3)», cet enfant qui était aussi le Christ ««dépouillait» les hommes, en enlevant leur ignorance et en leur octroyant la connaissance de lui-même». Puis, il poursuit:

«C'est donc bien le Christ en personne que portait (*portare* ** βαστά-ζειν) Siméon, lorsqu'il bénissait le Très-Haut (cf. *Lc* 2,28). C'est aussi pour avoir vu (*videre* ** ἰδεῖν) le Christ que les bergers glorifiaient Dieu (cf. *Lc* 2,20). ... C'est aussi après avoir vu (*videre* ** ἰδεῖν) et adoré le Christ, ... que les mages s'en retournèrent par un autre chemin (cf. *Mat.* 2,11–12) ...»

Dans ce texte, nous trouvons l'affirmation claire que le Christ se rend palpable-visible, palpabilité-visibilité qui signifie son *humanité*. En vertu du contexte où ce passage se situe, le *réalisme* de son humanité fait en outre partie intégrante de cette palpabilité-visibilité. Sans préjudice de la seconde dimension à donner à «porter» et à «voir le Christ» que le texte suggère et sur laquelle nous aurons l'occasion de revenir[181], nous pouvons enfin y reconnaître l'intention expresse de notre auteur d'attirer l'attention sur le point suivant: en «portant» ou en voyant l'enfant de la Vierge,

---

[178] Dans le premier temps de cette péricope, «voir» ne se rapporte pas à «Jésus», à l'homme, mais au «Christ», au «Fils de Dieu». C'est dire qu'à l'encontre de Sagnard, par exemple, (cf. SC.34, pp. 285–287), nous lisons:
a) ... *nisi prius videret Christum* (*Lc* 2,28)
b) *Jesum hunc manibus accipiens Virginis primogenitum* ...
Notre lecture (confirmée par celle de Rousseau: cf. SC.210, pp. 318–319) nous semble recommandée, entre autres, par la structure de l'ensemble du passage:
a) ... *videret Christum* ... – ... *viderunt oculi mei Salutare tuum* (*Lc* 2,30) ... – ... *ipsum confitens esse Christum Dei* ...
b) ... *Jesum hunc manibus accipiens Virginis primogenitum* ... – ... *infantem quem in manibus portabat Jesum natum ex Maria* ...
Cela dit, rien ne s'oppose à ce que nous joignions ici «voir» à «porter Jésus», d'autant plus qu'un peu plus bas Irénée rapprochera «porter» et «voir le Christ».

[179] *AH*.III.16,4 / SC.300–306.

[180] Irénée pourrait ici faire allusion au «Sauveur d'en-haut» des ptoléméens.

[181] Cf. § 16.

Siméon «portait» et – tout comme les bergers et les mages – «voyait le Christ», puisque cet Enfant était le Fils de Dieu en personne[182].
Quelques alinéas plus loin, Irénée écrit:

«Il n'y a donc ... qu'un seul Christ Jésus, notre Seigneur, qui est venu à travers toute l'‹économie› et qui a tout récapitulé en lui-même (cf. *Eph.* 1,10). Dans ce ‹tout› est aussi compris l'homme, cet ouvrage modelé par Dieu: il a donc récapitulé aussi l'homme en lui, d'invisible devenant visible (*invisibilis visibilis factus* ** ἀόρατος ὁρατὸς γενόμενος), d'insaisissable, saisissable, d'impassible, passible, de Verbe, homme. Il a tout récapitulé en lui-même, afin que, tout comme le Verbe de Dieu a la primauté sur les êtres supracélestes, spirituels et invisibles, il l'ait aussi sur les êtres visibles et corporels (cf. *Col.* 1,18), et que, en assumant en lui cette primauté et en se donnant lui-même comme tête à l'Eglise (cf. *Eph.* 1,22), il attire tout à lui (cf. *Jn* 12,32) au moment opportun»[183].

Invisibilis visibilis factus ... Pour pouvoir mieux dégager le sens de cette formule, tâchons de retracer la démarche de la pensée.
Dans les lignes qui précèdent le passage cité, Irénée affirme, sur la base de *Jn* 1,14, l'unité du Verbe-Fils de Dieu avec la chair (*caro* ** σάρξ), avec l'œuvre par lui modelée (*plasmatio* ** πλάσμα). Pour décrire cette unité, il parle d'imprégnation, de mélange (*consparsus*) évoquant la farine et l'argile détrempées d'eau qui servent à confectionner le pain et à mouler l'œuvre d'art[184]. Auparavant, il a eu soin de souligner, sous l'inspiration sans doute des premiers versets du Prologue johannique, que ce Verbe-Fils de Dieu est celui-là même «qui était de tout temps présent à l'humanité». Il entend ainsi s'opposer à la thèse de ses adversaires qui affirme: «Si le Christ est né à ce moment-là, il n'existait donc pas auparavant»[185].
Nous trouvons l'écho de cette doctrine dans la première phrase de notre texte avec la différence que l'union à la chair, au plasma, du Verbe-Fils de Dieu est mentionnée à travers l'idée scripturaire de la récapitulation. De cette manière, Irénée veut signaler que l'union du Christ à la chair ne

---

[182] Cf. *AH.*IV.7,1 / SC.456 où nous trouvons une doctrine analogue. Conformément au contexte, la question de l'unité du Christ Jésus n'est cependant pas aussi fortement accentuée.

[183] *AH.*III.16,6 / SC.312–314,211–223.

[184] L'image du pétrissage et du modelage suggérée ici est utilisée avec prédilection par Irénée pour décrire l'action des trois Personnes de la Trinité dans l'œuvre de la création et de la recréation de l'homme (cf. *AH.*IV.39,2 / SC.966; *AH.*V.14,2 / SC.186; *AH.*V.15,2 / SC.204; *AH.*V.28,4 / SC.360–362). Il la découvre dans l'Ecriture (cf. *Gen.* 2,7; *Jn* 9,6) et chez ses devanciers, comme Ignace d'Antioche, par exemple: *Ro.* 4,1/110; cf. *AH.*V.28,4.

[185] *AH.*III.18,1 / SC.342,6–7.

va pas contre son unicité[186]. Par elle, en effet, le Christ a comme résumé[187] chacune de ses venues antérieures dans le temps. En d'autres termes, si, en s'unissant à la chair, le Christ a repris, concentré ses diverses interventions dans l'histoire, la preuve est faite qu'il y fut toujours présent ou qu'il en est le Seigneur.

Puis notre auteur poursuit: Dans ce «tout» que le Christ Jésus récapitule, sont inclus, non seulement ses activités gracieuses de tous les temps, mais encore l'homme, l'ouvrage modelé par Dieu. Ainsi donc, en se faisant visible, saisissable, passible, homme, l'Invisible, l'Insaissable, l'Impassible, le Verbe obtient la souveraineté ou assume la primauté[188] sur le monde corporel et visible, tout comme il est la Tête, comme Verbe, des êtres supracélestes, spirituels et invisibles[189]. Cette seigneurie sur l'Eglise, cette attirance de toutes choses réalisée à un moment précis du temps, ne va pas, ajoute Irénée, contre l'unicité du Verbe[190], puisqu'elle est effectuée au moment opportun, c'est-à-dire à l'«heure» (cf. *Jn* 2,4[191]; *Jn* 7,30; *Hab.* 3,2[192], à «la plénitude des temps» (cf. *Gal.* 4,4)[193] fixée par le Père.

En suivant ainsi pas à pas la pensée de notre auteur, nous voyons mieux le sens et la portée de son argumentation. Les gnostiques ont tort de séparer le «Christ» de «Jésus», puisque, de la sorte, leur «Christ» n'est ni le Seigneur de l'histoire, ni celui des hommes et de l'Eglise. Si l'on maintient ferme, au contraire, l'unité absolue du Christ et de Jésus ou du Verbe et de l'homme, notre Seigneur exerce une primauté sur tous les temps ainsi que sur les êtres de ce monde.

Cela dit, nous pouvons revenir à notre formule. De toute évidence, elle signifie *l'homme* ou, si l'on veut, *l'humanité* non pas en soi, mais *concrète*, c'est-à-dire *celle des origines et celle qui est soumise à la souffrance*. C'est à cette humanité que le Verbe *s'unit en toute vérité*[194].

---

[186] Selon l'objection des gnostiques évoquée plus haut.

[187] Sur ce sens donné à la récapitulation, voir A. Houssiau, *La christologie ...*, pp. 220–221. – On aura constaté qu'Irénée répète ici sous une autre forme ce qu'il enseigne ailleurs. Cf. la note 37 de la p. 78; les pp. 81–82 et la note 58.

[188] Cf. E. Scharl, *Recapitulatio mundi ...*, pp. 28ss; A. Houssiau, *La christologie ...*, pp. 223–224; A. d'Alès, *La doctrine de la récapitulation en Saint Irénée*, dans *RSR* 6 (1916), pp. 189ss.

[189] Primauté admise par les ptoléméens.

[190] Toujours selon l'objection gnostique déjà connue.

[191] En référence à la «coupe de l'abrégé» (signifiée par le «signe du vin» à Cana: *Jn* 2,3) donnée en partage au cours du repas précédant la mort du Seigneur. Il est fort probable qu'Irénée pense à l'Eucharistie associée ici à l'«heure» de la passion.

[192] En référence ici à la passion.

[193] En référence au «devenir Fils de l'homme» du «Fils de Dieu».

[194] Au sujet de notre formule, F. Loofs écrit: «Auch hier liegt lediglich eine Übertragung älterer Formeln in einen neuen Zusammenhang, ein Herabziehen hoher Gedanken auf das Niveau der Christologie des Irenaeus vor. Was die ältere Überlieferung von der

Nous retrouvons une doctrine analogue en substance dans d'autres passages ayant trait à notre sujet et visant deux points bien précis de la christologie ptoléméenne dont le dernier est associé au docétisme.
Selon les ptoléméens, Jean aurait, au début de son Prologue, établi l'existence de leur Ogdoade primitive[195]. Au verset 14, il n'aurait pas été

Offenbarung des unsichtbaren Gottes in dem sichtbaren Jesus Christus der Geschichte gesagt hatte, ist hier zu einer Aussage über das Verhältnis des λόγος ἄσαρκος zu dem ἔναρκος geworden» F. Loofs, *Theophilus* . . . , p. 355.
Ainsi donc, à la formule Dieu (= Père) invisible-Jésus Christ visible de l'histoire, où ce dernier n'est pas considéré comme un deuxième Dieu à côté du θεὸς πατήρ, mais est Dieu en ce sens qu'il est l'«Erscheinung des überzeitlichen und unsichtbaren Gottes» (= Offenbarungsidentität) (Ibd., p. 201), Irénée aurait substitué la formule christologique de *AH*.III.16,6 qui est de son cru. En d'autres termes, il aurait abaissé la formule théologique au plan du rapport entre le Logos ἄσαρκος et le Logos ἔναρκος.
Cette formule serait à rattacher à Ignace d'Antioche (cf. *Polyc.* 3,2/148) qui serait pourtant un représentant de la perspective originelle (cf. Ibd., p. 201 et la note 1). La transformation que lui fait subir notre auteur serait due à l'influence des Apologètes, notamment de Justin (cf. Ibd., p. 356).
A. Houssiau s'est penché sur le problème soulevé par Loofs (*La christologie* . . . , pp. 230–233). Il admet d'abord qu'Irénée a pu transposer des formules primitives, mais que cette transposition n'est pas telle que Loofs se la représente. En outre, il refuse toute dépendance d'Irénée à l'égard de Justin; c'est même en prenant ses distances vis-à-vis de l'Apologète que l'évêque de Lyon en serait venu à sa perspective propre. Décrivons à grands traits sa démonstration. Après avoir souligné que la formule d'Irénée s'inspire de façon lointaine du prologue de *I Jn*, il montre que la formule christologique (et non théologique) d'Ignace (*Polyc.* 3,2/148) garde une dialectique en trois temps selon laquelle la vie terrestre du Christ s'oppose à la fois à sa préexistence et à sa gloire de ressuscité, tandis que celle d'Irénée développe une dialectique en deux temps où il n'est plus question que de la préexistence et de la présence humaine du Verbe. Dans son paragraphe consacré aux rapports d'Irénée à Justin, Houssiau remarque d'abord que l'on retrouve chez Irénée l'antithèse *invisibilis-visibilis* qui, cette fois, est théologique, puisqu'elle s'applique à deux personnes, le Père et le Fils; c'est la doctrine de Jean. Pour Irénée comme pour l'Evangéliste, poursuit-il, le Père ne s'est rendu visible dans le Fils que dans le Nouveau Testament. Cette doctrine implique que le Fils soit, dans l'Ancien Testament, aussi invisible que le Père, doctrine qui s'oppose à celle de Justin pour qui le Fils s'est rendu visible dès l'Ancien Testament. En raison de l'abandon par Irénée des conceptions de Justin, l'antithèse Père invisible-Fils visible se transposera aisément en cette autre: Verbe invisible devenu visible.
Ces réflexion d'Houssiau nous semblent pour l'essentiel défendables, à condition qu'Irénée ait vraiment utilisé une formule déjà existante (Loofs). Or ce point nous apparaît plus que douteux. En effet, notre auteur a devant les yeux l'hérésie gnostique qui parle d'un «Christ» «invisible, insaisissable, impassible» distinct (= descente-remontée) du «Jésus» psychique «visible, saisissable et passible» (cf. pp. 111–112). En raison du cadre dans lequel Irénée se place, ne serait-il pas plus simple et convaincant de croire que son langage est pratiquement conditionné par les catégories de ses adversaires, auxquelles il confère un autre contenu (invisibilité = indice de la transcendance, de la divinité – visibilité = l'humanité, la chair au sens strict) et qu'il situe, au nom de sa foi, dans un rapport différent (= unité absolue)?
[195] Constituée: a) 1. du «Père»; 2. de la «Grâce»; b) 3. du «Monogène»; 4. de la «Vérité»; c) 5. du «Logos»; 6. de la «Vie»; d) 7. de l'«Homme»; 8. et de l'«Eglise».

question du «Logos», «puisqu'il n'est même jamais sorti du Plérôme», «mais bien (du) Sauveur ... issu de tous les Eons et postérieur au Logos»[196]. Il s'ensuivait, en vertu, d'une part, de cette allusion à l'Ogdoade primitive et, d'autre part, de cette divisions entre «Logos» et «Sauveur», que Jean n'aurait pas, dans son Prologue, parlé du Seigneur lui-même!

Irénée va s'opposer à cette aberration en montrant que, dans le verset 14, l'apôtre se réfère explicitement au Verbe dont il a parlé au commencement de son Evangile – ce qui implique la réfutation de l'existence d'une Ogdoade primitive et de la séparation entre «Logos» et «Sauveur». Puis, il écrit:

> «Le Sauveur, disent-ils, s'est revêtu d'un corps psychique (*induisse corpus animale* * ἐνδύσασθαι σῶμα ψυχικόν) disposé par une providence inexprimable, suivant l'‹économie› (d'incarnation), de façon à être visible et palpable (*ut visibile et palpabile fieret* * πρὸς τὸ ὁρατὸν γενέσθαι καὶ ψηλαφητόν)»[197].

Mais, poursuit-il:

> «La chair (*caro* * σάρξ) n'est autre que l'antique modelage d'argile (*illa vetus de limo ... plasmatio* * ἡ ἀρχαία ἐκ τοῦ χοῦ ... πλάσις) effectué par Dieu en Adam, et c'est cette chair même qu'au dire de Jean le Verbe de Dieu est en toute vérité devenu (*vere factum* * ἀληθῶς γεγονέναι)»[198].

Ainsi donc, à la visibilité-palpabilité dont le «Sauveur» ne se serait que «revêtu», Irénée oppose la * σάρξ, l'*ἀρχαία πλάσις que le Verbe de Dieu en personne, entendons «le Verbe du Père», «le Fils unique du Dieu unique»[199], est devenu en toute vérité. –

Dans le livre V de l'*Adversus Haereses*[200], notre auteur parle de l'apparition en apparence (*putative apparere* ** δοκήσει φαίνεσθαι) du Seigneur défendue par les Docètes[201]. Il associe cette doctrine à la thèse ptoléméenne[202]

---

[196] Cf. *AH*.I.9,2 / Hv 83,10–13. Voir p. 111, note 168.

[197] Remarquons qu'Irénée ne fait pas mention ici de l'épithète παθητός.

[198] *AH*.I.9,3 / Hv 84,9–85,4.

[199] Voir un peu plus haut dans le même alinéa.

[200] *AH*.V.1,2 / SC.22–24.

[201] Ce groupe d'hérétiques est explicitement mentionné à côté d'autres en *AH*.IV.33,5 / SC.814. C'est très probablement à lui qu'Irénée pense en *AH*.III.18,7 / SC.366.370. – Cf. Ignace d'Antioche, *Trall.* 9,1–10/100–102; *Smyrn.* 1,1–3,2/132–134.

[202] Cf. *AH*.V.1,2 / SC.24. – Ce rapprochement avec l'hérésie docète vaut également pour la christologie de Simon le Magicien (cf. *AH*.I.23,3 / Hv 193), de Saturnin (cf. *AH*.I.24,2 / Hv 197), de Basilide (cf. *AH*.I.24,4 / Hv 200), de Marcion – du moins selon l'interprétation qu'Irénée donne du *in hominis forma manifestatum* de Jésus (cf. *AH*.I.27,2 / Hv 216–227; A. v. Harnack, *Marcion ...*, pp. 162–164) en *AH*.III.11,3 / SC.148,77–79, en

du Seigneur ou du «Christ» qui «n'a rien reçu de Marie»[203].

Pour réfuter ses adversaires, il oppose les œuvres du salut de Dieu en faveur de sa créature[204] et les conséquences absurdes[205] qui résultent tour à tour de la véracité et de la fausseté de l'apparition du Seigneur. Or, qu'entend-il sous cette authentique apparition du Seigneur? C'est, dit-il, «l'homme» (homo * ἄνθρωπος) qu'est véritablement (in substantia veritatis * ἐν ὑποστάσει ἀληθείας)[206] le Verbe; c'est «le sang et la chair» (sanguis-caro * αἷμα-σάρξ) qu'il possède «réellement» (vere * ἀληθῶς); c'est «l'antique ouvrage modelé» (antiqua plasmatio * ἀρχαία πλάσις)[207] qu'il récapitule «en lui-même» (in semetipsum * εἰς ἑαυτόν)[208].

L'apparition du Verbe, c'est donc *l'homme, la chair, cette chair sortie des Mains de Dieu et fourvoyée dans le péché.* C'est encore *la réalité même* de cette chair, et non quelque chose qui lui ressemblerait. C'est enfin cette chair en tant qu'elle est *en toute vérité* celle du Verbe de Dieu.

De là, nous pouvons affirmer qu'à travers cette humanité, cette vie humaine, l'homme peut voir le Verbe, son mystère divin, ou que toute la vie humaine du Verbe est l'expression de sa perfection divine. C'est au reste ce qu'Irénée dit en toutes lettres au début de l'alinéa précédent: par l'humanité, par la vie humaine du «Verbe», nous pouvons «voir notre Maître», le Verbe, et, par lui, «connaître les mystères de Dieu» qu'il est seul à «connaître» comme «propre Verbe du Père» (cf. *Jn* 1,18; *Ro.* 11,34)[209].

AH.V.2,1 / SC.28,7–8 et surtout en AH.IV.33,2 / SC.806,46–47: *Quomodo autem et cum caro non esset, sed p a r e r e t q u a s i h o m o* (c'est nous qui soulignons).

[203] Par cette clause, Irénée fait directement allusion à la *qualité* du corps pris par le «Christ»: il est «psychique», ou il est passé «à travers (per * διά) Marie comme l'eau à travers un tube» (cf. AH.I.7,2 / Hv 60,2–3 et la p. 111; cf. encore AH.III.11,3 / SC.146,67–68; AH.III.22,1 / SC.430). En vertu du contexte, notre auteur fait également allusion au *rapport tout extrinsèque* que les ptoléméns disaient exister entre le «Christ» et «Jésus». C'est bien ce que confirme la réponse qu'il oppose à l'hérésie ptoléméenne à la fin du présent alinéa (voir un peu plus bas dans notre texte). Cf. AH.I.9,3 où Irénée réunit aussi ces deux aspects (voir un peu plus haut dans notre texte).

[204] Cf. AH.V.1,1 / SC.18–20.

[205] a) Le Verbe ne serait pas demeuré ce qu'il était, à savoir «Esprit de Dieu invisible» ou cette «Réalité spirituelle qu'est Dieu» (A. Rousseau, *Note Justif.* P. 23, n. 1 dans SC.153, p. 202);

b) il n'y aurait aucune vérité en lui (cf. AH.III.18,7 / SC.370; AH.IV.33,5 / SC.814);

c) nous serions, nous hommes du Nouveau Testament, encore dans l'Ancien (cf. § 13).

[206] Dans l'alinéa précédent, Irénée parle de l'*homo verus* ** ἄνθρωπος ἀληθινός qu'est le Verbe.

[207] En AH.III.22,1, Irénée parle d'un «corps tiré de la terre et (d)'une âme qui reçoit de Dieu l'Esprit» et décrit, en référence à l'Ecriture, les traits de l'humanité du Christ.

[208] ... *Suum plasma in semetipsum recapitulans* ... AH.III.22,1 / SC.432,18; *Haec enim omnia signa carnis quae a terra sumpta est, quam in se recapitulatus est, suum plasma salvans* AH.III.22,2 / SC.436,41–42. – La récapitulation signifie ici la reprise ou la réassomption de «l'œuvre primitive». Cf. A. Houssiau, *La christologie* ..., p. 243.

[209] AH.V.1,1 / SC.16.

En terminant, illustrons encore cette donnée à l'aide d'un passage où notre auteur s'applique à démontrer contre les ptoléméens que c'était le Christ ou le Verbe en personne qui, loin «de s'envoler de Jésus» au moment de la passion[210], souffrait sur la croix:

> «De même, cette parole du Seigneur sur la croix: ‹Père, pardonne-leur, car ils ne savent ce qu'ils font› (*Lc* 23,34) – révèle la longanimité, la patience, la miséricorde et la bonté du Christ, puisque tout à la fois lui-même a souffert la Passion et a excusé ceux qui le maltraitaient. Car cette parole que nous a dite le Verbe de Dieu: ‹Aimez vos ennemis et priez pour ceux qui vous haïssent› (*Mat.* 5,44; *Lc* 6,27–28), il l'a lui-même mise en pratique sur la croix, en aimant le genre humain jusqu'à prier pour ceux-là mêmes qui le faisaient mourir»[211].

Contre la doctrine dualiste des hérétiques, Irénée affirme donc la présence du Verbe ou du Christ sur la Croix. En effet, dans l'attitude de pardon du Crucifié cristallisée dans la parole: «Père, pardonne-leur, car ils ne savent ce qu'ils font» – reprise et accomplissement de celle que le Verbe[212] avait prononcée à un moment donné de sa vie humaine –, sont manifestées les qualités propres à la perfection de Dieu, à savoir la longanimité, la patience, la miséricorde, la bonté, une philanthropie sans mesure.

* * *

Avant de passer à notre prochain article, tâchons de faire le point sur l'état de notre recherche. La manifestation du Verbe-Fils dans la nouvelle Alliance équivaut à sa chair-vie humaine. C'est la conclusion claire à laquelle nous sommes parvenu à partir des textes situés dans le cadre de la démonstration de l'unicité du Verbe-Fils. Nous avons vu cette manifestation se spécifier encore, en ce sens qu'elle fut identifiée soit à des actes concrets du Seigneur, soit au fait de sa suspension au bois de la Croix, soit même à sa posture de Crucifié.

Si cette manifestation laisse paraître la Face du Verbe-Fils, elle en dévoile, conformément au contexte, surtout un aspect. Elle montre que le Verbe-Fils venu à la fin est *aussi* le Créateur de l'univers (= l'acte d'enduire de boue les yeux de l'aveugle-né; la suspension au bois; la posture sur la Croix). Elle montre encore qu'il est *tout à la fois* Créateur et Sauveur (= les actes, posés par le même Seigneur, d'enduire de boue les yeux de l'aveugle-né et de l'envoyer à la piscine de Siloé) et que, comme Sauveur,

---

[210] Cf. p. 112.
[211] *AH*.III.18,5 / SC.360,131–139.
[212] Remarquons qu'Irénée attribue *Mat.* 5,44 explicitement au *Verbe de Dieu*.

il fut *toujours présent* à l'humanité (= la suspension au bois: une Tête, deux mains étendues).

C'est à une conclusion analogue que nous sommes arrivé à la suite de l'analyse des textes situés, cette fois, dans le cadre de la démonstration de l'unité du Christ Jésus. Conformément au contexte, Irénée pouvait toutefois y mettre mieux en relief – ce qui était, bien sûr, supposé dans les passages de la perspective précédente – l'épaisseur de la chair-vie humaine – elle est la chair des origines, la chair de péché, la chair soumise à la souffrance –, son réalisme et, enfin, le lien parfait du Verbe de Dieu avec cette chair.

De cette manifestation apparaît le Visage du Verbe-Fils non pas, comme précédemment, sous l'aspect de ce qu'est ce Fils ou de son unicité, mais sous celui de *la perfection inhérente* à l'Etre divin, l'amour miséricordieux par exemple.

Art. 2: Dans le temps de l'Eglise

Ressuscité d'entre les morts et monté à la droite de son Père, le Seigneur a-t-il laissé aux hommes qui viendraient après son départ pour le ciel une manifestation de lui-même semblable[213] à celle dont ont joui ses contemporains? Autrement dit, Irénée conçoit-il que le Verbe-Fils apparaisse à ceux qui vivent dans le temps situé entre son retour vers le Père et son «apparition» marquant les débuts de son «Royaume»?

Irénée ne semble pas toujours faire de distinction entre les contemporains du Seigneur et les hommes qui viennent par la suite. Cela se produit lorsqu'il envisage tout ce qui vient après l'apparition effective du Seigneur dans l'Alliance nouvelle comme un tout homogène qu'il compare à l'Alliance ancienne; il y a alors les hommes qui ont annoncé la venue visible du Seigneur, les patriarches et les prophètes, et ceux qui ont joui de la réalisation de cette promesse, désignant aussi bien les disciples immédiats du Seigneur que les membres de l'Eglise postérieurs à son départ.

A d'autres endroits de son œuvre, cependant, notre auteur fait nettement la distinction évoquée plus haut. Pensons, par exemple, au passage où il fonde la «foi» de l'Eglise sur ««ceux qui furent dès le début *les témoins*

---

[213] C'est dire que nous laissons hors du champ de notre observation l'Eglise communauté de ceux qui, parce qu'ils s'ouvrent au mystère de Dieu qui se manifeste, deviennent à leur tour des «luminaires dans le monde» (*Phil.* 2,15; cf. *Mat.* 5,14; *Gen.* 15,5; 22,17)» (*AH*.IV.7,3 / SC.460; cf. § 20). Cette donnée ressortira d'elle-même à la suite de notre étude de la vision. La ligne que nous avons suivie jusqu'à présent et que nous continuerons à suivre vise la manifestation se rattachant *immédiatement* à Dieu.

oculaires et les serviteurs *du Verbe* (*Lc* 1,2)»[214], en passant par les «presbytres» qui «*ont vu*»[215] «ceux qui avaient ‹vu de leurs yeux le Verbe de vie› (*I Jn* 1,1)»[216]. Ainsi donc, notre question initiale est justifiée. Et la réponse? Nous croyons la découvrir dans l'Eucharistie. S'il voit en effet dans ce sacrement[217], plus précisément dans sa confection, une sorte de réplique de l'incarnation du Verbe-Fils[218], Irénée nous a, en plus, laissé un texte où il saisit d'un seul regard le Seigneur dans «sa venue

---

[214] *AH*.IV.Pr.3 / SC.386 (c'est nous qui soulignons). Cf. *AH*.III.14,2 / SC.266,71–73.

[215] Cf. *AH*.II.22,5 / Hv 331; *AH*.III.3,3 / SC.34; *AH*.IV.27,1 / SC.728 (d'après l'arménien); *AH*.V.30,1 / SC.370; *AH*.V.33,3 / SC.414 (c'est nous qui soulignons). Cf. sur ce point D. van den Eynde, *Les normes...*, pp. 163–164.

[216] Lettre d'Irénée à Florinus rapportée par Eusèbe, *HE*.V.20,5–8/62–63. Irénée se réfère ici particulièrement à l'apôtre Jean vu par le «bienheureux Polycarpe». Il fait implicitement mention de cet état de choses dans l'*Adversus Haereses*: «Mais on peut nommer également Polycarpe. Non seulement il fut disciple des apôtres et vécut avec beaucoup de gens qui avaient vu le Seigneur...» *AH*.III.3,4 / SC.38,67–69.

[217] Mot qui n'est évidemment pas utilisé par Irénée.

[218] Nous nous référons ici plus particulièrement à *AH*.V.2,2–3 / SC.30–32: «S'il n'y a pas de salut pour la chair, alors le Seigneur ne nous a pas non plus rachetés par son sang (cf. *Col.* 1,14), la coupe de l'eucharistie n'est pas une communion à *son sang* et le pain que nous rompons n'est pas une communion à *son corps* (cf. *I Cor.* 10,16). Car le sang ne peut jaillir que de veines, de chairs et de tout le reste de la substance humaine, et c'est pour *être vraiment devenu tout cela* que le Verbe de Dieu nous a rachetés par son sang, comme le dit son Apôtre: ‹En lui nous avons la rédemption par son sang, la rémission des péchés› (*Col.* 1,14). Et parce que nous sommes ses membres (cf. *I Cor.* 6,15; *Eph.* 5,30) et sommes nourris par le moyen de la création (remarquons que le Verbe utilise les biens de la création pour en faire l'eucharistie, non seulement parce que ces biens lui appartiennent (= unicité; voir un peu plus bas dans le texte), mais encore parce que l'homme est nourri de ces biens) – création que lui-même nous procure, en faisant lever son soleil et tomber la pluie selon sa volonté (allusion à l'unicité du Verbe; cf. entre autres *AH*.IV.18,4 / SC.608–610) (cf. *Mat.* 5,45) –, la coupe, tirée de la création, il l'a déclarée *son propre sang* (cf. *Lc* 22,20; *I Cor.* 11,25), par lequel se fortifie notre sang, et le pain, tiré de la création, il l'a proclamé *son propre corps* (cf. *Lc* 22,19; *I Cor.* 11,24), par lequel se fortifient nos corps». – C'est nous qui soulignons.

Betz fait une bonne exégèse de ce passage lorsqu'il écrit: «Nach beiden Texten erfolgt im Abendmahl eine Verbindung des Logos mit der Kreatur und damit im Grunde das gleiche wie bei der Menschwerdung. *Das Gegenwärtigwerden des Leibes und Blutes Jesu wird als Inkarnationsvorgang gesehen*». C'est à juste titre qu'il poursuit: «An den zitierten Stellen nimmt Irenäus keinen direkten Bezug auf die geschichtliche Menschwerdung Jesu, er tut es dagegen an anderen. Er findet nämlich in der liturgischen Mischung des Weines mit Wasser ein Symbol für die Mischung des Logos mit dem Menschlichen bei der Inkarnation, wie denn auch sonst Irenäus die Menschwerdung des Logos als ‹Mischung› bezeichnet. Auf diesem Hintergrund verstehen wir den Vorwurf, den er gegen die Ebioniten erhebt ... Weil die Ebioniten die Gottheit Christi und damit auch das Inkarnationsdogma leugneten, lehnten sie auch deren Symbol, die Mischung des Weines bei der Eucharistie, ab. Jedenfalls legt Irenäus das Verhalten dieser Häretiker so aus. Für ihn *erscheint die Eucharistie als Vergegenwärtigung der Inkarnation*» J. Betz, *Die Eucharistie in der Zeit der griechischen Väter*, t. I/1, Freiburg i. Breisgau, 1955, p. 273 (C'est nous qui soulignons). – Sur l'Eucharistie comme corps et sang du Seigneur (nous laissons ici de côté la question des contextes dans lesquels cette donnée se trouve insérée), cf. *AH*.IV.17,5 / SC.590–592;

visible» et le Seigneur «Pain parfait». Etudions ce passage plus en détail. Disons d'abord quelques mots du contexte où il se situe. Irénée reprend l'objection gnostique selon laquelle[219] le Dieu des chrétiens s'est montré bien faible en ne faisant pas l'homme parfait dès le commencement[220].

AH.IV.18,4.5 / SC.608–610.610; *AH*.IV.33,2 / SC.806; *Epid.* 57 / SC.120–122; etc. – Sur la doctrine eucharistique d'Irénée, voir, entre autres, les monographies suivantes: A. d'Alès, *La doctrine eucharistique de saint Irénée*, dans *RSR* 13 (1923), pp. 24–46; V. Palash-kovsky, *La théologie eucharistique de Saint Irénée, évêque de Lyon*, dans *Studia patristica II* (coll. Texte und Untersuchungen, 64), Berlin, 1957, pp. 277–281; P. Radopoulos, *Irenaeus on the Consecration of the Eucharistic Gifts*, dans *Kyriakon. Festschrift Johannes Quasten II*, Münster, 1971, pp. 844–846; A. Hamman, *Irénée de Lyon* ..., pp. 89–99. Voir, en outre, les deux articles cités à la note 82 de la p. 34.

[219] Toujours dans la ligne de leur refus de l'Ancien Testament, plus précisément du Dieu de l'Ancien Testament.

[220] Les hérétiques, plus précisément les disciples de Ptolémée (cf. *AH*.I.5,5–6 / Hv 49–51 et le commentaire de H. Jonas, *Gnosis und Spätantiker Geist*. T. 1: *Die mythologische Gnosis* (coll. Forschungen zur Religion und Literatur des Alten u. Neuen Testaments, 33), Göttingen, 1964, (3e éd.), pp. 372ss), percevaient l'homme véritable dans le «spirituel». Depuis toujours (cf. *AH*.I.7,5 / Hv 65), il avait reçu de fait (dans son «âme bonne de nature», c'est-à-dire «capable de recevoir la semence» *AH*.I.7,5 / Hv 66 [cf. *AH*.II.7,3 / Hv 268], «âme meilleure que les autres», entendus que celles des «psychiques» qui étaient également «bonnes de nature», mais qui ne pouvaient recevoir la «semence» *AH*.I.7,2 / Hv 62), par l'entremise du Démiurge «mû à son insu» par «Achamôth» (cf. *AH*.I.5,6 / Hv 50–51; *AH*.II.9,2 / Hv 272; *AH*.II.19,1 / Hv 316–317), la «semence pneumatique». Cet élément de nature «spirituelle» le constituait «parfait». «Ils se proclament parfaits», écrit Irénée (*AH*.I.13,6 / Hv 123; cf. *AH*.I.6,4 / Hv 56–57; *AH*.IV.39,2 / SC.964; et encore: *AH*.IV.38,1 / SC.944; *AH*.IV.38,4 / SC.960). Cette perfection, rien, c'est-à-dire aucune œuvre matérielle ne pouvait altérer: «Quant à eux, ce n'est pas par les œuvres, mais du fait de leur nature pneumatique qu'ils seront absolument et de toutes façons sauvés. (...) Comme on voit que l'or, mis dans la boue, ne perd pas son éclat, mais garde sa nature, et que la boue ne peut en rien nuire à l'or: ainsi eux-mêmes, quelles que soient les œuvres hyliques où ils se trouvent mêlés, ne peuvent en éprouver aucun dommage, ni perdre leur substance pneumatique» *AH*.I.6,2 / Hv 54,4–5.55,1–6 (cf. *AH*.II.14,4 / Hv 295–296; *AH*.II.14,5 / Hv 296; *AH*.II.29,1 / Hv 358; c'est là un point commun au système de Simon: *AH*.I.23,3 / Hv 192–194, de Basilide: *AH*.I.24,5 / Hv 201–202, de Carpocrate: *AH*.I.25,4 / Hv 207–209, des Nicolaïtes: *AH*.I.26,3 / Hv 214). Bref, d'après les ptolé-méens, la perfection qui était due à la «semence» (= «formation selon la substance») constituait l'homme véritable, perfection qu'il possédait de nature – B. Reynders dirait qu'elle était *«dans* l'homme» (*Optimisme* ..., p. 240 – c'est l'auteur qui souligne) – et à laquelle il était déterminé infailliblement (cf. *AH*.IV.37,1 / SC.918–920; A. Orbe, *Antropologia de San Ireneo* (coll. Biblioteca de Autores Cristianos, 286), Madrid, 1969, pp. 150ss). C'est l'enseignement qu'Irénée a devant les yeux.
Relevons qu'en plus de cet homme et sans rapport avec lui (entendons au plan des «natures»), il y avait les «psychiques» de nature, qui, bien que dotés d'une «âme bonne» (voir un peu plus haut dans cette note), n'avaient pas reçu de fait la «semence d'en-haut» (*AH*.III.15,2 / SC.282,50). Ils devaient se soumettre à l'action vertueuse, «choisir le meilleur» (*AH*.I.7,5 / Hv 65), pour ne pas subir le sort de l'«élément terrestre» (*AH*.I.6,1 / Hv 51–52; *AH*.I.7,5 / Hv 65) et pour avoir accès au «lieu de l'Intermédiaire», qui leur était réservé (*AH*.I.7,1 / Hv 59; cf. *AH*.III.15,2 / SC.282): «Pour nous, écrit Irénée, qu'ils appellent psychiques et qui sommes, disent-ils, du monde, la continence et

Il faut distinguer, répond en substance notre auteur, entre Dieu et la créature. Dieu, toujours identique à lui-même et incréé, aurait pu, quant à lui, doter l'homme de la perfection dès les origines, mais l'homme aurait été incapable de la «porter»; créé, il devait nécessairement – penser autrement, c'est aller contre nature[221] – être d'abord «enfant» (*νήπιος)[222], puis évoluer lentement vers sa maturité[223]. Ainsi donc, loin

les bonnes œuvres sont nécessaires pour parvenir au lieu de l'Intermédiaire» (*AH*.I.6,4 / Hv 57,9–58, 3; cf. *AH*.I.6,2 / Hv 53–54; *AH*.I.7,1 / Hv 59; *AH*.I.7,5 / Hv 65; *AH*.II.19,2 / Hv 317; *AH*.II.29,1 / Hv 359; pour plus de détails sur ces indications touchant les «pneumatiques» et les «psychiques», voir: H.-J. Jaschke, *Pneuma und Moral. Der Grund christlicher Sittlichkeit aus der Sicht des Irenäus von Lyon*, dans *SM* 14 (1976), pp. 241–245. 252–256). Cette catégorie d'hommes avait pour père le Démiurge créateur (cf. *AH*.I.5,2 / Hv 43; *AH*.I.5,5 / Hv 49; etc.), « de nature psychique» (*AH*.II.30,4 / Hv 364; *AH*.II.30,8 / Hv 367; *AH*.III.11,2 / SC.144), ignorant (cf. *AH*.I.5,3 / Hv 45; *AH*.II.19,2–3 / Hv 317–318), sottement prétentieux (cf. *AH*.I.5,4 / Hv 46–47), incapable de créer d'emblée des êtres parfaits (cf. *AH*.IV.37,6 / SC.934; *AH*.IV.38,1 / SC.942; *AH*.IV.38,4 / SC.956).
Enfin, il y avait les «hyliques», aux «âmes naturellement mauvaises» (*AH*.I.7,5 / Hv 66), voués de nécessité à la destruction (cf. *AH*.I.6,1 / Hv 51), puisqu'ils étaient «incapables de recevoir quelque souffle d'incorruptibilité» (*AH*.I.7,1 / Hv 59; *AH*.I.7,5 / Hv 65).
Les disciples de Ptolémée divisaient donc l'humanité en «trois races» (τρία γένη) fondées sur les trois «natures» (notons que ces trois «natures» pouvaient être considérées soit καθ' ἕνα, c'est-à-dire dans un seul individu, soit κατὰ γένος, c'est-à-dire dans l'ensemble de l'humanité: cf. *AH*.I.7,5 / Hv 65; «die Verwirklichung dieser drei Principien im Individuum begründet nun drei verschiedene Menschenklassen» E. Klebba, *Die Anthropologie des hl. Irenaeus* (coll. Kirchengeschichtliche Studien, II, 3), Münster, 1894, p. 138; cf. également E. de Faye, *Gnostiques et gnosticisme. Etude critique des documents du gnosticisme chrétien aux IIe et IIIe siècles*, Paris, 1913, pp. 45–48; pp. 67–76), dont les prototypes étaient Caïn (= les «pneumatiques»), Abel (= les «psychiques») et Seth (= les «hyliques») (*AH*.I.7,5 / Hv 64; pour le fondement biblique de ces «trois races», cf. *AH*.I.8,3 / Hv 70–72; Irénée retiendra de tout cela qu'il y a des hommes «bons» et «mauvais par nature» *AH*.IV.37,2 / SC.923; cf. *AH*.I.27,3 / Hv 218 [= Marcion]).
[221] ... *Supergredientes legem humani generis* ... AH.IV.38,4 / SC.958,90.
[222] Cf. Théophile d'Antioche, *Ad Aut.* II.24–25 / 158–162. – L'état d'enfance évoque encore chez Irénée l'idée
a) de l'innocence originelle (cf. *Epid.* 14 / SC.53; *Epid.* 27 / SC.77–78) colorée d'une certaine vulnérabilité face aux forces du mal (cf. *AH*.III.21,4 / SC.414,114–116: *Quod autem ‹non consentiet nequitiae ut eligat bonum›, proprium est hoc Dei ...; AH*.III.23,5 / SC.458);
b) d'une certaine imperméabilité à la séduction du péché (inspirée de *Nomb*. 14,31 et de *I Cor*. 14,20) (cf. *AH*.IV.28,3 / SC.764; *Epid.* 47 / SC.106; *Epid.* 96 / SC.164);
c) d'une attitude de disponibilité à la grâce de Dieu: les «enfants» souffrent le martyre pour l'«enfant de Bethléem», alors que les adultes cherchent à le faire mourir (cf. *ah*.III.16,4 / SC.304); les «enfants égyptiens» se laissent sanctifier par l'«enfant» en fuite (cf. *AH*.IV.20,12 / SC.672); les «enfants» accueillent le Christ lors de son entrée à Jérusalem (cf. *AH*.IV.11,3 / SC.506).
[223] «... Irenaeus declares that man, as God created him, is a child (νήπιος, *infans*). His statements have frequently been noted, without any great importance being attached to them. These passages, however, are directly connected with a concept which is fundamental in Irenaeus, the concept of man ‹growing›, of man as one who is constantly developing, or who ought to be so» G. Wingren, *Man and the Incarnation* ..., p. 26. – Sur la doctrine du «progrès» chez Irénée, voir entre autres: F. R. M. Hitchcock, *Irenaeus of*

d'être la marque de l'impuissance, ce comportement de Dieu à l'endroit de sa créature révèle plutôt sa sagesse, comme Irénée le dira un peu plus loin[224]; c'est de manière mesurée, adaptée à la condition de l'homme créé, qu'il poursuit le dessein de sa bonté qui est de le parer de la gloire incréée.

Puis vient notre texte:

«Et c'est pourquoi aussi notre Seigneur, dans les derniers temps, lorsqu'il récapitula en lui toutes choses, vint à nous[225], non tel qu'il le pouvait, mais tel que nous étions capables de le voir: il pouvait, en effet, venir à nous dans son inexprimable gloire, mais nous n'étions pas encore capables de porter la grandeur de sa gloire».

Dans ce premier temps de réflexion, Irénée présente donc la venue visible du Seigneur non glorieuse comme une illustration de la manière divine de se comporter à notre endroit. Quant au Seigneur, il aurait pu se laisser voir dans son inexprimable gloire, mais nous étions incapables de la «porter»[226].

«Aussi, poursuit-il, comme à de petits enfants, le Pain parfait du Père (panis perfectus Patris * ὁ ἄρτος ὁ τέλειος τοῦ Πατρός) se donna-t-il à nous sous forme de lait – ce fut sa venue comme homme –, pour que, nourris pour ainsi dire à la mamelle de sa chair et habitués par une telle lactation à manger et à boire le Verbe de Dieu (manducare et bibere Verbum Dei * τρώγειν καὶ πίνειν τὸν Λόγον τοῦ Θεοῦ), nous puissions

---

Lugdunum. A Study of his Teaching, Cambridge, 1914, pp. 52–64; N. Bonwetsch, Der Gedanke der Erziehung des Menschengeschlechts bei Irenäus, dans ZST 1 (1923), pp. 637–649; K. Prümm, Göttliche Planung und menschliche Entwicklung nach Irenäus ‹Adversus Haereses›, dans Schol 13 (1938), pp. 206–224; A. Benoît, Saint Irénée ..., pp. 227–233. – L'idée de la «croissance» est également présente chez les ptoléméens (cf. AH.I.5,1 / Hv 42; AH.I.5,6 / Hv 50–51; AH.I.6,4 / Hv 58; AH.I.7,5 / Hv 65; AH.II.19,4 / Hv 318–319). Mais outre qu'elle se réalise sur la base de la «sainteté de nature» (= «formation selon la substance») du «spirituel» et qu'il en est à la rigueur l'indice, son sens propre «est celui de ‹perfection› et de perfection par la gnose. Comme la matière reçoit une forme pour constituer un être, ainsi le Valentinien reçoit la ‹formation selon la gnose› et devient parfait» F. Sagnard, La gnose ..., p. 402.

[224] Cf. AH.IV.38,3 / SC.952.

[225] On aura remarqué la substitution de l'«homme» (* ἄνθρωπος) au «nous». D'un principe d'ordre général, Irénée passe à une application concrète qui l'amène à parler du «nous», non seulement dans le sens de nous, les hommes, mais encore dans celui de nous, les hommes du Nouveau Testament, plus précisément de nous, les hommes postérieurs au départ du Seigneur pour le ciel. Pour une perspective un peu différente de la nôtre, voir E. Klebba, Die Anthropologie ..., p. 41.

[226] Notons que cet état de choses n'est pas mentionné lorsque Irénée parle des apparitions du Verbe-Fils incarné-ressuscité à Madeleine, à Thomas et aux autres disciples (cf. AH.V.31,1 / SC.390; AH.V.31,2 / SC.392). Cela est sans doute dû au fait que la préoccupation de notre auteur est tout autre: il s'agit pour lui de démontrer que de Verbe-Fils est bel et bien ressuscité dans sa chair. Cf. § 12 et § 15.

garder en nous-mêmes le Pain de l'immortalité qui est l'Esprit de Dieu»[227].

Dans ce second temps de réflexion, Irénée précise encore sa pensée. La venue du Seigneur comme homme terrestre, «sous forme de lait»[228], est rapprochée de l'expression «Pain parfait du Père». Ce rapprochement comporte déjà une allusion à l'Eucharistie, allusion qui prépare et est confirmée tout à la fois par ce qui suit: par le contact avec la chair humaine non glorieuse du Seigneur, nous nous accoutumons – et ici les rappels du Discours sur le Pain de Vie de Jean (cf. *Jn* 6,1 ss) sont certains – à «manger et à boire»[229] le Verbe de Dieu afin de garder l'Esprit du Père.

Si notre interprétation de ce texte est juste, l'*Eucharistie* (= pain et vin = corps et sang du Verbe de Dieu) *relaie*[230], pour ainsi dire, dans le temps de l'Eglise, *la venue visible terrestre du Seigneur*.

Que la manifestation du Verbe se poursuive dans les réalités concrètes du pain et du vin eucharistiques pourrait encore trouver appui sur l'idée que notre auteur se fait du baptême, cet autre sacrement de l'Eglise sur lequel il revient explicitement à plusieurs reprises[231]. Réfléchissant sur la péricope johannique de l'aveugle-né (cf. *Jn* 9,1 ss), Irénée découvre *dans l'action de se laver que le malade accomplit sur l'ordre du Seigneur la manifestation du «Remodeleur» qu'est le Verbe devenu visible* (*Jn* 1,14) ou *fait chair*. «Aussi, après s'être lavé, ‹s'en revint-il (l'aveugle) voyant clair› (*Jn* 9,7), afin ... d'apprendre que était le Seigneur qui lui avait rendu la vie»[232].

* *
*

Prolongée dans l'Eglise par les sacrements, notamment par l'Eucharistie, la manifestation du Verbe-Fils est accordée, mesurée à la capacité de l'homme[233]. C'est par ce biais qu'Irénée nous laisse entendre que cette

---

[227] *AH*.IV.38,1 / SC.946,23–948,29.

[228] Allusion à l'attitude mesurée de la mère envers son nourrisson qu'Irénée a évoquée un peu plus haut. Il doit cette image à Paul (cf. *I Cor*. 3,2) qu'il va citer un peu plus bas. *Cf*. Ignace d'Antioche, *Trall*. 5,1–2 / 98.

[229] ... ὁ τρώγων μου τὴν σάρκα καὶ πίνων μου τὸ αἷμα ἔχει ζωὴν αἰώνιον ... *Jn* 6,54.

[230] «Der Kirchenvater knüpft hier an einen in der Kirche seiner Zeit geübten Sprachgebrauch an, der die Eucharistie unter dem Bild und Decknamen der ‹Milch› faßte. Mit dem gleichen Bild aber bezeichnet er auch Christi irdische Ankunft. Beide Vorgänge sind ihm im wesentlichen identisch, die Eucharistie ist für ihn *die Fortführung der einstigen Ankunft Christi als Mensch*» J. Betz, *Die Eucharistie* ..., p. 275 (c'est nous qui soulignons). Cf. G. Joppich, *Salus carnis* ..., pp. 76–77.

[231] Cf. *AH*.I.9,4 / Hv 88; *AH*.I.21,1–5 / Hv 181–188; *AH*.III.17,1–2 / SC.328–334; *Epid*. 3 / SC.32; *Epid*. 7 / SC.41; *Epid*. 41 / SC.96; *Epid*. 42 / SC.98; etc.

[232] *AH*.V.15,3 / SC.210,103–105. Voir les pp. 105–106.

[233] ... *sed quomodo illum nos videre poteramus AH*.IV.38,1 / SC.946,20–21.

manifestation n'a pas encore, à ses yeux, atteint sa plénitude. Plus précisément, elle est partielle en ce sens qu'elle se réalise dans une chair *non glorifiée* ou *terrestre* (= Nouveau Testament), état de choses se perpétuant dans le temps de l'Eglise *sous le mode sacramentel*.

C'est sans doute à cela qu'il fait allusion lorsque, voulant montrer que Marcion a tort de rejeter le Dieu de l'Ancien Testament en voyant dans la venue du Seigneur une nouveauté absolue, il argumente de la manière suivante: De même que nous n'avons pas appris, en possédant maintenant «plus que le temple» (*Mat.* 12,6) et «plus que Salomon» (*Mat.* 12,42), à connaître un autre Christ Fils de Dieu que celui qui fut prêché par les prophètes, ainsi ce ne sera pas un autre Seigneur que nous verrons, mais celui-là même en qui. *«sans le voir encore»* (*non videntes* ** μὴ ὁρῶντες – entendons: sans le voir encore dans sa gloire), nous croyons[234].

§ 15: Dans son «Royaume»

Présentement, nous ne voyons pas encore le Seigneur, le Fils de Dieu, dit Irénée. Nous le verrons *dans sa chair glorieuse,* affirme-t-il en reprenant un texte de la première Epître de Pierre (1,8) et en renvoyant à l'étape de la perfection (cf. *Jn* 1,50; *Phil.* 3,12; *I Cor.* 13,9–10).

Notre auteur fait probablement allusion ici au «Royaume du Fils». En effet, rien ne s'oppose à ce qu'il songe à ce moment de l'«économie» où le Verbe-Fils apparaît *dans sa chair ressuscitée-glorieuse* pour marquer le début de son «Royaume» et où les justes régneront sur la terre renouvelée après être ressuscités dans leur chair[235].

C'est encore ce que suggère et même exige ce passage où Irénée note que les prophètes ont vu à l'avance le Verbe-Fils non seulement dans sa venue visible-humaine terrestre, mais encore *dans la gloire* de son «Royaume»[236]. En *AH.* IV. 22,1[237], nous retrouvons ces Anciens qui, «réveillés» en premier lieu par la seconde venue du Seigneur, obtiennent, dans le «Royaume», la réalisation de ce qui n'avait été pour eux qu'un désir: voir la Face du Verbe-Fils de manière immédiate (cf. *Mat.* 13,17)[238].

Ainsi donc, dans le «Royaume», la manifestation du Verbe-Fils équivaut à sa chair ressuscitée-glorieuse.

* *
*

---

[234] Cf. *AH.*IV.9,2 / SC.484–486. Nous avons ici une citation textuelle de *I P.* 1,8. Cf. *AH.*V.7,2 / SC.92.
[235] Cf. *AH.*V.32,1 / SC.396; *AH.*V.35,1 / SC.438. Voir le § 12.
[236] Cf. § 13.
[237] SC.688.
[238] Cf. p. 167, note 155.

Dieu, affirme Irénée, se rend visible à l'homme. Avant d'essayer de préciser le contenu de cette donnée, il fallait dégager le cadre dans lequel se situait la réflexion théologique de notre docteur. Une voie s'ouvrait devant nous: un examen des doctrines hérétiques qui, à première vue au moins, pouvaient avoir un lien avec le thème à l'étude et qui offraient toutes les chances d'être l'occasion de l'enseignement d'Irénée. Mais, pour atteindre, avec le minimum de risque, le but poursuivi, il convenait de préciser encore notre route, c'est-à-dire de nous poser la question de l'angle sous lequel il fallait les aborder. A titre d'hypothèse de travail, nous avons voulu observer de près le thème du «Père invisible» chez les gnostiques de l'école de Ptolémée. Ce choix s'est avéré justifié. En effet, la doctrine hérétique d'un «Père» invisible-transcendant qui sauve l'homme en se refermant sur sa transcendance ou en demeurant invisible-inconnaissable (cf. *Ex.* 33,20b; *Mat* 11,27) est justement apparue comme l'occasion de la réflexion d'Irénée sur la visibilité de Dieu. Si, pense notre auteur, les gnostiques ont raison de défendre jalousement – à supposer qu'il existe – l'invisibilité-transcendance de leur «Père», ils n'en sont pas moins dans l'erreur puisqu'ils confondent deux plans, celui de Dieu comme Dieu face à l'homme comme homme et celui de Dieu mystérieusement épris d'amour pour sa créature. La vérité est donc que Dieu, en soi invisible à tout le créé, s'est rendu de fait, mû par sa philanthropie, visible à son «plasma». Cette donnée une fois établie, nous pouvions passer à la question de savoir ce qu'est la visibilité, la manifestation de Dieu.

Dans un premier temps, nous avons considéré la visibilité du Père. Nous avons d'abord constaté que son artisan immédiat était le Verbe-Fils envoyé par le Père. Nous avons ensuite constaté qu'elle renvoyait toujours à quelque chose de concret, notamment aux apparitions (= visions, etc.) de l'Ancien Testament esquissant, dans leurs aspects extérieurs, la chair-vie humaine – parfois perçue comme une vie humaine d'obéissance – du Fils. Cette vie humaine du Verbe, réalisée effectivement dans l'Alliance nouvelle – dans l'ancienne, elle n'était qu'annoncée, figurée –, nous l'avons vue passer d'un état terrestre à un état glorieux (= le «Royaume du Fils»).

C'est ainsi que nous avons été mis en présence d'un dévoilement graduel du Visage paternel, œuvre d'un Dieu de l'ordre et de la mesure s'ajustant au développement progressif de sa créature. Le premier stade de cette manifestation harmonieuse a encore servi à démontrer, contre les gnostiques, que le Père était aussi le Créateur de l'univers. Pour notre auteur, il s'agissait d'établir que le Père qui se révélait était bien le vrai Dieu, et non une pure «invention» de l'esprit – ce qui aurait été le cas si ce Père n'avait pas été également l'Artisan du monde.

De cet ensemble, s'est dégagée une donnée importante: toute l'œuvre du Verbe-Fils est de conduire au Père, de laisser transparaître sa «Face».

Sans préjudice de ce rôle attribué au Fils et même, pourrions-nous dire, à cause de ce rôle, Irénée a également réfléchi sur la visibilité du Verbe-Fils, Verbe-Fils qu'il a eu soin d'identifier comme l'«Unique» du Père, aussi invisible-transcendant que son Père et totalement étranger au «Sauveur-Christ» des ptoléméens.

Comme c'était à prévoir, la visibilité du Verbe-Fils s'est avérée être sensiblement identique à celle par laquelle le Père fut manifesté. En effet, elle visait toujours quelque chose de concret, que ce soit dans l'Alliance ancienne (=visions, etc.), dans la nouvelle (= la chair historique et peccamineuse-vie humaine) et dans le «Royaume» (= la chair glorieuse), en passant par le temps de l'Eglise (=éléments eucharistiques). Plus facilement cependant que dans la perspective précédente, Irénée a pu préciser davantage les contours de cette manifestation en ce sens qu'il a pu insister sur la perfection de l'union du Verbe-Fils à la chair ainsi que sur le réalisme de cette chair.

Pour les raisons déjà mentionnées, cette manifestation connaissait des stades de développement ou se déployait progressivement. C'est ainsi que de figurative (=Ancien Testament), elle est devenue réelle (= union effective du Verbe-Fils à la chair), passant du mode terrestre (= Nouveau Testament), prolongé sous le mode sacramentel (= temps de l'Eglise), au mode glorieux (= «Royaume du Fils»).

Enfin, l'objet de cette manifestation était la propre «Face», l'intimité du Verbe-Fils. A cette intimité appartenait aussi le fait que le Verbe est le Créateur de l'univers. Irénée l'a démontré, par exemple, à partir du geste du Verbe incarné enduisant de boue les yeux de l'aveugle-né, ou encore à partir de sa suspension au bois de la Croix et de sa posture de Crucifié.

Le Dieu invisible-transcendant s'est donc rendu visible, c'est-à-dire a adopté, a assumé divers moyens humains d'expression qui tous convergent et se déploient, en définitive, à partir d'un seul: la chair même de l'homme. Autrement dit, le mystère de Dieu éclate à travers la chair humaine ou l'homme se trouve, comme homme, placé en présence de Dieu lui-même.

De l'approfondissement de notre thème dans le cadre de la démonstration de l'unité du Christ Jésus, nous pouvons déjà soupçonner que l'incarnation aura un autre rôle, une autre fonction qui fera d'elle une manifestation de Dieu dans un sens différent. Mais cette perspective ne deviendra plus claire qu'à la suite de notre étude de la vision de Dieu.

DEUXIEME SECTION

LA VISION DE DIEU

La vision dont il sera maintenant question se distingue de l'acte concret de la vue humaine[1].

Celle-ci, nous la retrouvons dans la perspective qui a servi de cadre à la section précédente. Elle est utilisée pour démontrer contre les gnostiques que Dieu a vraiment donné une forme concrète à son Etre, la forme d'un homme, d'une vie d'homme. Dieu s'est manifesté, *ou* l'homme l'a vu[2].

Ce n'est pas son unique fonction. En effet, elle constitue un moment important dans la marche de l'homme vers le salut. L'homme étant un être de chair et d'os, un être «plasmatique», dirait Irénée, il ne peut connaître le Dieu invisible qu'en le voyant de ses yeux de chair[3]. Nous avons sans doute là une des raisons pour lesquelles notre auteur tient tant à ce que les Anciens jouissent du même privilège que leurs descendants, c'est-à-dire puissent voir Dieu de leurs yeux de chair.

---

[1] Etant donné que bien des textes auxquels nous nous référons ici gravitent autour de l'Evangile de Jean, nous pourrions transcrire cette remarque de F. Hahn qui rejoint, en substance, l'exégèse d'Irénée: «Christlicher Glaube hat es nach dem Johannesevangelium mit einem konkreten Akt des Schauens zu tun, weil es um das konkrete, im irdischen Bereich manifest gewordene Heil Gottes geht» F. Hahn, *Sehen und Glauben im Johannesevangelium*, dans *Neues Testament und Geschichte. Historisches Geschehen und Deutung im Neuen Testament* (Oscar Cullmann zum 70. Geburtstag), Zürich–Tübingen, 1972, p. 129.

[2] Dans le cas de Marie-Madeleine et de Thomas (cf. *Jn* 20,17.20.25.27; *AH*.V.31,1.2 / SC.390–392; et encore *AH*.V.7,1 / SC.84), la vue prend une nuance légèrement différente en ce sens qu'elle sert à démontrer que le Fils est vraiment ressuscité dans sa chair, donnée de la «foi» qui en fonde et en inclut une autre énergiquement combattue par les gnostiques: la résurrection de la chair. Cf. G. Joppich, *Salus carnis...*, passim. – D'après Harl, Origène aurait également parlé de deux «visions»: «celle qui s'arrête au corps, celle qui, au-delà du corps, parvient à connaître Dieu» (M. Harl, *Origène...*, p. 175). La première «vision» ou «la vision matérielle de Jésus» n'aurait pas permis de «connaître Dieu» (o.c., p. 178; p. 188). Le fondement? «L'ombre du Verbe est le Verbe-fait-chair, Jésus-Christ crucifié, l'homme-Jésus par opposition au Verbe Dieu» (o.c., p. 197; cf. à la p. 200 pour les nuances à apporter à cette affirmation). Origène s'est donc éloigné de la position d'Irénée.

[3] *Neque rursus nos aliter discere poteramus, nisi magistrum nostrum videntes ... AH*.V.1,1 / SC.16,6–7.

Si, de soi, la vue ne met pas automatiquement l'homme en possession du salut – la preuve en est qu'elle peut être expérimentée par tous, croyants et incroyants[4], ce qui la distingue de la vision qui est réservée à ceux qui «aiment Dieu»[5] –, elle l'en approche à ce point que, pratiquement et à supposer que l'homme s'ouvre au Dieu qui se manifeste, elle se confond avec la vision. En d'autres termes, il arrive que, de manière analogue à l'organiste qui joue simultanément le même accord sur deux claviers et avec des jeux différents, Irénée cumule en une seule expression la vue et la vision. Il utilise ce procédé surtout lorsqu'il parle de la vue des membres croyants et aimants de l'«économie» du salut. Cette juxtaposition ne se laisse le plus souvent découvrir et dénouer qu'à l'aide d'une analyse attentive du contexte.

---

[4] *Et ideo justum judicium Dei super omnes qui similiter quidem viderunt, non autem similiter crediderunt* AH.IV.6,5 / SC.448,86–87; ... *omnibus quidem videntibus ... Filium et Patrem, non autem ominbus credentibus* AH.IV.6,6 / SC.450,104–106. Cf. pp. 81.82, notes 54 et 60.

[5] C'est là une doctrine constante d'Irénée dont nous connaissons déjà la teneur polémique (cf. p. 61, note 85). Voici quelques textes en ce sens: ... *Manens in dilectione* (cf. *Jn* 15,9–10) *ejus ... provectus accipiens, dum consimilis fiat ejus qui pro eo mortuus est.* (...) *Ad videndum Deum et capere Patrem donans* AH.III.20,2 / SC.390,64.65–66.71–392,72. ... *Sed eundem ipsum* (= Père), *qui semper habet plura metiri domesticis et, proficiente eorum erga eum dilectione, plura et majora donans* ... AH.IV.9,2 / SC.482,42–44. Or, il s'agit ici de la vision du Père. ... *Etiam hoc concedit his qui se diligunt, id est videre Deum* AH.IV.20,5 / SC.638,105–106. ... *Et ut videatur omnibus membris sanctificatis et edoctis ea quae sunt Dei, ut praeformaretur et praemeditaretur homo applicari in eam gloriam quae postea revelabitur his qui diligunt Deum* AH.IV.20,8 / SC.650,192–196. Au moment d'instaurer son «Royaume», le Christ réveillera d'abord les Anciens qui *dilexerunt Deum ... et concupierunt Christum videre* AH.IV.22,2 / SC.688,33.34; cf. encore AH.IV.28,2 / SC.758. ... *Praenuntians* (la Loi lue par les chrétiens) *quoniam in tantum homo diligens Deum proficiet, ut etiam videat Deum* AH.IV.26,1 / SC.716,28–29. *Et tandem aliquando maturus fiat homo* (cet homme qui, ayant appris à aimer Dieu, demeure dans son amour (cf. *Jn* 15,9–10) – voir un peu plus haut dans le texte –) *in tantis maturescens ad videndum et capiendum Deum* AH.IV.37,7 / SC.942,175–177. Il est permis de penser qu'Irénée s'inspire tout particulièrement de *I Cor.* 13 (cf. AH.IV.12,2 / SC.514; AH.IV.13,3 / SC.532) qui parle de la vision (v. 12) dans la sphère de l'agapè. Relevons, à cet égard, l'exégèse des «purs de cœur» de *Mat.* 5,8: *his qui diligunt* (cf. AH.IV.20,5 / SC.638), texte scripturaire rapproché explicitement de *I Cor.* 13 (cf. AH.IV.9,2 / SC.482–484) dans un passage de même veine que AH.IV.20,5 : les «familiers de Dieu» en progrès d'amour et qui sont, par ce fait même, destinés à recevoir de Dieu des biens «plus nombreux et plus grands», notamment le privilège de Le voir, sont identifiés au «nous» de *I Cor.* 13,9 et 12 de même qu'aux «cœurs purs» de *Mat.* 5,8. – Ici, nous pourrions nous demander si cet amour n'est pas constitué tout à la fois de l'attitude d'ouverture de l'homme et de l'amour de Dieu, de Dieu lui-même (Père-Fils-Esprit): *et in isdem ipsis augmentum habebimus et proficiemus* (AH.IV.9,2 / SC.485) ou encore de l'Esprit-Saint (cf. AH.V.7,2 / SC.90; AH.V.8,1 / SC.94). Cela dit, il ne fait aucun doute que notre auteur sait découvrir une doctrine analogue chez Jean ainsi qu'en témoignent les deux textes cités ci-dessus (AH.III.20,2 et AH.IV.37,7) où la vision s'effectue sur la base du μένειν ἐν τῇ ἀγάπῃ de *Jn* 15,9. Sur le rôle que joue l'amour dans la théologie d'Irénée, on lira les remarques suggestives de Th.-A. Audet, *Orientations* ..., pp. 43–44.

En revenant à la perspective dominée par la vision que nous avons dégagée ailleurs et qui servira de cadre à la présente section, il convient de faire la remarque suivante. Si, d'ordinaire, notre auteur y parle clairement et exclusivement de la vision, il arrive parfois qu'il rapproche cette dernière de la vue. C'est le cas lorsqu'il veut s'assurer que les rapports de Dieu à l'homme (= manifestation-adoption) qui rendent cette vision possible se sont bel et bien réalisés. Pour ne relever qu'un exemple, pensons à l'épisode de l'aveugle-né. Ce dernier voit Dieu de telle sorte que cette expérience se confonde, se marie avec la vue portant sur l'humanité du Verbe-Fils, sur sa visibilité (cf. *Jn* 1,14), visibilité grâce à laquelle il a obtenu de jouir du don de la vision[6].

Ces précisions laissent donc soupçonner la complexité de certains textes auxquels nous aurons affaire et fondent, aussi bien qu'elles éclairent, la manière dont nous les traiterons. Ceci dit, revenons à notre sujet: comment faut-il comprendre la vision réservée à ceux qui «aiment Dieu»? Deux voies sont ici permises.

La première consiste à chercher une définition de la vision à travers ce qui la rend possible, c'est-à-dire le don de Dieu fait à l'homme par le Verbe-Fils incarné. Outre qu'il s'harmonise avec la logique interne de notre travail, ce procédé a l'avantage d'attacher une valeur en soi à chacun des textes où Irénée parle à mots plus ou moins couverts de la vision. Plus précisément, il nous autorise à supposer que ces textes sont chargés d'une signification qu'il est permis de dégager sans avoir recours, par exemple, à AH. IV. 20,5-6.

La seconde consiste à partir des textes qui définissent d'emblée la vision et à voir, ensuite, à quoi cette dernière est rattachée.

En somme, nous irons: 1. du fondement à la définition de la vision; 2. de la définition de la vision à son fondement.

En considérant les textes qui entrent dans le champ de notre recherche, nous pouvons constater qu'ils sont, si l'on veut, d'une double qualité. Tandis que dans les uns, en effet, le don qui permet aux hommes de voir Dieu est conçu comme un don du Verbe-Fils fait chair, dans les autres, le même don est explicitement identifié à l'Esprit. Dès lors, il nous a semblé nécessaire d'analyser ces textes en deux moments distincts. Ceci dit, nous pouvons présenter les structures de la présente section:

Avant de préciser la signification qu'Irénée confère à la vision de Dieu à partir des passages situés dans la sphère christologique (Chapitre VIII) et de ceux débouchant dans la sphère pneumatologique (Chapitre IX), nous reprendrons et compléterons l'étude des éléments de la «gnose» – surtout ptoléméenne – qui, d'après nous, occasionne, dans une large mesure, la réflexion de notre auteur (Chapitre VII).

[6] Cf. *AH*.V.15,3 / SC.210 et § 16.

Chapitre VII

La contemplation du «Pro-Père» et la «gnose» chez les gnostiques de l'école de Valentin

Platon situait l'idéal du philosophe dans la contemplation du Beau, du Bien ou de l'Un, dans la θεωρία résultant d'une concentration de l'âme et du dépouillement de l'Idée. Expérience dépassant l'intellection, ou tout simplement intuition, le philosophe arrivait, grâce à elle, à sentir Dieu comme existant, comme présent; il le touchait par un contact ineffable qui le comblait d'une joie totale[7].

Philon percevait, lui aussi, le but de la «voie royale» comme une «vue», vue spirituelle dont le siège était l'âme et qu'il serait difficile de définir avec certitude comme une intuition d'ordre platonicien. L'objet de cette «vue» était les réalités invisibles, plus précisément Dieu, non pas Dieu en lui-même, mais – l'influence de la foi biblique en la transcendance divine a sans doute joué ici un rôle déterminant – l'ὕπαρξις de Dieu, l'existence de Dieu[8]. Pour dire les choses autrement, la fin poursuivie par le penseur religieux était de «voir que Dieu est invisible»[9].

N'insistons pas plus longuement sur ces idées, dont il est difficile de déterminer, avec la dernière précision, l'impact qu'elles ont pu exercer sur les gnostiques, et venons-en à notre sujet.

Par le chapitre d'introduction à cette partie, nous savons que le «Monogène» ou «Intellect» peut «contempler» (*videre* * θεωρεῖν) le «Père» suprême ou «comprendre sa grandeur sans mesure»[10]. Cette «contemplation» est définie par les gnostiques eux-mêmes comme *une communion au Père parfait: communicare Patri perfecto*[11].

Cette dernière, affirment-ils encore, est réservée au «Monogène»[12].

---

[7] Nous nous inspirons ici de l'analyse magistrale de A. J. Festugière, *La contemplation* ..., pp. 210ss et 260ss. Voir encore: H. A. Wolfson, *The Knowbility and Descriptability of God in Plato and Aristotle*, London, 1947, pp. 233–249.

[8] Cf. *De post. Caini*, 168; voir encore: *De praem. et poen.*, 36ss; *De fug. et inv.*, 141; etc.

[9] καὶ αὐτὸ τοῦτο ἰδεῖν ὅτι ἐστὶν ἀόρατος *De post. Caini*, 15. Pour plus de détails sur ce point, cf. W. Michaelis, *TWNT*.V. 335ss.

[10] Cf. *AH*.I.2,1 / Hv 13 et *AH*.I.1,1 / Hv 9. Cf. p. 55.

[11] * κοινωνεῖν τῷ Πατρὶ τῷ τελείῳ: *AH*.I.2,2 / Hv 15,1.

[12] *AH*.I.2,1 / Hv 13. «Auch der einzige Aeon, der ihn erkennt, erkennt nur seine Unerkennbarkeit» pense G. Heinrici, *Die valentianische Gnosis und die heilige Schrift*, Berlin, 1871, p. 27. En se référant au passage auquel nous faisons allusion dans le texte, F. Sagnard estime que c'est là une erreur d'interpretation: «Le texte de la *Notice* (1,2,1) exprime formellement le contraire. Le Noῦς est absolument à part, ‹contemplant› (θεωρῶν) et ‹comprenant› (κατανοῶν) l'infini du Père. Il veut communiquer aux Eons que le Père est incompréhensible (ἀχώρητος), ‹insaisissable pour la vue› (οὐ καταληπτὸς ἰδεῖν): cela vaut pour tous les Eons *sauf pour lui, puisqu'il voit*, et qu'il est précisément en place pour cela» *La gnose* ..., p. 203. (C'est l'auteur qui souligne). Dans le même sens que Sagnard, voir W. Foerster, *Die Gnosis* ..., p. 165.

Malgré leur désir de «voir» le «Père»[13], les autres Eons du Plérôme doivent se contenter de faire cette expérience «par l'intermédiaire du seul Monogène»[14], plus précisément dans «ce qu'il y a de compréhensible[15] dans le Père, c'est-à-dire le Fils[16]»[17]. Il en sera ainsi pour les gnostiques, qui, après avoir joui ici-bas de la «gnose» du Père invisible et inconnaissable», remonteront dans le Plérôme au moment de la «consommation finale». Arrêtons-nous quelques instants sur ces relations des «pneumatiques» avec le «Monogène» – sans oublier qu'elles ne permettent pas de rapports directs avec le «Père». Nous possédons un texte de la *Grande Notice* qui nous informe assez clairement sur ce point:

> «Quant aux pneumatiques, ils se dépouilleront de leurs âmes (psychiques) et, devenus esprits de pure intelligence (*spiritus intellectuales factos* * πνεύματα νοερὰ γενομένους), ils entreront, insaisissables et invisibles, à l'intérieur du Plérôme, pour y être donnés à titre d'épouses aux Anges qui entourent le Sauveur»[18].

Pour les «pneumatiques» donc, la «consommation finale» consistera en une entrée dans le Plérôme où chacun trouvera son Ange pour s'y unir. Auparavant, ils auront abandonné leurs âmes psychiques – l'élément «hylique», c'est-à-dire leurs corps de chair, s'en étant allés à la corruption[19] – et seront devenus «esprits de pure intelligence». Nous avons là l'élément important. Comment faut-il l'entendre?

«Il y a là un lien du Pneuma et du Νοῦς, écrit F. Sagnard. Le Pneuma dispersé, que le Logos-Christ-Sauveur a ‹recherché› et ‹formé› en la personne de Sagesse et de ses fils, ce Pneuma, par la réception du Logos parfait, se voit ramené au Νοῦς, Père du Logos et du Christ; il devient ‹noérique›, c'est-à-dire qu'il atteint le sommet du Plérôme, où

---

[13] *AH*.I.2,1 / Hv 13.

[14] *AH*.I.2,5 / Hv 21.

[15] *Comprehensibilis* * τὸ καταληπτόν.

[16] Autre nom pour le «Monogène» et l'«Intellect».

[17] *AH*.I.2,5 / Hv 22,1. C'est donc avec raison que l'on a pu écrire: «Et si, à partir de cet ‹Abîme›, *Bythos*, qu'il constitue, se forment une série de couples d'éons, par émissions successives, ces derniers, à l'exception du Νοῦς l'Intelligence, ne peuvent le contempler ni même le connaître. (...) Ainsi, à l'intérieur même du Plérôme, du ‹milieu divin›, il y a incommunicabilité entre le Premier Principe et ses émanations successives. Et l'équilibre, la paix de ce milieu divin sont garantis par cette incommunicabilité. Aussi le Dieu Suprême n'est-il pas Père au sens propre du terme. Les Valentiniens le qualifient d'ailleurs souvent de «Pro-Père», *Propatôr*, celui qui est en deçà d'une relation réelle avec d'autres êtres » P. Lebeau, KOINONIA. *La signification du salut selon saint Irénée*, dans EPEKTASIS. *Mélanges patristiques offerts au Cardinal Jean Daniélou* (publiés par J. Fontaine et Ch. Kannengiesser), Paris, 1972, p. 122.

[18] *AH*.I.7,1 / Hv 59,1–4.

[19] Cf. *AH*.I.7,1 / Hv 59; *AH*.I.7,5 / Hv 65; *AH*.V.19,2 / SC.252.

le Νοῦς contemple le Père, et qu'il se fond de quelque façon dans ce Νοῦς…»[20].

D'après l'interprétation de l'auteur, notre expression signifie qu'au moment de la «consommation finale», les «pneumatiques» sont ramenés au Νοῦς, qu'ils se fondent en lui. Cette expérience, ajouterions-nous dans la ligne de l'exégèse de Sagnard, ne leur permet cependant pas de partager celle que le Νοῦς a du «Père» suprême; elle n'est que le palliatif à l'impossibilité de le «voir» en lui-même. C'est bien là, du reste, une donnée fondamentale de leur système.

Les gnostiques n'échouent pas seulement dans l'édification d'un corps de doctrine parfaitement cohérent[20a], mais ils vont encore jusqu'à renier dans les faits les principes qu'ils posent, par ailleurs, comme essentiels à leur système. Selon un passage irénéen que nous retrouvons dans le second livre de l'*Adversus Haereses*, ils s'attribuent, par exemple, dès ici-bas une «connaissance» (*agnitio*), une «découverte» (*invenire*), une «saisie» (*comprehensio*) du «Père» suprême, qui, d'après le contenu que nous préciserons à l'instant, recoupe en définitive l'expérience réservée au «Monogène».

Il est absurde, note notre auteur, que les Eons du Plérôme aient été «consommés en perfection» en se laissant convaincre par le «Christ» supérieur que le «Père» «qu'ils cherchaient[21] était inaccessible»[22] tandis qu'eux, les hérétiques, «se disent parfaits pour avoir trouvé (cf. *Mat.* 7,7) leur Abîme»[23].

Quelques alinéas plus loin, Irénée poursuit sa polémique en relevant, cette fois, le ridicule de ce que l'Eon «Sagesse», tout «spirituel» et situé dans le Plérôme, soit tombé en passion pour avoir cherché le «Pro-Père»[24], tandis que les hérétiques, qui ne sont que des hommes et qui vivent encore sur la terre, se disent établis dans la perfection pour avoir cherché et trouvé le Parfait:

«Avoir l'idée de chercher le Père parfait, vouloir pénétrer en lui (*intra eum fieri*) et le comprendre, tout cela ne pouvait entraîner ignorance et passion, surtout dans un Eon spirituel; cela devait bien plutôt engendrer perfection, impassibilité et vérité. Eux-mêmes, qui ne sont que des

---

[20] F. Sagnard, *La gnose*…, p. 414.

[20a] Il le serait si le désir de communion avec le «Père» suprême qui travaille les êtres issus de lui était assouvi.

[21] «Tous les Eons désiraient donc d'un désir paisible voir (*videre* * ἰδεῖν) le Principe …» *AH*.I.2,1 / Hv 13,12–14.

[22] Cf. *AH*.I.2,5 / Hv 21.

[23] *AH*.II.18,3 / Hv 313–134.

[24] «Cette passion consista en une recherche du Père, car Sagesse voulut … comprendre (*comprehendere* * καταλαβεῖν) la grandeur de celui-ci …» *AH*.I.2,2 / Hv 15,2–3.

hommes, lorsqu'ils appliquent leur pensée à Celui qui est au-dessus d'eux, lorsqu'ils comprennent déjà en quelque sorte le Parfait et se voient établis dans la gnose qui le concerne, ils ne se disent point dans la passion et la consternation, mais bien plutôt dans la connaissance et la saisie de la vérité. Car, à les en croire, si le Sauveur a dit à ses disciples: ‹Cherchez et vous trouverez› (*Mat.* 7,7), c'était pour qu'ils cherchent l'Abîme inénarrable que leur imagination a forgé de toutes pièces au-dessus du Créateur de l'univers. Ils se prétendent donc eux-mêmes parfaits, parce qu'en cherchant ils ont trouvé le Parfait, quoiqu'ils soient encore sur terre: mais pour ce qui est de l'Eon situé dans le Plérôme, Eon tout spirituel, en cherchant le Pro-Père, en s'efforçant de pénétrer dans sa grandeur (*intra magnitudinem ejus ... fieri*), en ayant l'ardent désir de comprendre la vérité paternelle, il est tombé, disent-ils en passion ...»[25].

Il est ridicule, écrit encore notre auteur, que «Sagesse», dite plus excellente et plus ancienne que les hérétiques eux-mêmes[26], leur soit en ceci inférieure:

«Chercher et scruter le Père parfait, désirer la communion et l'union avec lui (*communicatio cum eo et unitas*), serait source de salut pour eux, mais source de corruption et de mort pour l'Eon dont ils sont originaires»[27].

Ainsi donc, afin de démontrer le caractère fantaisiste du drame du Plérôme, Irénée relève que les gnostiques, pourtant inférieurs aux Eons et à «Sagesse», obtiennent, dès ici-bas, leur perfection en ce qui perd l'une et est refusé aux autres: chercher et trouver le Père.
Par ce biais, notre auteur nous assure que les hérétiques se disent, déjà sur cette terre, en possession d'une «connaissance», d'une «compréhension» du «Père». Comment faut-il l'entendre? En nous référant au but que «Sagesse», contrairement aux gnostiques, désire vainement atteindre, il s'agit bien d'une *«pénétr(ation) dans (le Père), dans sa grandeur»* (*intra* *** ἐντός + gén. [*Patrem*], *magnitudinem* [*Patris*] *fieri*), ou encore d'une *«communion»* (*communicatio* *** κοινωνία), d'une *«union (unitas* *** ἕνωσις) avec lui»*[28].

* *
*

---

[25] *AH.*II.18,6 / Hv 315–316.

[26] Elle est leur «grand-père» et ils sont les «petits-fils», note Irénée ironiquement.

[27] *AH.*II.18,7 / Hv 316,15–19.

[28] Quoiqu'en *AH.*II.18,7 auquel nous faisons ici allusion, la «communion-union» semble ne demeurer qu'objet de désir aussi bien pour les gnostiques que pour «Sagesse».

1. Dans les pages qui précèdent, nous avons précisé la signification de la contemplation ou vision[29] dont parlent les gnostiques de l'école de Valentin. A la suite de cette étude, nous pouvons affirmer qu'elle est synonyme de communion, d'union avec l'objet vu. C'est bien là en effet la conclusion qui s'impose après avoir examiné les relations du «Monogène» avec le «Père» suprême, celles des Eons et des «pneumatiques» avec le «Monogène» et, enfin, les rapports de ces derniers avec le «Père».

En cours de route, nous avons rencontré d'autres données qui nous étaient déjà plus ou moins familières. Nous pourrions les résumer de la façon suivante:

2. En général, la vision s'effectue au plan des êtres «pneumatiques». Dans le cas des gnostiques, nous avons pu constater que c'est sur la base de leur «nature pneumatique» et à cause d'elle qu'ils sont habilités à faire cette expérience. De plus, c'est comme «pneumatiques» et seulement comme tels qu'ils peuvent la faire. Ce point est bien mis en relief par leur doctrine de la «consommation finale»: au moment de remonter dans le Plérôme, où ils s'uniront à leurs Anges et deviendront «esprits de pure intelligence», ils se dépouilleront de leurs «âmes psychiques» et abandonneront leurs corps à la corruption.

3. Qu'il s'agisse de la vision du «Monogène» par les Eons et les «pneumatiques» ou de la «connaissance» que les gnostiques ont du «Père», cette expérience est toujours reliée au salut, à la perfection impliquant l'incorruptibilité-immortalité, la paix, la joie, etc.[30].

4. Enfin, le «Monogène» est seul à pouvoir «contempler» le «Père» de manière immédiate, – seul, c'est-à-dire à l'exclusion des autres Eons du Plérôme et des gnostiques eux-mêmes[31]. Autrement dit, ces derniers n'atteignent que ce qui est visible ou «saisissable» dans le «Père», à savoir le «Monogène»; celui-ci ne les conduit, ni ne leur ouvre l'accès immédiat au «Père».

Comment Irénée comprend-il la vision de Dieu et comment situe-t-il sa réflexion théologique face au système gnostique que nous venons d'exposer? C'est après lui avoir longuement laissé la parole que nous serons mis en présence d'un ensemble doctrinal cohérent qui recoupera certains élé-

---

[29] Et de ses équivalents comme la saisie, la connaissance.

[30] Cf. *AH*.I.2,6 / Hv 22–23, etc.

[31] Irénée relève plus d'une fois dans son œuvre que ses adversaires ne sont pas logiques avec leur propre système: ils défendent une doctrine, mais, concrètement, ils se comportent autrement. Si notre interprétation d'*AH*.II.18,3–7 est juste, nous aurions ici un exemple éclatant de cette attitude. Soutenant ailleurs que leur salut consiste dans la connaissance d'un «Père invisible – inconnaissable – insaisissable» ou, plus précisément, dans l'impossibilité d'avoir accès à la «Grandeur» suprême, ils s'attribuent dès ici-bas, comme dans le passage déjà mentionné, une «connaissance-communion» avec ce «Père». – Il va de soi que cette contradiction dans les faits n'atteint pas le système en lui-même. C'est lui que nous retenons dans notre texte.

ments de la doctrine adverse, mais qui la rejettera, en fin de compte, dans son ensemble et dans ses structures de base, comme incompatible avec la «foi» de l'Eglise, «foi» dont notre auteur ne veut être, ici comme ailleurs, que l'interprète fidèle.

Chapitre VIII

La vision de Dieu dans la sphère de la christologie

Pour commencer notre étude sur une base solide, nous considérerons la vision d'abord dans l'Alliance nouvelle (§ 16). Nous l'observerons ensuite dans l'Alliance ancienne (§ 17). Enfin, nous l'étudierons au stade final de l'«économie», c'est-à-dire dans le «Royaume du Fils» et dans le Royaume du Père (§ 18). De cette manière, nous pourrons circonscrire notre sujet selon ses véritables proportions et laisser transparaître le dynamisme qui lui est inhérent.

§ 16: Dans la nouvelle Alliance

Le premier texte susceptible d'éclairer notre question se trouve dans la seconde partie du livre III de l'*Adversus Haereses*. Dans le but de réfuter la christologie des hérétiques dont nous avons brièvement exposé ailleurs les données[32], Irénée y traite de l'unité du Christ Jésus.

«Ces textes font apparaître avec évidence ... un seul Jésus-Christ notre Seigneur ..., Fils de Dieu devenu Fils de l'homme afin que par lui nous recevions l'adoption filiale, l'homme portant (*portare* ** βαστάζειν) et saisissant[33] (*capere* ** χωρεῖν) et embrassant (*complecti* *** συμπλέκεσθαι) le Fils de Dieu»[34].

---

[32] Cf. pp. 111–112.

[33] F. Sagnard traduit ce *capere* par «contenir». Cette traduction ne nous semble pas tout à fait exacte pour les raisons évoquées dans la note suivante.

[34] *AH*.III.16,3 / SC.296,87.89–298,95–97. Cf. Ignace d'Antioche, *Eph.* 9,2 / 66. – Pour que ce texte ait une signification interne cohérente et qu'il s'harmonise avec l'expérience de Siméon à laquelle Irénée fait déjà allusion, les verbes *portare-capere-complecti* ne peuvent décrire – du moins pas en premier lieu – une action passive analogue au contenant par rapport au contenu, mais l'action active de saisir, d'empoigner, de s'emparer de Celui qui crée en l'homme la condition nécessaire pour être saisi. – En d'autres endroits de son œuvre, Irénée décrit notre possession de l'Esprit dans des termes analogues (cf. *AH*.IV.14,2 / SC.542,48: *portare* ** βαστάζειν; *AH*.IV.20,5 / SC.636,91: *complecti* ** συμπλέκεσθαι; *AH*.IV.20,6 / SC.642,135: *portare* ** βαστάζειν; *Epid.* 7 / SC.41). Ici, cependant, ces verbes prennent un sens passif: l'homme recevant l'Esprit le contient ou le porte comme un vase contient la liqueur qu'on y verse – pour employer une image d'Irénée lui-même (cf. *AH*.III.24,1 / SC.472,14–15). Certes, notre auteur affirme bien

Ce texte est la conclusion qu'Irénée appose à sa lecture de *Ro.* 1,1–4 , de *Ro.* 9,5 et, surtout, de *Gal.* 4,4–5. Par l'union du Fils de Dieu à la chair, dit-il, l'homme[35] est doté de l'adoption filiale[36]. Cette adoption, poursuit-il, rend l'homme apte, l'habilite à «porter», à «saisir» et à «embrasser le Fils de Dieu». – Dans ce contexte, la saisie du Fils de Dieu se laisse facilement interpréter: par la qualité de ce qui la rend possible, c'est-à-dire par le don de l'adoption[37], elle ne peut désigner qu'une *réalité d'ordre intérieur, spirituel, mystique,* si l'on veut, *impliquant l'idée de communion, de partage, d'accès au mystère filial.*

Un alinéa plus loin[38], nous retrouvons l'expérience de «porter» vécue, cette fois, par le vieillard Siméon. Il porte le Christ lui-même (cf. *Lc* 2,28), écrit notre auteur, expérience qu'il lui est donné de faire par le Fils de Dieu uni à la chair: cet enfant-Christ dépouille les hommes en leur ôtant leur ignorance et les pare de la connaissance de lui-même (cf. *Is.* 8,3)[39].

Or, parallèlement à cette attitude[40], Irénée évoque celle de «voir» (*videre*

---

que l'Esprit rend l'homme apte à saisir (*capere* ** χωρεῖν) Dieu, le Fils (cf. *AH.*V.8,1 / SC.92) et le Père (cf. *AH.*V.1,3 / SC.26) ou à s'emparer du mystère de Dieu, mais jamais, à notre connaissance, il ne dit que l'homme saisit l'Esprit de cette manière. A cet égard, il est symptomatique qu'il n'utilise pas le verbe *capere*-χωρεῖν, verbe de teneur plus active, pour traduire notre possession de l'Esprit. – A la lumière de cette note sur l'Esprit, on verra encore mieux ce que nous voulons dire lorsque nous parlons d'un sens actif donné aux verbes de notre texte: *portare-capere-complecti.*

[35] Ou le «nous» de *Gal.* 4,5, c'est-à-dire les chrétiens (cf. A. Rousseau, *Note Justif.* P. 299, n. 1 dans SC.210, p. 316) représentés, plus loin, par le vieillard Siméon.

[36] Cf. *AH.*III.6,1 / SC.66,24–25.68,35–36; *AH.*III.18,7 / SC.366,172–176; *AH.*III.19,1 / SC.374,18–20; *AH.*III.20,2 / SC.390,59–60; *AH.*IV.Pr.4 / SC.390,74–75; *AH.*IV.8,1 / SC.466,16–18; *AH.*IV.33,4 / SC.812,84–86; *AH.*V.32,2 / SC.402,45–46; etc. – Remarquons qu'Irénée transforme *Gal.* 4,5 dont il s'inspire, en omettant de citer le verset 6 où l'adoption est identifiée au don de l'Esprit: «Dieu a envoyé dans nos cœurs l'Esprit de son Fils qui crie: Abba, Père!». Cette transformation par omission s'explique, sans doute, par le contexte christologique du passage. Voir dans le même sens: *AH.*III.6,1; etc. Par contre, notre auteur semble bien tenir compte, dans d'autres contextes, de cette identification: cf. *AH.*IV.1,1 / SC.392,4; *AH.*V.8,1 / SC.94; *AH.*V.12,2 / SC.146,25–29; *Epid.* 5 / SC.37.

[37] Qu'il nous soit permis d'insister. L'adoption filiale n'est pas présentée ici comme *ce en quoi* l'homme contient (sens passif) le Fils de Dieu, mais comme *ce par quoi* l'homme devient capable de le saisir (sens actif). Autrement dit, devenu semblable au Fils par le don de l'adoption filiale (cf. les textes cités à la note 36), l'homme peut saisir le Fils.

[38] *AH.*III.16,4 / SC.300–304. Comme nous l'avons relevé ailleurs (cf. pp. 113 ss), Irénée entend démontrer ici, contre le dualisme gnostique, l'unité du Christ Jésus. C'est donc, sans aucun doute, la pointe de ce texte. Ceci dit, rien n'empêche notre auteur d'inclure, dans sa démonstration, d'autres données auxquelles il est permis, par conséquent, de porter une attention spéciale sans, pour autant, gauchir la pensée.

[39] Le don de l'adoption est sous-entendu ici. Cf. *AH.*III.16,3 / SC.298,96.

[40] Nous avons eu et aurons encore l'occasion de rencontrer ce rapprochement entre la saisie et la vision, dont on remarquera ici l'enracinement scripturaire. Rappelons déjà quelques textes en ce sens, sans nous préoccuper, pour l'instant, des questions touchant l'objet et le temps de la saisie et de la vision: *AH.*III.20,2 / SC.392,72: *videre* ** ὁρᾶν – *capere* **

** ἰδεῖν) le Christ attribuée aux bergers (cf. *Lc* 2,17; 2,20) et aux mages (cf. *Mat.* 2,11)[40a]. C'est dire que nous pouvons définir cette vue ou vision de manière analogue à la saisie, sous réserve de ce qui est propre à celle-ci: elle est *la perception intérieure, mystique, du mystère filial, le regard spirituel jeté dans l'Etre du Fils, regard qui permet la communion à ce mystère, à cet Etre.*

Expérience d'ordre intérieur, spirituel, disons-nous. Quels en sont les sujets? Des êtres spirituels, désincarnés? Sur ce point, la pensée d'Irénée est claire: ce sont des hommes de chair et d'os, des hommes concrets comme les bergers, les mages, le vieillard Siméon.

Parmi les textes qui seraient encore à mentionner dans la ligne de cet enseignement, nous en présenterons et analyserons quelques-uns qui, en raison de leur plasticité et de leur clarté, méritent une attention spéciale.

Nous connaissons déjà, pour y être revenu à plus d'une reprise, la longue péricope du livre V de l'*Adversus Haereses* où Irénée, en s'inspirant du chapitre 9 de l'Evangile de Jean, tente de démontrer, à l'aide de gestes concrets du Seigneur, l'identité du Verbe-Fils visible et Sauveur et du Verbe invisible et Créateur[41]. Or, à un moment de sa démonstration, notre auteur parle de l'aveugle-né qui, après avoir eu les yeux enduits de boue et s'être lavé à la piscine de Siloé, «‹s'en revint voyant clair (*videre* ** βλέπειν)› (*Jn* 9,7) afin tout à la fois de reconnaître (*cognoscere* ** ἐπιγινώσκειν) Celui qui l'avait modelé et d'apprendre (*discere* ** μανθάνειν) quel était le Seigneur qui lui avait rendu la vie»[42]. Comment faut-il entendre cette vue ou cette vision? Dans ce passage, il est question de deux choses: 1. de *l'état* de l'homme après le bain de Siloé: «‹il s'en revint *voyant clair* (*Jn* 9,7)›»; 2. des *activités* qui s'y greffent et y font suite: pour «*reconnaître*» son Créateur et «*apprendre*» qui était son Sauveur. Qu'est-ce à dire?

Situé dans son contexte immédiat[43], c'est-à-dire placé en opposition à

χωρεῖν; *AH.*IV.7,1 / SC.456,6–7: *videre* ** ἰδεῖν – *complecti* ** συμπλέκεσθαι; *AH.*IV.20,4 / SC.636,85.87: *videre* ** ὁρᾶν – *perceptibilis* ** χωρεῖν; *AH.*IV.20,5 / SC.640,124–125: *percipere* * χωρεῖν – *videre* * βλέπειν; *AH.*IV.37,7 / SC.942, 177: *videre* ** ὁρᾶν – *capere* ** χωρεῖν; *AH.*IV.38,1 / SC.946,20.23: *videre* * ἰδεῖν – *portare* * βαστάζειν; *AH.*V.7,2–8,1 / SC.92,58.59.3: *videre* ** ὁρᾶν ** βλέπειν – *capere* ** χωρεῖν – *portare* ** βαστάζειν; etc., etc. Notons que les gnostiques faisaient une association analogue. Cf. *AH.*I.1,1 / Hv 9,7: *capere* * χωρεῖν; *AH.*I.2,1 / Hv 13,6: *videre* * θεωρεῖν.

[40a] Un peu plus haut, Irénée parle de Siméon qui «voit le Christ» (cf. *Lc* 2,28.30). Cf. p. 113, note 178.

[41] *AH.*V.15,2ss / SC.202ss. Cf. p. 105ss.

[42] *AH.*V.15,3 / SC.210,103–105.

[43] En vertu du contexte élargi dont il fut question plus haut, ce passage a également pour but de démontrer que le Seigneur s'est manifesté réellement et concrètement à l'homme: le Verbe-Fils s'est, comme Créateur et Sauveur, rendu visible, puisque l'homme – représenté par le miraculé – l'a vu de ses yeux de chair. Dans cette perspective, le *videns ut ... cognosceret ... et disceret ...* a une portée uniquement matérielle. Ce n'est pas l'aspect qui nous retiendra ici (cf. § 16).

la cécité de naissance symbolisant l'état peccamineux où était tombé l'homme après être sorti de la «Main» créatrice de Dieu, le *videns* ** βλέπων ne peut signifier que l'état de régénération dans lequel l'homme[44] se trouve par suite du don de la vie octroyé par le Seigneur et transmis par le bain à Siloé. En d'autres termes, l'homme «voi(t) clair» en tant que, par le Verbe-Fils rendu visible ou devenu chair (cf. *Jn* 1,14), il est régénéré, ou – en nous référant à la fin de la même péricope – en tant qu'il est rendu parfaitement semblable au Verbe, qu'il est rétabli de manière stable dans la conformité à son modèle, le Fils[45].

Ceci dit, nous pouvons préciser le sens de la connaissance ou de la vision. Puisqu'elle est comme la mise en acte de la transformation intérieure dont nous venons de parler, il faut qu'elle soit *une réalité de même ordre ayant, par conséquent, pour objet l'Etre même du Verbe-Fils Créateur et Sauveur et faisant entrer l'homme en communion avec lui.*

Poursuivons notre enquête:

«... Le Verbe de Dieu, écrit ailleurs Irénée, ... a habité dans l'homme (cf. *Jn* 1,14) et s'est fait Fils de l'homme pour accoutumer l'homme à saisir (*percipere* ** χωρεῖν) Dieu et accoutumer Dieu à habiter dans l'homme, selon le bon plaisir du Père»[46].

«... Pour accoutumer l'homme à saisir Dieu ...». Avant de définir cette saisie ou cette vision[47], nous préciserons, à l'aide du contexte, les données doctrinales qui lui sont connexes. Entre autres choses, nous y trouverons la raison pour laquelle nous nous sommes cru autorisé à citer ce passage dans le présent paragraphe.

A l'homme désobéissant et qui s'est exclu, de la sorte, de l'immortalité

---

[44] Intégral, dans son âme et son corps. Que le corps soit touché par cette régénération, nous en avons ici la preuve évidente. Le *videns* implique en effet l'ouverture des yeux de la chair.

[45] C'est là un premier aspect de l'œuvre du Verbe-Fils fait homme (cf. *Jn* 1,14). Le second consiste à faire apparaître que l'homme a été fait à l'image de Dieu: «... Le Verbe de Dieu se fit homme, se rendant semblable à l'homme ... Dans les temps antérieurs, en effet, on disait bien que l'homme avait été fait à l'image de Dieu, mais cela n'apparaissait pas, car le Verbe était encore invisible, lui à l'image de qui l'homme avait été fait ... Mais, lorsque le Verbe de Dieu se fit chair (cf. *Jn* 1,14), ... il fit apparaître l'image dans toute sa vérité, en devenant lui-même cela même qu'était son image ...» *AH*.V.16,2 / SC.216. (La même doctrine est reprise ailleurs dans des contextes différents: cf. *AH*.IV.33,4 / SC.812; *Epid.* 22 / SC.64–65). Il s'agit toujours, pour notre auteur, de démontrer à partir de l'incarnation du Verbe-Fils qu'il n'y a qu'une «Main de Dieu» qui «du commencement à la fin, nous modèle, nous ajuste en vue de la vie, est présente à son ouvrage et le parfait à l'image et à la ressemblance de Dieu (cf. *Gen.* 1,26)» *AH*.V.16,1 / SC.214.

[46] *AH*.III.20,2 / SC.392,72–75.

[47] Nous supposons pour le moment que la vision est synonyme de la saisie. Nous trouverons, un peu plus loin, la raison qui autorise ce rapprochement.

(cf. *Gen.* 3,2–5)[48], Dieu fait miséricorde (cf. *Ro.* 11,32; *I P.* 2,10): il lui donne l'adoption filiale (cf. *Gal.* 4,5)[49] par son Fils, sous-entendu incarné.

L'homme qui renonce à sa désobéissance, ou qui reconnaît que Dieu seul peut lui donner le salut, devient bénéficiaire de cette adoption. Bien plus, «en demeurant dans (l')amour» (*Jn* 15,9.10), «dans la soumission et dans l'action de grâces», il recevra du Fils «une gloire plus grande» encore: il progressera jusqu'à devenir «semblable» au Fils «qui est mort pour lui». Autrement dit, l'adoption déploiera toutes ses virtualités. L'homme ressuscitera dans sa chair[50] et il vivra immortel, incorruptible, éternel[51].

Avec l'expression: «Celui qui est mort pour lui», Irénée enchaîne en citant de façon littérale, quoique implicite, *Ro.* 8,3 qui insiste sur une autre dimension de la mort du Seigneur à laquelle l'homme est aussi identifié. Le développement de la pensée est le suivant: En s'unissant à la chair de péché et en vivant dans l'obéissance jusqu'à la mort, le Fils de Dieu a comme épuisé la résistance de cette chair devant l'amour divin, a refait dans l'homme l'adhésion à Dieu, a rétabli en lui l'attitude filiale. Bref, il a rejeté le péché hors de la chair. En suivant l'exhortation du Seigneur (cf. *Eph.* 5,1), c'est-à-dire en imitant son obéissance jusqu'à la mort, l'homme devient semblable au Fils, entendons semblable à son attitude d'ouverture devant le dessein de l'amour de Dieu. C'est ainsi qu'il recevra la gloire plus grande que Dieu lui destine dans son amour, à savoir le pouvoir de «voir» (*videre* ** ὁρᾶν) et de «saisir» (*capere* ** χωρεῖν) le Père[51a]»[52].

---

[48] En se référant à *Gen.* 3,2–5 (nous y trouvons une allusion certaine un peu plus haut dans le texte), Irénée voit le péché de l'homme dans le fait de ne pas avoir accepté que l'immortalité vienne de Dieu seul, ou dans le fait que l'homme ait cru pouvoir se donner le salut par lui-même. Notre auteur pense certainement ici à la théorie gnostique de la «nature pneumatique» possédée sans l'œuvre de Dieu (= incarnation), ou issue du Plérôme, pure projection des aspirations de l'homme à la divinité. De la sorte, il perçoit cette orgueilleuse prétention comme une actualisation de l'antique faute du Paradis.

[49] Remarquons que, comme en *AH.*III.16,3, il n'est pas question de l'Esprit. Cf. la note 36 de ce §.

[50] Selon le signe de Jonas évoqué plus haut (cf. *Jonas* 2,1ss; *Mat.* 12,39–41 et parall.): ... *ut insperabilem homo a Deo percipiens salutem resurgat a mortuis* ... AH.III.20,1 / SC.386,23–24; ... *dehinc veniens ad resurrectionem quae est a mortuis* ... AH.III.20,2 / SC.388,41–42, et conformément à *Ro.* 6,5 auquel Irénée fait peut-être ici allusion.

[51] Il n'est pas exclu qu'Irénée pense ici au «Royaume du Fils».

[51a] *Irl* donne ... *ad videndum Deum et capere Patrem donans* (SC.390,71–392,72), donc relie *Deum* à *videre* et *Patrem* à *capere* d'une part, et rattache *ad videndum Deum* à la proposition précédente d'autre part. Notre façon de rapporter le texte implique une interprétation que A. Rousseau autorise du point de vue littéraire. Voir: A. Rousseau, *Note justif.* P. 393, n. 1 dans SC.210. p. 353. – Pour une bonne paraphrase de cette péricope irénéenne, voir G. Jouassard, *Le «Signe de Jonas» dans le Livre IIIe de l'Adversus Haereses de saint Irénée*, dans *L'homme devant Dieu. Mélanges offerts au Père Henri de Lubac*, t. I: *Exégèse et Patristique* (coll. Théologie, 56), Paris, 1963, pp. 238–244.

C'est ici que prend place le texte cité plus haut. A la lumière de ce qui vient d'être dit, que signifie l'expression: «... Pour accoutumer l'homme à saisir Dieu ...»?

Nous constatons d'abord que cette saisie n'est pas une réalité qui surgit soudainement sous la plume d'Irénée, mais qu'elle est introduite, amenée par l'évocation de la vision et de la saisie du Père[53]. Une question se pose sous ce rapport: de quelle saisie s'agit-il? De celle dont notre auteur vient de parler, c'est-à-dire de celle qui se produira dans le Royaume du Père? ou d'une saisie qui existerait déjà dans les temps présents? Reliée à la condition terrestre de l'humanité du Verbe-Fils (cf. *Jn* 1,14), il ne fait pas de doute que cette saisie de Dieu est, non pas eschatologique, mais actuelle.

Comme nous l'avons vu précédemment, Dieu introduit l'homme progressivement dans son dessein d'amour, progressivement en ce sens qu'il l'accorde de manière mesurée à la plénitude du don, à la «gloire plus grande» qu'il lui destine. Nous trouvons l'écho de cette doctrine dans l'idée d'accoutumance dont parle notre expression. Dès lors, en s'habituant présentement à «saisir Dieu», l'homme s'habitue à le «saisir» en plénitude. En d'autres termes, la saisie présente est gage, commencement, préparation de la saisie à venir.

Enfin, nous avons vu que la «gloire plus grande» réservée à l'homme soumis avait pour objet la vision et la saisie du Père et que, par rapport à lui, la similitude parfaite avec le Fils jouait le rôle d'une voie, d'un moyen. En raison du lien qu'Irénée pose entre la saisie actuelle et celle de la fin, la saisie actuelle n'a pas seulement le Fils pour objet – comme pourrait le laisser entendre notre texte coupé de son contexte –, mais encore le Père. En outre, cette saisie du Père à travers le Fils est destinée à se transformer, comme le germe en la fleur, en la vision et la saisie immédiate du Père. C'est sans doute pour laisser l'espace nécessaire à

---

[52] Il est fort probable qu'Irénée songe ici au «Royaume du Père». A. Rousseau pense y trouver une allusion littéraire en considérant le *paternam ... regulam* de l'*irl* (SC.390,71) comme une corruption de *paternum ... regnum* et en voyant dans le participe *imponens* (ibd.) la traduction de ἀναγαγών. Cf. A. Rousseau, *Note Justif.* P. 391, n. 3 dans SC.210, pp. 351–353. –

Qu'il nous soit permis d'attirer l'attention sur la structure du passage que nous venons de paraphraser: A. Drame du Paradis terrestre (cf. *Gen.* 3,2–5) réactualisé par les gnostiques: a) désobéissance – b) perte de l'immortalité opposé, B. au dessein de la miséricorde de Dieu: a) obéissance – b) acquisition de l'immortalité. – Notons encore que, tandis qu'Irénée perçoit le drame des origines comme permis par Dieu afin que 1. ce dernier puisse démontrer l'infini de sa philanthropie et 2. que l'homme puisse apprécier, par l'expérience de sa misère, le salut divin, il se montre désarmé devant les gnostiques, qui en restent encore au péché des origines en se bouchant les yeux devant l'amour insondable de Dieu.

[53] Dès lors, nous pouvons identifier la saisie à la vision.

cette compréhension de l'objet de la saisie actuelle qu'Irénée ne parle pas d'une saisie du Fils, mais d'une saisie de *Dieu*.

Ces points précisés, revenons à notre question de départ. Irénée rattache, comme il est loisible de le constater, la saisie de Dieu par l'homme[54] à l'incarnation (cf. *Jn* 1,14). En d'autres termes et en paraphrasant sa pensée: par l'union du Verbe à la chair, l'homme se trouve comme pénétré par le Verte, imprégné de lui, mélangé[55] à lui, et c'est ainsi qu'il peut «saisir Dieu». Dès lors, la question de savoir ce que signifie cette saisie ne représente pas de difficulté: en vertu de son enracinement dans la transformation opérée dans l'homme par le Verbe habitant dans la chair, elle ne peut désigner qu'*une activité d'ordre intérieur par laquelle l'homme s'approprie l'Etre même de Dieu, le touche, s'empare de lui, entre en contact avec lui.*

A titre de confirmation de la doctrine dégagée dans ce paragraphe, nous pourrions reprendre, en l'explicitant à l'aide du contexte, une formule condensée d'Irénée:

«Puis» – entendons: dans la nouvelle Alliance[56] – «(Dieu)» – entendons: le Père dans le Fils et, par conséquent, également le Fils – «(est) vu» – c'est-à-dire et conformément à ce qu'Irénée écrit quelques lignes plus bas: *Dieu est «particip(é)» ou l'homme «(est) en Dieu», «attein(t) jusqu'à Dieu»*[57] – «par l'entremise du Fils» – entendons: par le Fils incarné, tel qu'Irénée le note un peu plus haut: *Lc* 18,27 (= cf. *Lc* 1,34.37)[58] – «selon l'adoption», ou, d'après la traduction tout à fait adéquate et peut-être encore plus éloquente de l'arménien, «par l'entremise du Fils faisant (de l'homme) un fils»[59], ... «le Fils conduisant l'homme au Père»[60].

* *
*

Dans la nouvelle Alliance, la vision ou la saisie a donc pour objet le Verbe-Fils. Sous ce rapport, un texte[61] précise que le Seigneur est vu ou

---

[54] Et non par l'humanité du Verbe. C'est tout le contexte qui parle en ce sens.

[55] Expressions inspirées d'une des façons d'Irénée de décrire l'union du Verbe de Dieu à l'humanité: *consparsus* (*AH*.III.16,6 / SC.312,204; cf. p. 114). Voir encore: *AH*.IV.20,4 / SC.634,82–83; *AH*.V.1,3 / SC.26 (remarquer le contexte eucharistique). Cf. A. Houssiau, *La christologie*..., p. 206.

[56] Il est probable qu'Irénée englobe ici la vision dans le «Royaume du Fils».

[57] Nous aurons l'occasion de revenir sur ces expressions. – Notons qu'il s'agit, en l'occurrence, de la vision eschatologique du Royaume final. Sans préjudice de ce qui lui est propre, nous pouvons, dans son noyau, l'appliquer à la vision de la nouvelle Alliance.

[58] Nous nous sommes expliqué ailleurs sur le sens et la portée qu'Irénée confère à cette citation scripturaire (cf. p. 62, note 87). C'est à cet enseignement que nous faisons allusion.

[59] *Ira: faciens filium.*

[60] ... *Visus autem et per Filium adoptive* ... *Filio autem adducente ad Patrem* ... *AH*.IV.20,5 / SC.638, 112–113.115.

[61] *AH*.IV.38.1 / SC.946. Cf. pp. 122ss.

saisi dans sa venue humaine terrestre. La raison? Semblables aux membres des nouveau-nés, les yeux de l'homme n'étaient pas encore assez forts pour s'ouvrir à l'éclat de «son inexprimable gloire»; leurs mains étaient encore trop vacillantes pour en porter tout le poids. Puis, Irénée ajoute: par cette venue terrestre, les hommes s'exerçaient à voir et à saisir le Seigneur dans sa venue glorieuse.

Les deux derniers textes cités nous ont aussi montré que la vision ou la saisie a pour objet, dans l'Alliance nouvelle, non seulement le Verbe-Fils, mais encore le Père, plus précisément le Père dans le Fils, et que, sous ce rapport, elle a pour rôle de préparer, d'habituer, d'accoutumer l'homme à la vision ou à la saisie immédiate du Père dans le Royaume final.

C'est dire qu'il faudra prolonger notre étude dans les étapes de l'«économie» appelées «Royaume du Fils» et Royaume du Père. Auparavant, nous nous attarderons à une texte important touchant l'expérience de la vision dans l'Alliance ancienne.

§ 17: Dans l'ancienne Alliance

«La gloire de Dieu, écrit Irénée, c'est l'homme vivant et la vie de l'homme c'est la vision de Dieu»[62]. S'il y a de bonnes raisons de croire que, dans la pensée de notre auteur, cette affirmation couvre tous les temps[63], il est permis de dire que la vision concerne aussi les Anciens dont il est question quelques lignes auparavant. Comment donc la comprendre?

Pour que la vision de Dieu soit la vie de l'homme, il faut qu'elle mette l'homme en contact avec Dieu, en relation, en communion avec lui. Cette déduction qui relève du simple bon sens se trouve explicitement confirmée et précisée quelques alinéas plus haut:

«... Il est impossible de vivre sans la vie, et il n'y a de vie que par la participation (*participatio* * μετοχή) à Dieu, et cette participation à Dieu consiste à voir (*videre* * γιγνώσκειν ** ὁρᾶν)[64] Dieu et à jouir de sa bonté»[65].

---

[62] *AH*.IV.20,7 / SC.648,180–181.

[63] L'indicatif présent de l'expression: ... *his qui vident Deum* et de son corrélatif: ... *multo magis ea quae est per Verbum manifestatio Patris vitam prestat* ... (*AH*.IV.20,7 / SC.648,183–184) formant un tout avec notre texte nous semble être un indice solide en ce sens. Irénée utilise ailleurs un procédé analogue pour parler de la révélation-manifestation de Dieu d'adressant aux hommes de tous les temps (cf. p. 78, note 37; pp. 81–82 et la note 58; p. 104).

[64] *Ira* et *irl*. En raison du contexte, nous croyons devoir préférer le témoignage concordant des versions arménienne et latine au fragment grec tiré des *Sacra Parellela* (cf. SC.100/1, p. 69). – Cf. SC.100/1, p. 160 où A. Rousseau tente d'expliquer pourquoi l'excerpteur du fragment grec a substitué * γιγνώσκειν à l'**ὁρᾶν que, selon toute vraisemblance, comportait le texte qu'il avait sous les yeux.

[65] *AH*.IV.20,5 / SC.642,127–130.

La vie de l'homme, c'est la vision de Dieu parce qu'il n'y a de vie que par la participation à Dieu, et participer à Dieu, c'est le voir. Les Anciens voient donc Dieu *en ce sens qu'ils y participent.*

Poursuivons notre étude: sur quoi cette expérience est-elle fondée? A la lumière des données dégagées dans le paragraphe précédent, nous pourrions songer ici à une *certaine* grâce d'union dont l'homme serait doté par le Verbe-Fils présent dans l'Alliance ancienne et comme prenant corps dans les «économies» figuratives de sa venue charnelle à venir. Mais, comme nous l'avons montré ailleurs[66], cette manière de concevoir l'activité du Verbe-Fils à ce moment de l'«économie» n'est pas irénéenne. D'après notre auteur, en effet, le Verbe-Fils œuvrant dans l'Ancien Testament *suscite* bien des «figures» de sa manifestation à venir, mais *il n'y habite pas, il ne s'y unit pas.*

Dès lors, où chercher? Du côté de l'Esprit? Irénée parle en *AH.* IV. 20,8 et ailleurs[67] de l'Esprit présent auprès des Anciens. Cet Esprit les «sanctifie», les transforme, les assimile à Dieu, pour leur faire expérimenter, de manière anticipée, la vision de Dieu[68] dont jouiront les membres des temps de l'accomplissement.

A y regarder de plus près, nous aurions là le fondement recherché, qui serait, par surcroît, de nature à préciser encore le contenu du texte cité au départ. En effet, nous y trouverions: 1. le fondement capable d'assimiler l'homme à Dieu et ainsi de l'habiliter à le voir, à y participer; 2. le fondement apte à établir l'unité entre la vision des Anciens et celle des membres du Nouveau Testament, en ce sens que l'Esprit possède la faculté de faire expérimenter réellement, dans un temps donné, une réalité encore à venir[69]; 3. et, enfin, le fondement susceptible de sauvegarder le trait particulier ou l'originalité de la vision à venir, puisque la vision de l'ancienne Alliance, semblable à celle des temps nouveaux, ne s'effectuerait pas, comme cette dernière, sous un mode actuel, mais sous un mode anticipé. – Nous voyons mieux maintenant que la «grâce d'union» évoquée plus haut serait incapable d'expliquer pleinement la citation de départ. En effet, si elle pouvait avoir la qualité du fondement recherché, si elle pouvait encore placer la vision vétéro-testamentaire dans un rapport d'unité et de différence avec la vision néo-testamentaire

---

[66] Cf. les § 10 et 13.

[67] Cf. § 17.

[68] Entendons: la vision du Père et du Fils, plus précisément la vision du Fils et, en elle, celle du Père.

[69] Sur le fondement de cette faculté attribuée à l'Esprit, cf. *Epid.* 67 / SC.133. – D'après Irénée, ce ne sont pas seulement les membres de l'Ancien Testament qui jouissent de cette capacité possédée par l'Esprit (cf. *AH.*IV.7,1 / SC.456; *AH.*IV.20,8 / SC.650; etc.), mais encore ceux du Nouveau (cf. *AH.*III.16,2 / SC.294; *AH.*III.16,5 / SC.308 [remarquons que la mention de l'Esprit est omise]; *AH.*III.16,9 / SC.326; *AH.*IV.Pr.3 / SC.386; etc.).

en ce sens qu'elle serait à la base d'une vision de même «substance» que celle encore à venir sans, pourtant, en posséder la plénitude – le Verbe-Fils ne s'étant pas encore incarné –, elle ne pourrait pas répondre au fait que les Anciens jouissaient, déjà en leur temps, de la vision de leurs descendants, sous réserve qu'ils faisaient cette expérience sous un mode anticipé. Autrement dit, avec cette «grâce d'union», les Anciens n'expérimenteraient qu'une vision analogue à celle des membres de la nouvelle Alliance; ils ne se verraient pas reportés, en quelque sorte, dans un temps postérieur pour faire, à l'avance, une expérience propre à cette étape de l'«économie». – L'Esprit-Saint apparaît donc comme la clé herméneutique de l'affirmation d'Irénée. Mais encore faudrait-il qu'il s'y réfère explicitement.

Cette référence, nous croyons la trouver dans le ** πρὸς τὸ συμφέρον τῶν ἀνθρώπων, expression qui accompagne ou qualifie l'activité du Verbe-Fils dans l'Ancien Testament: «... le Verbe s'est fait le dispensateur de la grâce du Père *pour le profit des hommes*» (*ad utilitatem hominum*)[69a], et que notre auteur commente ainsi:

> «... sauvegardant (entendons: le Verbe-Fils) l'invisibilité du Père pour que l'homme n'en vînt pas à mépriser Dieu et qu'il eût toujours vers quoi progresser, et en même temps rendant Dieu visible aux hommes par de multiples «économies», de peur que, privé totalement de Dieu, l'homme ne perdît jusqu'à l'existence»[70].

En effet, cette expression est la reprise de *I Cor.* 12,7: πρὸς τὸ συμφέρον cité dans l'alinéa précédent[70a]. Or, ce texte scripturaire se rapporte à

[69a] *AH.*IV.20,7 / SC.646,172–173. Nous attribuons donc cette partie de 20,7 (SC.646,165–174 – 648,175–180) au temps de l'Alliance ancienne.

S'il n'est pas exclu qu'Irénée pense ici à la totalité de l'histoire:

1. l'allure de tout le passage: la mention, par exemple, du «genre humain», des «hommes»;

2. l'encadrement de cette péricope par une sorte d'atemporalité: a) *omnia enim per Verbum ejus discunt quia est unus Deus Pater, qui continet omnia et omnibus esse praestat ... AH.*IV.20,7 / SC.646,160–162 – remarquons les indicatifs présents –; b) *AH.*IV.20,7 / SC.648,180–184 (cf. p. 144, note 63);

3. une certaine rupture: *Sed (quoniam) qui omnia ... AH.*IV.20,6 / SC.644,156 du mouvement de la pensée qui semble reprendre son cours en *AH.*IV.20,8 / SC.648,185: *Quoniam ergo Spiritus Dei ...*,

d'autres indices nous autorisent à croire qu'il s'agit plutôt de l'activité du Verbe-Fils dans l'Ancien Testament:

1. le contexte général où il est question de l'activité du Verbe dans l'Alliance ancienne et des conséquences qui en découlent pour les Anciens;

2. le texte parallèle, en substance, à *AH.*IV.20,7 que l'on trouve en *AH.*IV.20,11;

3. l'*enarravit* ** ἐξηγήσατο de *Jn* 1,18b (*AH.*IV.20.6 / SC.646,164) et les autres verbes au passé qu'Irénée n'aurait pas hésité à mettre au présent (cf. par exemple *AH.*IV.6,3 / SC.442,42 et la note 37 de la p. 78) s'il avait voulu parler pour tous les temps.

[70] *AH.*IV.20,7 / SC.648,175–180.

[70a] *AH.*IV.20,6 / SC.644,155–156.

l'Esprit: «à chacun la manifestation de l'Esprit est donnée *pour son profit* (*ad utilitatem* ** πρὸς τὸ συμφέρον)» (*I Cor.* 12,7), Esprit qui «œuvre» auprès des Anciens de concert avec le Fils[71] «fourni(ssant) son ministère» dans le sens décrit plus haut.

Ainsi donc, nous pouvons paraphraser notre texte de la manière suivante: c'est *assistés par l'Esprit* qu'à travers les «économies» figuratives de l'incarnation ou de la manifestation à venir[72] suscitées par le Verbe, les Anciens perçoivent le Fils – et, en lui, le Père (cf. *Jn* 1,18b) – venant dans la chair, qu'ils lui sont rendus présents (= voir)[73]. C'est encore grâce à lui qu'ils sont simultanément *introduits dans l'intimité divine* (= vision)[74]. Cette expérience, ils la font *de manière anticipée*[75].

* *
*

Les Anciens n'ont vu Dieu que de manière anticipée (-partielle). D'après Irénée, il ne pouvait qu'en être ainsi, car, autrement, il y aurait eu danger

---

[71] Dans le Nouveau Testament, cette activité concertée du Fils et de l'Esprit auprès des hommes se poursuivra. Plus qu'il ne le fait pour l'Ancien Testament (cf. *AH*.IV.36,4 / SC.892–894), notre auteur ne cessera d'insister sur le fait que, dans l'Alliance nouvelle, cet Esprit est l'Esprit du Verbe, plus précisément l'Esprit donné par le Christ, répandu par le Fils manifesté ou incarné et ressuscité (*AH*.III.1,1 / SC.20–22; *AH*.III.6,4 / SC.76; *AH*.III.11,9 / SC.170–172; *AH*.III.12,2 / SC.182 [citation du livre des *Act*. 2,36]; *AH*.III.17,2–3 / SC.322–326; *AH*.IV.21,3 / SC.682–684; *AH*.IV.33,14 / SC.840–843; *AH*.V.18,2 / SC.235; *Epid*. 7 / SC.42; *Epid*. 89 / SC.157; *Epid*. 97 / SC.167; etc.). Cf. p. 157, note 116.

[72] Soit terrestre, soit glorieuse: cf. *AH*.IV.20,9 / SC.654.

[73] Ce rôle, l'Esprit n'aura plus à le jouer à l'endroit des membres de l'Alliance nouvelle. Du seul fait qu'ils sont hommes, ils pourront voir le Verbe-Fils manifesté ou le Christ fait homme en toute vérité. Au moment de l'instauration du «Royaume du Fils», l'Esprit jouera un rôle analogue à celui dont il vient d'être question en ce sens que c'est lui qui ressuscitera la chair, rouvrira les yeux de l'homme afin qu'il puisse être concrètement en présence du Verbe-Fils manifesté-glorieux ou qu'il puisse le contempler. Cf. § 19 et la note 172 de la p. 172.

[74] On pourra se demander pourquoi nous avons rapporté ce texte dans un chapitre où la vision devrait être attribuée au Fils comme étant son œuvre. Ce changement de perspective est dû en premier lieu au fait que nous voulions montrer concrètement comment un texte qui semblait, à première vue, se rattacher à la sphère christologique se révélait, à une lecture plus approfondie, être relié à l'Esprit. En second lieu, il aurait été impossible de penser pouvoir couvrir le présent sujet en demeurant exclusivement dans les cadres de la christologie. Pour Irénée – le texte étudié ici en donne les raisons –, la vision des Anciens est nécessairement l'œuvre de l'Esprit. – A côté de ce passage, si l'on veut, oblique, il y en a d'autres plus directs; nous en reportons l'étude au § 20.

[75] Il semble que nous ayons ici la caractéristique principale que retient notre auteur pour établir la différence entre la vision expérimentée dans l'Ancien Testament et celle expérimentée dans les temps ultérieurs. Ceci dit et fermement maintenu, nous pourrions ajouter que la vision des Anciens est *partielle* par rapport à celle des membres de

qu'ils méprisassent Dieu. En outre, il fallait qu'ils eussent toujours vers quoi progresser. De là, il faut conclure que les Anciens ont été les sujets d'un processus de croissance, d'accoutumance à la vision actuelle, qu'en vertu d'une mystérieuse solidarité ils expérimenteront d'abord à travers les membres de la nouvelle Alliance, leur postérité[76], et qu'ils expérimenteront enfin personnellement, après être ressuscités d'entre les morts[77].

Dans l'alinéa suivant[78], Irénée rattache une autre dimension à cette expérience des Anciens. Par leur vision, ils ont préparé à l'avance les hommes (= «nous») à la vision à venir, c'est-à-dire à celle du Nouveau Testament comme à celle des tout derniers temps: il fallait, écrit-il, que Dieu fût vu «par tous les membres sanctifiés et instruits des choses de Dieu» (= les Anciens) «et qu'ainsi l'homme fût formé et exercé par avance à s'approcher de la gloire destinée à être révélée par la suite à ceux qui aiment Dieu (cf. *Ro.* 8,18.28)»[79]. –

Comment faut-il comprendre cette vision à laquelle les membres de la nouvelle Alliance, même dans leur situation de privilégiés par rapport à

l'Alliance nouvelle. Cette donnée reposerait sur le fait que l'Esprit ne peut, à cette étape de l'«économie», être répandu avec la même abondance, la même plénitude que dans les moments ultérieurs du dessein salvifique de Dieu (cf. *AH.*IV.33,14.15 / SC.842–844; *Epid.* 6 / SC.40; dans l'orbite de la même idée, voir encore: *AH.*III.10,2 / SC.120,63; *AH.*III.17,1 / SC.328–330; *AH.*III.17,2 / SC.330–332; *AH.*III.24,1 / SC.472; etc.). Si, dans le présent texte, ce motif n'est pas directement évoqué, il est permis de le voir implicitement mentionné dans le fait que les Anciens s'habituaient eux-mêmes et habituaient en eux les hommes à venir «à s'approcher de la gloire destinée à être révélée par la suite à ceux qui aiment Dieu» (= vision) (cf. pp. 153–154). Ailleurs, par exemple, le don partiel de l'Esprit (= «les arrhes»: *Eph.* 1,13–14; cf. I *Cor.* 13,9) est explicitement relié au phénomène de l'accoutumance ou de la préparation à la vision plénière de Dieu, étant sauf qu'il s'agit là de l'état des membres de l'Alliance nouvelle par rapport à leur destinée finale (cf. *AH.*V.7,2–8,1 / SC.90–96 et l'analyse détaillée de ce texte dans le § 19).

A la lumière de ces remarques, nous aurions donc dans l'Ancien Testament une vision semblable à celle du Nouveau Testament (unité) qui, en plus de s'effectuer selon un mode anticipé (différence), n'atteindrait pas la perfection de celle expérimentée par la suite.

–Nous trouvons une illustration concrète de cet enseignement dans l'expérience d'Abraham immolant son fils unique, Isaac. Cf. § 20.

[76] Cf. par exemple *AH.*IV.7,1 / SC.454–458. – *Quemadmodum enim in primis nos praefigurabamur et praenuntiabamur* (cf. l'alinéa suivant dans le texte), *sic rursum in nobis illi deformantur, hoc est in Ecclesia, et recipiunt mercedem pro his quae laboraverunt* (cf. *Jn* 4,35–38) *AH.*IV.22,2 / SC.690,41–45.

[77] Cf. *AH.*IV.22,2 / SC.688.

[78] *AH.*IV.20,8 / SC.648–650. Alinéa dominé par la présence de l'Esprit: *Quonian ergo Spiritus Dei* ... En raison du sens donné à *ad utilitatem hominum*, il ne constituerait – sans préjudice de la rupture relevée plus haut – qu'un tout avec *AH.*IV.20,7. Remarquons, du reste, le lien mis par notre auteur entre les deux alinéas: *Quoniam ergo Spiritus Dei* ...

[79] *AH.*IV.20,8 / SC.650,192–196.

leurs devanciers, se préparent encore[80]? C'est ce que nous examinerons de plus près dans les pages qui vont suivre.

§ 18: Dans le «Royaume du Fils» et dans le Royaume du Père

Art. 1: Dans le «Royaume du Fils»

Pour répondre à cette question, nous pourrions procéder de deux manières. La première consisterait à reprendre[81] les données dégagées dans notre étude sur la vision dans la nouvelle Alliance et à les nuancer selon le rapport du plus au moins qu'Irénée établit entre ces deux étapes de l'«économie»[82]. La vision serait donc une réalité d'ordre spirituel par laquelle l'homme – ici, les justes du Nouveau Testament comme ceux de l'Ancien – ressuscité dans sa chair entrerait personnellement en communion avec l'Etre même du Verbe-Fils. Elle atteindrait cependant sa profondeur ultime sous le dynamisme du don de l'adoption octroyé en plénitude.

La seconde consisterait à nous référer à des textes qui traiteraient directement de notre sujet. Il faut reconnaître ici que de tels passages ne sont pas – du moins à notre connaissance – très nombreux[83]. En ce qui touche la définition de la vision, nous pourrions mentionner, par exemple, ce commentaire du logion johannique «Je veux que là où je suis, ceux-là soient aussi, afin qu'ils voient (*videre* ** θεωρεῖν) ma gloire» (*Jn* 17,24):

> «Nulle vantardise en cela, mais volonté de faire partager (*participare* ** ἀνακοινώσασθαι) sa gloire à ses disciples»[84].

Cette vision qui, selon toute vraisemblance, est celle du «Royaume» est donc définie *comme un partage, une communion à la gloire du Seigneur*, c'est-à-dire *à son Etre filial*.

---

[80] En raison du fait que les membres de la nouvelle Alliance portent en eux ceux de l'ancienne, ne serait-il pas permis de croire que les Anciens ont été, à leur tour, disposés dans leur postérité à la vision finale? Notons cependant que cette intercommunication d'expérience n'est pas – du moins à notre connaissance – explicitement évoquée là où Irénée parle de cette croissance harmonieuse des membres de la nouvelle Alliance vers la vision des temps eschatologiques.

[81] Selon le rapport d'unité qu'Irénée met entre l'une et l'autre étapes du salut.

[82] Cf. par exemple *AH*.IV.9,2 / SC.482–484.

[83] Les choses se présenteront autrement lorsque nous étudierons la vision dans la sphère de la pneumatologie. Cf. pp. 160ss.

[84] *AH*.IV.14,1 / SC.540,32–542,33.

Quant à la question du fondement de cette vision, nous pouvons tabler sur *AH.* IV. 20,5[85] qui dit que le Fils se fait voir lui-même par les hommes dotés du don de l'adoption ou devenus fils et, cela, aussi bien dans l'Alliance nouvelle que dans son «Royaume». Notons, cependant, que l'idée d'un accroissement du don de l'adoption qui devrait survenir avec l'inauguration du «Royaume» ne se trouve pas ici explitement mentionnée. En vertu de la teneur du présent passage, cette omission ne peut cependant être considérée comme une preuve du contraire.

Dans notre étude sur la vision de Dieu dans la nouvelle Alliance, nous avons vu que l'homme était préparé, disposé, accoutumé à la vision ou à la saisie immédiate-parfaite du Père dans son Royaume en étant rendu capable de voir ou de saisir le Verbe-Fils. Puisque nous en sommes au «Royaume du Fils», donc à un moment de l'«économie» dominé par le Verbe-Fils incarné-glorieux, il devrait en être encore ainsi, avec la différence, toutefois, que cette préparation en serait à son stade ultime. Or, qu'il en soit ainsi, nous allons pouvoir le constater à l'instant – ce qui, en outre, montre que, si la vision du Fils franchit le seuil de la perfection avec l'inauguration du «Royaume», elle ne cesse de croître jusqu'à l'établissement du Royaume du Père.

Art. 2: Dans le Royaume du Père

La vision du Verbe-Fils dans son «Royaume» est présentée plus d'une fois par Irénée comme une *préparation*[86] à la vision ou à la saisie parfaite-immédiate du Père. Citons quelques textes: «Et qu'un jour enfin l'homme en vienne à être assez parfaitement mûr pour voir et saisir (*videre-capere* ** ὁρᾶν-χωρεῖν) Dieu»[87]. Et encore: «Croissant à la suite de l'apparition du Seigneur, ils (les justes) s'accoutumeront, grâce à lui, à saisir (*capere* ** χωρεῖν) la gloire du Père»[88]. Enfin: «Et de même qu'il (l'homme) ressuscitera réellement, c'est réellement aussi ... qu'il croîtra et qu'il parviendra à la plénitude de sa vigueur aux temps du royaume, jusqu'à devenir capable de saisir (*capax* ** χωρητικός) la gloire du Père»[89].

Lorsque ce temps de mûrissement aura atteint son point culminant, le Fils cédera son œuvre au Père (cf. *I Cor* 15,27–28)[90]. Les justes, en pleine

---

[85] *AH.*IV.20,5 / SC.638.
[86] «Die letzte ‹Einübung› und ‹Eingewöhnung›» dirait H. U. v. Balthasar, *Herrlichkeit* ..., pp. 92–93.
[87] *AH.*IV.37,7 / SC.942,175–177.
[88] *AH.*V.35,1 / SC.438,18–19.
[89] *AH.*V.35,2 / SC.450,113–115. Sur le même sujet, voir en outre: *AH.*IV.38,3 / SC.956 (*videre* * ἰδεῖν); *AH.*V.32,1 / SC.396 (*capere* ** χωρεῖν).
[90] Cf. *AH.*V.36,2 / SC.460.

«vigueur»[91], accéderont alors à la vision de Dieu, quelles que soient les diverses demeures où ils seront, d'après leur dignité (cf. *Mat.* 13,8; *Jn* 14,2), répartis (cf. *Mat.* 13,8; *Jn* 14,2)[92]: «... Partout Dieu sera vu (*videre* * ὀρᾶν), dans la mesure où ceux qui le verront (*videre* * ὀρᾶν) en seront dignes»[93].

Comment faut-il entendre cette vision? Irénée nous a laissé un texte de nature à répondre directement à notre question. Même s'il nous est déjà en partie connu, présentons-le rapidement avant de le lire et d'en tirer la précision voulue.

Notre auteur vient de dire que, si le Dieu invisible-transcendant ne peut être vu par les hommes laissés à leurs propres forces, ce même Dieu, poussé par son amour, dote portant les hommes qui l'aiment du privilège de le voir. Puis, il décrit les étapes selon lesquelles se déploie ce plan de la bienveillance divine. En ce qui en concerne la finale ou le temps du Royaume du Père, il écrit:

«Il (le Père) sera vu (*videre* ** ὀρᾶν) encore dans le royaume des cieux selon la paternité[94], ... le Fils conduisant (l'homme) au Père, et le Père lui donnant l'incorruptibilité[95] et la vie éternelle qui résultent de la vue de Dieu pour ceux qui le voient (*videre* ** ὀρᾶν). Car, de même que ceux qui voient la lumière sont dans la lumière et participent à sa splendeur, de même ceux qui voient (*videre* * βλέπειν)[96] Dieu sont en Dieu (*intra Deum esse* * ἐντὸς εἶναι τοῦ Θεοῦ) et participent (*percipere* * μετέχειν) à sa splendeur ... Car il est impossible de vivre sans la vie, et il n'y a de vie que par participation à Dieu, et cette participation à Dieu (*participatio Dei* * τοῦ Θεοῦ ... μετοχή) consiste à voir (*videre* ** ὀρᾶν)[97] Dieu ... Ainsi donc, les hommes verront (*videre* ** ὀρᾶν) Dieu afin de

---

[91] Cf. *AH.*V.33,2 / SC.450; *AH.*V.36,1 / SC.454 (*vigente* * ἀκμάσαντος); *AH.*IV.37,7 / SC.942,176–177: ... *in tantis maturescens* ...; *AH.*IV.38,3 / SC.956,80–81: ... *convalescentem vero glorificari* ...

[92] En ce qui concerne cette répartition des demeures, Irénée se réfère explicitement aux «presbytres». – Notons que, d'après H. U. v. Balthasar, «die Verteilung der Erlösten auf drei eschatologische mansiones in domo Patris ... gewiß auf die valentinianische Endlehre zurückweist...» *Herrlichkeit* ..., p. 93.

[93] *AH.*V.36,1 / SC.456,24–26. Pour le fragment, voir SC.152, p. 82.

[94] Cf. *AH.*V.36,3 / SC. 464.

[95] * ὅρασις δὲ Θεοῦ περιποιητικὴ ἀφθαρσίας (*AH.*IV.38,3 / SC.956,14–15). C'est, à notre connaissance, le seul autre texte de l'*Adversus Haereses* où Irénée met explicitement la vision du Père en rapport avec l'incorruptibilité. Des textes comme *AH.*IV.20,2 / SC.630; *AH.*V.8,1 / SC.92; *AH.*V.35,2 / SC.450 ne répondent pas aux réalités que nous rapprochons ici. – Pour une bonne étude du thème de l'incorruptibilité chez Irénée, voir M. Aubineau, *Incorruptibilité et divinisation selon saint Irénée,* dans *RSR* 44 (1956), pp. 25–52.

[96] Cf. pour le fragment SC.100/1, p. 69.

[97] Cf. p. 144, note 63.

vivre, devenant immortels[98] par cette vue (*visio* ** ὄρασις) et atteignant jusqu'à Dieu (*pertingere*[99] *usque in Deum*)»[100].

Au plan de la précision que nous cherchons, ce texte s'exprime avec toute la netteté désirable. Voir le Père à ce dernier stade du dessein de la philanthropie divine signifie pour la créature *«être en Dieu»*, ou encore *«participer à Dieu»* et enfin *«atteindre jusqu'à Dieu»*.

Relevons que, dans notre texte, cette vision est mise en rapport direct avec la tâche du Fils de «conduire l'homme au Père», tâche qui consiste à faire voir le Fils à l'homme et dont le moyen de réalisation est l'incarnation (cf. *Lc* 1,34.37)[101] et le don de l'adoption qui en résulte. Il s'ensuit que c'est dans la vision-communion au Verbe-Fils parvenue à sa perfection ultime que la vision-communion au Père trouve sa source et son fondement.

Enfin, apportons une dernière précision impliquée dans ces données et qui constitue, à notre avis, la clé de voûte de toute la réflexion théologique d'Irénée sur le sujet traité dans cette section[102]. La vision que les hommes sont appelés à expérimenter à ce stade ultime du dessein salvifique de Dieu est une vision *immédiate*. Certes, dans les moments antérieurs de l'«économie», les hommes avaient bien vu le Père, mais seulement *à travers* son Fils. C'est ainsi, pense notre auteur, qu'ils se préparaient au don absolument inouï qui, dans les pensées insondables du Père, devait couronner son plan d'amour pour sa créature. Ce temps de préparation terminé avec la fin du «Royaume du Fils», les hommes pourront voir le Père ou «accéder» *directement* à son mystère.

En résumé, nous pourrions dire ceci: A ce dernier stade de sa destinée voulue par Dieu, c'est après avoir, par le Verbe incarné-ressuscité, vu le Fils ou avoir communié pleinement à sa filiation et, de ce fait, lui être devenue semblable, que la chétive créature modelée de boue, désormais vigoureuse et vivante, peut voir le Père, son Père (cf. *Jn* 20,17)[103], comme le Fils lui-même le voit (cf. *Jn* 1,18)[103a], c'est-à-dire «être en lui», y «participer», l'«atteindre» immédiatement dans son Etre paternel.

* *
*

[98] C'est, à notre connaissance, le seul endroit où Irénée met directement la vision du Père en rapport avec l'immortalité.

[99] *Ira = tanim.*

[100] *AH.*IV.20,5–6 / SC.638–642.

[101] Cf. p. 62, note 87.

[102] Nous aurons l'occasion de nous expliquer plus explicitement sur ce point. Cf. le second point de la conclusion de ce chapitre.

[103] Cf. *AH.*V.31,1 / SC.392.

[103a] Nous avons constaté avec bonheur que Jouassard confirme nos conclusions: «... (Le Verbe Sauveur) ne s'est fait semblable à nous dans la chair que ... pour nous permettre de nous habituer à voir Dieu *comme Lui*, à Le saisir *comme Lui* ...» G. Jouassard, *Le «Signe de Jonas»* ..., p. 246. C'est nous qui soulignons.

En guise de conclusion, nous voudrions reprendre, sans les dédales de l'analyse, les résultats de cette étude et les comparer aux enseignements gnostiques déjà connus par le chapitre précédent. Pour être complet, nous intégrerons dans cette synthèse les données connexes à notre sujet que nous avons rencontrées tout au long de notre recherche.

1. Qu'est-ce que la vision de Dieu? En chacun des stades de l'«économie» du salut, elle désigne toujours une activité d'ordre intérieur, un regard spirituel qui a pour objet l'être même de Dieu et par lequel l'homme entre personnellement en communion avec Dieu.

Cette vision-communion connaît cependant des transformations d'ordre qualitatif selon les étapes du salut qu'elle traverse, transformations allant de pair avec les dons toujours plus grands de Dieu pour sa créature aimante. Réelle-anticipée et partielle[104] dans l'ancienne Alliance, elle devient réelle-actuelle et parfaite dans la nouvelle, cette perfection atteignant son ultime épanouissement dans les deux «Royaumes». En d'autres termes, elle est une réalité en croissance, se développant comme le germe jeté en terre, une réalité se déployant graduellement au gré du mûrissement de l'homme activé par la pédagogie et les largesses toujours plus abondantes de la philanthropie divine.

Voir Dieu, c'est «participer à lui», c'est «être en lui», affirme Irénée dans une formule condensée. En nous reportant à l'étude de la vision chez les gnostiques de l'école de Valentin, nous pouvons constater que notre auteur suit la ligne tracée par ses adversaires[105]. Mais, comme nous le verrons à l'instant, ce rapprochement se mutera en une réfutation.

2. Pour l'évêque de Lyon, c'est le Verbe-Fils, comme Dieu, que les hommes voient, de l'ancienne Alliance au «Royaume» de mille ans[106]. En outre et par voie de conséquence, c'est le Père transcendant-invisible-insaisissable qui est vu dans son Fils. Enfin, ce sera ce Père qui sera vu directement dans son Royaume[107].

---

[104] L'idée de la vision partielle vient du fait que l'Esprit ne peut être donné que partiellement à cette étape de l'«économie». Cf. p. 171, note 169.

[105] Attirons l'attention sur la similitude des expressions: *intra* *** ἐντός + gén. (*Patrem*), *magnitudinem (Patris) fieri* (*AH*.II.18,6 / Hv 315,25–316,1; cf. p. 135) et *intra Deum sunt* * ἐντός εἰσι τοὺ Θεοῦ (*AH*.IV.20,5 / SC.640,119–120; cf. pp. 151–152).

[106] Selon un mode anticipé dans l'Ancien Testament et un mode actuel dans les autres étapes de l'«économie».

[107] L'étape du Royaume du Père fait franchir à la vision un pas nouveau en ce sens que de vision indirecte, médiatisée, s'effectuant à travers le Verbe-Fils, elle se mue en une vision directe. En d'autres termes et en rendant mieux compte de la dynamique interne des réalités en cause, c'est par la vision du Père à travers son Verbe-Fils que l'homme s'habitue à voir le Père de manière immédiate. – P. Evieux écrit: «... Ils (les justes dans le ‹Royaume du Fils›) ne contiennent pas ... la gloire du Père, qui reste à venir, et donc ils ne s'y accoutument pas comme à une chose qui leur serait actuellement et progressivement donnée. Mais c'est en s'accoutumant à la vision de la gloire du Christ qu'ils se préparent à contenir plus tard la gloire du Père» P. Evieux, *Théologie de l'accoutumance chez*

Le système valentinien se trouve ainsi ébranlé en son centre. Les gnostiques concevaient en effet leur perfection dans une sorte de fusion avec le «Monogène», lequel donnait accès (* τὸ καταληπτόν) à la «Grandeur» transcendante, mais qui, en tant que tel, se distinguait d'elle comme le fini de l'Infini[108]. Il s'ensuit que par leur union au «Monogène», les gnostiques n'atteignaient pas Dieu et ne pouvaient pas entrer en contact avec leur «Père» suprême. De plus, le «Monogène» arrêtait sur lui, pour ainsi dire, le regard des «pneumatiques»; il leur fermait la route vers le «Père». Cette donnée, nous la retrouvons exprimée autrement dans la théorie d'une connaissance du «Père invisible-insaisissable-inconnaissable» ou d'un salut consistant dans l'impossibilité d'avoir directement accès au «Père».

3. Au cours de notre étude, nous avons découvert que cette vision était reliée, comme à son fondement, à une grâce d'union, plus précisément à l'Esprit (= Ancien Testament). Cette grâce se développait dans le sens du don appelé tantôt adoption (cf. *Gal.* 4,5), tantôt régénération (cf. *Tit.* 3,5; *Jn* 9,7), ou encore imprégnation de la divinité (cf. *Jn* 1,14) (= Nouveau Testament). Elle atteignait toute sa force et son dynamisme dans les «Royaumes» du Fils et du Père.

Par cette grâce – parfois accompagnée de l'imitation –, l'homme était assimilé à Dieu ou devenait spirituel, assimilation allant de la sainteté des Anciens jusqu'à la similitude parfaite avec Dieu en passant par l'adoption filiale. Cette grâce était d'abord reliée à l'Esprit agissant de concert avec le Verbe-Fils présent dans l'Ancien Testament sous des formes d'emprunt. Elle relevait ensuite du Verbe-Fils parfaitement uni à la chair (cf. *Gal.* 4,4) terrestre d'abord, glorieuse ensuite.

Par cet ensemble doctrinal, nous retrouvons une donnée dégagée ailleurs,

---

saint Irénée, dans *RSR* 55 (1967), P. 51. Si l'auteur pense ici à la saisie ou à la vision directe du Père, nous lui donnons raison. Cette saisie ou cette vision directe est le propre absolu du Royaume du Père. Cependant, nous serions porté à nuancer l'expression: «ils ne s'y accoutument pas comme à une chose qui leur serait actuellement et progressivement donnée». Cela pourrait laisser entendre que les hommes n'ont fait aucune expérience du Père avant l'instauration de son Royaume. Or, c'est une donnée fondamentale de la théologie d'Irénée qu'à travers le Verbe-Fils les hommes voient le Père (le Fils est le Fils du Père) et que, de cette manière, ils s'habituent à le voir de manière immédiate. – D'après Harl, Origène enseignerait que l'homme peut, dans le Royaume, voir immédiatement le Père sans l'intermédiaire du Fils. L'A. voit dans cette doctrine une «faiblesse de la théologie (origénienne) du Fils» (M. Harl, *Origène* ..., p. 185). Pour Irénée, c'est différent. Si l'homme peut voir le Père non seulement à travers le Fils, mais encore comme le Fils, c'est-à-dire de manière immédiate, il ne le peut qu'à l'aide du Fils. Le Fils demeure l'artisan indispensable de la vision immédiate du Père dans le Royaume et c'est en cela même qu'il s'avère être le propre Fils du Père.

[108] Remarquons le souci d'Irénée de souligner que le «Monogène» (= Verbe-Fils) qui rend le Père visible et palpable est *Deus* ** Θεός: cf. *AH.*IV.20,6 / SC.646,163 (*ira*); *AH.*IV.20,11 / SC.660,278. Relevons encore que notre auteur cite ici *Jn* 1,18, texte qui avait certainement inspiré les gnostiques dans leur théorie de l'émission du «Monogène».

à savoir que la vision était reliée à l'adoption-incarnation comme à sa condition. Or, nous savons que le binôme: vision-adoption/incarnation était à situer en réaction contre la doctrine hérétique d'un salut (= impossibilité de voir Dieu) relié à la «nature spirituelle» ou à la «semence pneumatique» issue de la fine pointe du Plérôme par l'entremise d'«Enthymésis».

C'est dire que cet enseignement comporte un arrière-plan polémique: l'homme n'est pas sauvé sur la base d'une «nature spirituelle» obtenue sans l'œuvre de Dieu par excellence[109], l'incarnation de son Verbe-Fils. Bien au contraire. Par la venue du Verbe-Fils dans la chair ou par sa visibilité, l'homme est transformé, devient spirituel, semblable à Dieu et, de ce fait, apte à «pénétrer» en Dieu, à «atteindre jusqu'à Dieu», à le «voir».

4. Une telle notion de la vision pourrait engendrer un malentendu, en donnant à penser que cette vision ne concernerait que la dimension spirituelle de l'homme. Cette impression est fausse. En effet, l'homme n'expérimente pas la vision de Dieu en se dépouillant de sa chair, mais avec et dans sa chair. En d'autres termes, ce ne sont pas des êtres fantomatiques qui voient Dieu, mais des êtres bien en chair et bien en os, comme les bergers, les mages, le grand vieillard Siméon (cf. *Lc* 2,26.30), ou encore comme l'aveugle-né guéri par le Seigneur (cf. *Jn* 9,7)[110]. Ce sera encore avec et dans leur chair que les hommes contempleront, à la fin, la Face du Fils et celle du Père.

Ici encore, notre auteur s'oppose à ses adversaires. Selon eux, le sujet de la «gnose» salutaire n'était, déjà ici-bas, que le νοῦς, que l'«homme intérieur», νοῦς qui, à son entrée dans le Plérôme, devait se voir dépouillé de l'«âme psychique» et libéré de l'«élément hylique», la chair exécrable.

5. Communion à Dieu, la vision donne accès aux biens divins. Par elle, en effet, l'homme obtient l'incorruptibilité, l'immortalité, la vie éternelle, etc., qui appartiennent proprement à Dieu, mais que Dieu veut, dans sa philanthropie aussi infinie que lui, partager avec son «plasma».

* *
*

---

[109] On lira sur ce point les remarques suggestives et profondes de H. U. v. Balthasar, *Herrlichkeit...*, pp. 33–34.

[110] Nous ne voulons pas ici identifier la vision à la vue matérielle de quelque chose ou de quelqu'un, mais affirmer que la vision ne se produit pas sans la dimension charnelle de l'homme. C'est ce que notre auteur souligne en insérant dans cette vision les yeux de la chair pris pour le tout (cf. *AH.*V.15,3 / SC.208). C'est donc avec raison que H. U. v. Balthasar a pu écrire ces lignes dont nous avons pris connaissance après avoir rédigé cette partie de notre conclusion: «Dabei geht es nicht um ein Sehen in Entrückung von den irdischen Sinnen weg, sondern das Wichtige ist, daß es die gleichen Augen sind, die vorher nicht sahen und durch das Heilungswunder der Gnade zum Schauen gelangen ...» H. U. v. Balthasar, *Herrlichkeit...*, p. 48.

Au cours de ce chapitre, nous avons pris conscience que la vocation de l'homme, la vision de Dieu, était rendue possible par une élévation de l'homme au niveau de Dieu. Ce don était octroyé par la «Progéniture» du Père envoyée et venue dans la chair. Ailleurs, Irénée identifie ce don divin à celui de l'Esprit[111]. Ces textes doivent maintenant être examinés de plus près sous l'angle de la problématique que nous préciserons à l'instant.

Chapitre IX

La vision de Dieu dans la sphère de la pneumatologie

L'Esprit dont parle l'évêque de Lyon ne vient pas à un rang quelconque dans la série des émissions du Plérôme[112], mais il est, «non moins que ... le Fils, le γέννημα du Père»[113]. Tout homme[114] peut le posséder[115]

[111] Dans le présent chapitre, cette identification a déjà été faite au plan de l'ancienne Alliance. Par contre, ce ne fut pas le cas au plan des autres étapes de l'«économie». Dans le chapitre suivant, nous verrons qu'il en sera autrement.

[112] ... *alterum autem Christum, quem et posteriorem reliquis Aeonibus cum Spiritu sancto factum esse dicunt AH.*II.19,9 / Hv 321,12–14. Un peu plus bas, Irénée s'en prend à l'émission de l'Esprit due à la déchéance des Eons. Voir, encore en ce sens, *AH.*IV.Pr.3 / SC.386. Pour plus de détails sur la genèse et la place du «Pneuma» dans le mythe gnostique, consulter: H.-J. Jaschke, *Der Heilige Geist im Bekenntnis der Kirche. Eine Studie zur Pneumatologie bei Irenäus von Lyon im Ausgang vom altchristlichen Glaubensbekenntnis* (coll. Münsterische Beiträge zur Theologie, 40), Münster, 1976, pp. 183–185.

[113] Cf. *AH.*IV.7,4 / SC.464; *AH.*V.6,1 / SC.74–76; *AH.*V.12,2 / SC.144–146; *AH.*V.18,2 / SC.240. Nous adoptons ici l'interprétation de A. Rousseau: cf. *Note Justif.* P. 465, n. 1 dans SC.100/1, pp. 212–219; *Note Justif.* P. 77, n. 1 dans SC.152, pp. 230–232; *Note Justif.* P. 147, n. 2 dans SC.152, pp. 256–258; *Note Justif.* P. 241, n. 1 dans SC.152, pp. 286–295. A. d'Alès, *La doctrine de l'Esprit en Saint Irénée*, dans *RSR* 14 (1924), pp. 499–500; H. B. Swete, *The Holy Spirit in the Ancien Church. A Study of christian Teaching in the Age of the Fathers*, London, 1912, pp. 88–89; G. Kretschmar, *Le développement de la doctrine du Saint-Esprit du Nouveau Testament à Nicée*, dans *Verbum Caro* 22 (1968), p. 32 et surtout H.-J. Jaschke, *Der Heilige Geist* ..., pp. 204–207 proposent une interprétation, en substance, identique. Par contre, voir A. Orbe, *La teología del Espíritu Santo*. Estudios Valentinianos – Vol. IV (coll. Analecta Gregoriana, 158), Roma, 1966, pp. 467ss – à la note 9a de la p. 467, l'A. s'en prend en vain, nous semple-t-il, à l'interprétation, proposée par A. Rousseau, d'*AH.*IV. 7,4; c'est également l'avis de H.-J. Jaschke, o.c., p. 190, note 16. Voir encore: A. Orbe, *Antropología* ..., p. 42, note 47; Th. Rüsch qui, dans le sillon de la «Geistchristologie», réduit la pneumatologie d'Irénée à la doctrine de la spiritualité de Dieu révélée dans le Christ et l'Ecriture: *Die Entstehung der Lehre vom heiligen Geist bei Ignatius von Antiochia, Theophilus von Antiochia und Irenäus von Lyon*, Zürich, 1952, p. 105. – Nous pourrions ajouter: toujours auprès du Père (cf. *AH.*IV.20,1 / SC.627; *AH.*IV.20,3 / SC.632; voir encore: Théophile d'Antioche, *Ad Aut.* II.10/122; *Ad Aut.* II.18/145–147; *A Diognète*, 7,2/66–68) et aide dont se sert le Père (cf. T. F. Torrance, *Spiritus Creator*, dans *Verbum Caro* 23 (1969), p. 63; H.-J. Jaschke, o.c., 192–194), notamment pour la création du monde (cf. *AH.*II.30,9 / Hv 367–368; *AH.*IV.20,1 / SC.627; etc.; H.-J. Jaschke, o.c., pp. 249–264).

comme un Don octroyé, selon la volonté du Père, par le Verbe-Fils in-carné[116].

Or, écrit notre auteur, «c'est par (l'Esprit) que nous voyons ...»[117]. Cette affirmation nous est déjà familière. Mais, ici comme ailleurs, Irénée pense à l'Esprit œuvrant non seulement dans l'Ancien Testament, mais encore dans les autres étapes de l'«économie». Que disent ces textes? Sont-ils de nature à confirmer, à préciser et à compléter les résultats de notre étude antérieure?

Notre recherche s'effectuera en deux temps. Après avoir analysé les textes se rapportant à la tranche de l'«économie» qui va de la nouvelle Alliance au «Royaume du Fils» (§ 19), nous passerons à ceux ayant trait à l'Alliance ancienne (§ 20).

§ 19: Dans l'Alliance nouvelle et dans le «Royaume du Fils»

Art. 1: Dans l'Alliance nouvelle

Après avoir présenté, dès les premières pages de l'*Epideixis*, les trois articles de la «règle de foi» par lesquels a lieu le baptême «qui nous accorde la grâce de la nouvelle naissance en Dieu le Père par le moyen de son Fils dans l'Esprit-Saint», Irénée écrit:

«Car ceux qui portent l'Esprit de Dieu sont conduits au Verbe, c'est-à-dire au Fils; mais le Fils (les) présente au Père, et le Père leur procure l'incorruptibilité[118]. Donc, sans l'Esprit, il n'est pas (possible) de voir le Fils de Dieu et, sans le Fils, personne ne peut approcher du Père, car la connaissance du Père, (c'est) le Fils[119] et la connaissance du Fils de Dieu (se fait) par le moyen de l'Esprit-Saint[120]; quant à l'Esprit, c'est selon qu'il plaît au Père que le Fils (le) dispense à titre de ministre à qui veut et comme veut le Père»[121].

---

[114] Cf. *AH*.IV.21,3 / SC.684; *AH*.V.18,2 / SC.238; etc.

[115] Cf. *AH*.IV.14,2 / SC.542; *AH*.IV.20,5 / SC.636; *AH*.IV.20,6 / SC.642; *Epid.* 7 / SC.41. – Il s'agit bien ici de tout l'homme, c'est-à-dire de l'homme corps et âme, la triade corps-âme-Esprit constituant l'homme parfait: cf. *AH*.II.33,5 / Hv 380; *AH*.III.22,1 / SC.432; *AH*.V.6,1 / SC.72.78; *AH*.V.9,1 / SC.106. Cf. H.-J. Jaschke, *Der Heilige Geist* ..., pp. 294–304.

[116] Cf. *AH*.III.6,4 / SC.76; *AH*.III.11,8 / SC.168; *AH*.III.12,1 / SC.178; *AH*.III.17,1 / SC.328; *AH*.III.17,2 / SC.332; *AH*.III.17,3 / SC.336; *AH*.IV.21,3 / SC.684; *AH*.V.1,1 / SC.20; *AH*.V.12,2 / SC.146; *AH*.V.18,2 / SC.238; *AH*.V.20,2 / SC.260; *Epid.* 7 / SC.41; etc. Cf. H.-J. Jaschke, *Der Heilige Geist* ..., pp. 218–222 et 230–233.

[117] *AH*.V.20,2 / SC.260,59–60.

[118] Sur ce schéma trinitaire en cette étape de l'«économie» du salut, voir encore *AH*.V.36,2.3 / SC.460.464.

[119] Cf. p. 77, note 32.

[120] Relevons qu'Irénée fait jouer ici à l'Esprit le rôle qu'il attribue ailleurs au Père: *Pater ... Filii sui dat agnitionem his qui diligunt eum* (cf. *Mat.* 16,17 cité un peu plus bas dans le texte) *AH*.III.11,6 / SC. 156,137–138. Cf. p. 173, note 176.

[121] *Epid.* 7 / SC.41.

C'est donc par l'Esprit dispensé par le Fils[122] que les baptisés possesseurs ou porteurs[123] de cet Esprit peuvent voir[124] le Verbe-Fils[125]. Que signifie cette vision? Comme œuvre de l'Esprit, il faut la comprendre comme *une perception intérieure*, comme *un regard spirituel*. En outre, cette vision *établit, entre l'homme et le Fils, un lien de communion: l'Esprit fait voir le Fils de Dieu, y conduit* ou *en donne la connaissance*[125a].

Quelques chapitres plus haut, nous trouvons une doctrine en substance analogue à celle-ci:

«... En nous tous (cf. *Eph.* 4,6), l'Esprit qui crie Abba, Père (cf. *Ro.* 6,15; *Gal.* 4,6), et façonne l'homme à la ressemblance de Dieu. Donc, l'Esprit montre le Verbe ...»[126].

A la lumière, sans doute, de la «règle de foi», Irénée montre qu'il y a trois réalités (entités) divines: le Père, le Fils et l'Esprit, à l'œuvre dans la création de toutes choses. Il tente en outre – en insistant sur les rapports

---

[122] Sous-entendu: incarné. Voir, un peu plus haut dans le texte, le second article de la «règle de foi».

[123] ... *Prophetas vero praestruebat, in terra assuescens hominem portare* (** βαστάζειν) *ejus Spiritum* ... *AH.*IV.14,2 / *SC.*542,47–48 – 544,49. En raison de son contexte, nous pourrions paraphraser ce passage de la manière suivante: Dans les prophètes possédant déjà d'une certaine manière l'Esprit donné par le Dieu unique maître des deux alliances, l'homme s'habitue à porter l'Esprit de Dieu qui sera répandu d'une manière nouvelle dans le Nouveau Testament (cf. *AH.*IV.33,15 / *SC.*844,333–334; *Epid.* 6 / *SC.*40; etc.) et en plénitude dans le «Royaume» (cf. *AH.*V.8,1 / *SC.*94–96 et pp. 160ss). D'après ce texte donc, il semble qu'Irénée réserve l'expression *portare Spiritum (Dei)* aux membres des temps de l'accomplissement. Il semble qu'il en soit encore ainsi en *AH.*IV.20,6 / *SC.*642,133–136: *Quod, sicut praedixi, per prophetas figuraliter manifestabatur quoniam videbitur Deus ab hominibus qui portant Spiritum ejus et semper adventum ejus sustinent.* Remarquons l'indicatif présent *portant* qui se rapporte aux chrétiens attendant la venue glorieuse du Seigneur.
Relevons que Théophile d'Antioche n'accuse pas la même réserve – outre qu'il emploie χωρεῖν, verbe qui, à notre connaissance, n'est jamais utilisé par Irénée pour traduire la possession de l'Esprit: Διὸ καὶ κατηξιώθησαν τὴν ἀντιμισθίαν ταύτην λαβεῖν, ὄργανα θεοῦ γενόμενοι καὶ χωρήσαντες σοφίαν (= Esprit) τὴν παρ'αὐτοῦ ... *Ad Aut.* II.9 120; Πόσῳ οὖν μᾶλλον ἡμεῖς τὰ ἀληθῆ εἰσόμεθα οἱ μανθάνοντες ἀπὸ τῶν ἁγίων προφητῶν, τῶν χωρησάντων τὸ ἅγιον πνεῦμα τοῦ θεοῦ *Ad Aut.* III. 17 / 238.

[124] Nous aurons l'occasion de rencontrer au moins un autre texte où Irénée rapproche, comme ici, les thèmes «porter l'Esprit» et «voir Dieu». Cf. l'Art. 2 de ce §.

[125] Nous verrons plus loin que notre auteur reporte une activité analogue de l'Esprit à l'Alliance ancienne, plus précisément qu'il la réserve à cette étape de l'«économie».

[125a] Ce texte de l'*Epideixis* pourrait bien déborder le temps de la nouvelle Alliance et embrasser toute l'histoire du salut envisagée comme un unique geste du Père opérant par le Verbe et l'Esprit. En d'autres termes, ce serait à travers toute cette histoire, et jusque dans son terme, que l'Esprit fait voir le Fils et que le Fils conduit au Père. Toutefois, le lien plus ou moins étroit de ce passage avec la liturgie baptismale nous a amené à croire qu'Irénée pense plutôt au temps de la nouvelle Alliance et à celui de l'Eglise.

[126] *Epid.* 5 / *SC.*37.

entre le Verbe-Fils et l'Esprit-Sagesse[127] – de préciser leurs rôles respectifs. Avec la mention, à la suite d'*Eph.* 4,6, de l'Esprit et de son rôle, il passe au plan de l'«économie» du salut. De là, il revient à l'Ancien Testament pour préciser encore la tâche propre à l'Esprit et au Verbe. Voilà donc pour le contexte dans lequel s'insère notre texte. Que dit-il touchant notre sujet?

Irénée y parle de l'Esprit qui, dans l'Alliance nouvelle, montre ou fait voir le Verbe. Il présente cette activité comme la conséquence ou le résultat de l'œuvre de l'Esprit, qui est de «façonner l'homme à la ressemblance de Dieu». Ainsi donc, enracinée dans la similitude de l'homme avec Dieu effectuée par l'Esprit habitant «en nous tous», la vision du Fils ne peut désigner qu'*un regard spirituel qui a pour objet l'Etre même du Verbe et qui relie*, pourrions-nous ajouter, *l'homme au Verbe.*

Dans un autre passage[127a], nous avons une définition analogue de la «saisie»[128] du Verbe de Dieu donnant accès au Père. Irénée la rattache en effet à l'Esprit identifié à la grâce d'union physique, au «mélange» (*commixtio* ** σύγκρασις) de l'homme à la divinité qui se déploie en une vie de service dans la sainteté (cf. *Lc* 1,74–75), ou en une vie libérée de tout esprit de transgression (cf. *Lc* 1,71) (*communio* ** κοινωνία). Cette grâce est octroyée par le Verbe selon la chair, vivant et conversant avec les hommes (cf. *Bar.* 3,38).

S'il était permis de comprendre, sous le mot *Sapientia* ** σοφία, plus que le savoir-faire et l'amour condescendant de Dieu pour sa créature encore trop chétive pour voir la «Face» du Verbe-Fils «à découvert», c'est-à-dire l'Esprit-Saint lui-même, nous aurions ici l'accomplissement de la *pristina repromissio* du Verbe à Moïse, à savoir que «grâce à la Sagesse de Dieu, à la fin, l'homme le verrait ... dans sa venue comme homme «terrestre et glorieuse[128a]. Et si l'on avait encore quelque doute sur ce sens donné à *Sapientia*, rappelons qu'Irénée parle, ailleurs et en toute clarté, des pro-

---

[127] Sur cette identification de l'Esprit à la Sagesse suggérée, du reste, par l'Ecriture (cf. *Sag.* 1,6; 9,17; *Prov.* 8,30), cf. *AH.*II.30,9 / Hv 368; *AH.*III.24,2 / SC.476; *AH.*IV.7,4 / SC.464; *AH.*IV.20,1.2.3.4 / SC.628.632.634; *AH.*IV.20,9 / SC.654 (?); *AH.*V.36,3 / SC.464 (?); *Epid.* 10 / SC.46. Nous retrouvons la même identification chez Théophile d'Antioche: *Ad Aut.* I.7/72; *Ad Aut.* II.15.18/138.144. «Saint Théophile, écrit Bardy, n'est d'ailleurs pas le seul à avoir donné le nom de Sagesse à l'Esprit-Saint. Cette appellation se trouve très fréquemment et très clairement chez saint Irénée. Mais auparavant on la rencontrait déjà dans les *Homélies clémentines* (*Hom. Clement.*, XVI, 12) et l'on peut soupçonner que saint Théophile et saint Irénée ont emprunté l'un et l'autre leur terminologie en la matière à une tradition orientale, syrienne ou palestinienne» G. Bardy dans SC.20, p. 44. Cf. sur ce point: J. Lebreton, *Origines ... T. 2: De saint Clément ...*, pp. 565–570 et, tout récemment, H.-J. Jaschke, *Der Heilige Geist ...*, pp. 258–259.

[127a] *AH.*IV.20,4 / SC.634–636.

[128] Que nous pouvons identifier à la vision. Cf. p. 138 et la note 40.

[128a] *AH.*IV.20,9 / SC.654–656.

phètes qui annonçaient (cf. *Deut.* 5,24; *Ex.* 33,20–22) de manière figurative que «Dieu[129] serait vu par les hommes qui portent l'Esprit et attendent sans cesse sa venue»[130].

Art. 2: Dans le «Royaume du Fils»

Comme nous l'avons suggéré ailleurs[131], ce texte semble bien renvoyer à la vision du Fils – et, en lui, à celle du Père – dans son «Royaume». Sur la vision de Dieu dans le «Royaume du Fils», Irénée nous a laissé un grand texte qu'il faut maintenant considérer de plus près[132].

Dans les pages qui le précèdent, notre auteur montre, à partir de *I Cor.* 15,42–44, que c'est la chair «semée dans la corruption» (42b), «dans l'ignominie» (43a), «dans la faiblesse» (43c), «corps psychique» (44a) – entendons participant à une âme et la perdant –, qui, ressuscitant par l'Esprit, devient spirituelle (44b; cf. 42c; 43b; 43d), «afin de posséder, par l'Esprit, une vie qui demeure à jamais». – Nous reconnaissons l'envers de la thèse gnostique de l'impossibilité pour la chair d'avoir part au salut, d'entrer dans le Plérôme. – Irénée poursuit:

«‹Car présentement, dit l'Apôtre, nous ne connaissons qu'en partie, et nous ne prophétisons qu'en partie, mais alors ce sera face à face›[133]. C'est ce que Pierre dit lui aussi: ‹Lorsque vous verrez (*videre* ** ἰδεῖν) Celui en qui, sans le voir encore, vous croyez, vous tressaillirez d'une joie inexprimable› (*I P.* 1,8)[134]. Car notre face verra (*videre* ** ὁρᾶν) la face de Dieu, et elle tressaillira d'une joie inexprimable, puisqu'elle verra Celui qui est sa Joie. Mais présentement, c'est une partie seulement de son Esprit que nous recevons, pour nous disposer à l'avance[135] et nous préparer à l'incorruptibilité, en nous accoutumant peu à peu à saisir et à porter Dieu».

[129] C'est-à-dire le Fils et, en lui, le Père.
[130] *AH.*IV.20,6 / SC.643,134–136.
[131] Cf. p. 158, note 123.
[132] *AH.*V.7,2–8,1 / SC.90–96.
[133] Remarquons la construction de cette citation scripturaire: ** ἄρτι γὰρ (*I Cor.* 13,12a) ** ἐκ μέρους γινώσκομεν καὶ ἐκ μέρους προφητεύομεν (*I Cor.* 13,9) ** τότε δὲ πρόσωπον πρὸς πρόσωπον (*I Cor.* 13,12b). Il est permis de croire que l'** εἰς ὃν μὴ ὁρῶντες πιστεύετε du texte de Pierre et l'idée paulinienne des «arrhes» de l'Esprit (→ *Eph.* 1,13–14) qui suivent recommandaient à notre auteur de remplacer le βλέπομεν ... δι'ἐσόπτρου ἐν αἰνίγματι de *I Cor.* 13,12a par *I Cor.* 13,9.
[134] Nous adoptons ici la version arménienne de la citation de la première Epître de Pierre pour les raisons avancées par A. Rousseau, *Note justif.* P. 93, n. 1 dans SC.152, pp. 237–241 et *Note Justif.* P. 485, n. 2 dans SC.100/1, pp. 224–225.
[135] *Ira.* Le *ad perfectionem* de la version latine traduit largement l'expression arménienne connotant l'idée d'ajuster, de disposer à l'avance.

Irénée commence par citer deux textes scripturaires où il est question de notre situation présente et de celle qui nous est réservée dans l'avenir. D'après ces textes, la première est décrite comme un état où nous ne connaissons et prophétisons qu'en partie, ou comme une vie dans la foi en Celui que nous ne voyons pas encore, et la seconde comme un état où nous verrons Dieu. Puis, notre auteur commente. Notre face (cf. *I Cor.* 13,12b), c'est-à-dire notre face de chair ou notre chair ressuscitée par l'Esprit (cf. *Ro.* 8,11 cité en 7,1) verra (cf. *I P.* 1,8) la Face de Dieu (cf. *I Cor.* 13,12b) et elle tressaillira de joie, puisqu'elle verra sa Joie. Quant à notre destinée présente, elle est également confiée à l'Esprit, plus précisément à une «partie» (cf. *I Cor.* 13,9) de l'Esprit[136]. Afin de nous préparer et de nous disposer à l'incorruptibilité, précise-t-il, cet Esprit que nous recevons nous accoutume peu à peu à saisir et à porter Dieu. L'idée du don partiel de l'Esprit et celle de notre réception ou de notre possession de l'Esprit se retrouvent dans un autre texte paulinien (= *Eph.* 1,13–14) où il est question des «arrhes», c'est-à-dire d'une partie seulement de cet honneur qui nous a été promis par Dieu. Puis, il enchaîne:

> «Si donc ces arrhes, en habitant en nous, nous rendent déjà spirituels et si ce qui est mortel est absorbé par l'immortalité (cf. *II Cor.* 5,4) – car ‹pour vous, dit-il, vous n'êtes pas dans la chair, mais dans l'Esprit, s'il est vrai que l'Esprit de Dieu habite en vous› (*Ro.* 8,9) –, et si, d'autre part, cela se réalise, non par le rejet de la chair, mais par la communion à l'Esprit – car ceux auxquels il écrivait n'étaient pas des êtres désincarnés, mais des gens qui avaient reçu l'Esprit de Dieu ‹en qui nous crions: Abba, Père› (*Ro.* 8,15) …».

En raison de l'habitation en nous des «arrhes» de l'Esprit et à l'aide d'autres textes scripturaires, Irénée décrit ici notre état présent comme une spiritualisation (cf. *Ro.* 8,9), une immortalisation (cf. *II Cor.* 5,4) et, enfin, comme une filiation divine adoptive (cf. *Ro.* 8,15); cela se réalise non par le rejet de la chair, mais par la communion à l'Esprit. –

> «Si donc, dès à présent, pour avoir reçu ces arrhes, nous crions: ‹Abba, Père›, que sera-ce lorsque, ressuscités, nous le verrons (*videre* ** ἰδεῖν *** ὁρᾶν) face à face? lorsque tous les membres, à flots débordants,

---

[136] C'est dire qu'Irénée attribue *I Cor.* 13 à l'Esprit. Notons qu'en *AH.*IV.20,10 / SC.658,259, il donne une interprétation différente à l'**ἐκ μέρους de *I Cor.* 13,9: Dieu (= le Verbe-Fils et, en Lui, le Père) n'est pas vu ou n'est pas apparu «de façon parfaite» aux Anciens, mais seulement «de façon imparfaite» (cf. *I Cor.* 13,9), c'est-à-dire qu'il les a mis en présence de «figures», de «ressemblances» de sa venue humaine terrestre ou glorieuse encore à venir. En d'autres termes, tandis qu'ici l'**ἐκ μέρους est appliqué à l'Esprit, plus précisément au don mesuré de l'Esprit et à la situation qui en résulte pour l'homme de l'Alliance nouvelle, là il est appliqué à Dieu, plus précisément à la manière selon laquelle Dieu apparaît, se manifeste aux Anciens.

feront jaillir un hymne d'exultation, glorifiant Celui qui les aura ressuscités d'entre les morts et gratifiés de l'éternelle vie?»

Irénée reprend ici le «si … ces arrhes» et le «nous crions: ‹Abba, Père›» qui encadraient le passage précédent. Il en fait les éléments du premier membre d'une affirmation à deux temps, affirmation que nous pouvons, à la lumière de la doctrine exposée plus haut, paraphraser de la manière suivante: Si, encore incapables, par les «arrhes» de l'Esprit, de voir la Face même de Dieu, nous pouvons néanmoins appeler Dieu notre Père et être ses fils, que sera-ce lorsque, ressuscités, c'est-à-dire en possession du don entier de l'Esprit, notre face ou notre être de chair pourra voir la Face de Dieu? Nous lui serons parfaitement semblables, ou nous serons pleinement identifiés au Fils, pleinement enfants du Père. C'est bien ce que répète notre auteur dans la suite du texte:

> «Car, si déjà de simples arrhes, en enveloppant l'homme de toutes parts en elles-mêmes, le font s'écrier: ‹Abba, Père›, que ne fera pas la grâce entière de l'Esprit, une fois donnée aux hommes par Dieu? Elle nous rendra semblables à lui et accomplira la volonté du Père, car elle fera l'homme à l'image et à la ressemblance de Dieu (cf. *Gen.* 1,26)»[137].

Ceci dit, nous pouvons revenir au sujet de ce paragraphe. Il ressort clairement de notre passage que la vision est rattachée à l'Esprit, plus précisément au don entier de l'Esprit. Comment, dès lors, la comprendre? Puisque ce don entier de l'Esprit permet à l'homme de voir Dieu en tant qu'il le réveille, dans sa totalité, de la mort, il convient de l'identifier d'abord à une mise en présence concrète de Quelqu'un de concret[138]. Cependant, l'œuvre de l'Esprit ne consiste pas seulement à ressusciter l'homme, à le rendre vivant dans sa chair, mais encore à le spiritualiser dans sa chair même, à l'assimiler parfaitement à Dieu ou à le rendre pleinement fils. Dès lors, une dimension plus profonde s'ajoute à cette vision: elle devient synonyme d'une *activité d'ordre intérieur, spirituel, qui porte sur l'intimité même de Dieu et qui unit à Dieu*. De la proximité de

---

[137] L'on croirait trouver l'écho de ce texte dans ce passage de Basile de Césarée: «C'est par l'Esprit-Saint que se fait le rétablissement dans le paradis, la montée dans le royaume des cieux, le retour dans l'adoption filiale; c'est de lui que vient l'assurance d'appeler Dieu: notre Père; c'est lui qui donne de participer à la grâce du Christ, de se nommer enfant de lumière, d'avoir part à la gloire éternelle, en un mot d'être comblé de toute bénédiction, en ce siècle et dans le siècle à venir; de voir en un miroir, comme s'ils étaient déjà présents, la grâce des biens que nous réservent les promesses, et dont, par la foi, nous attendons la jouissance. Que si les arrhes sont telles, de combien sera le total? Et si les prémices sont si belles, qu'en sera-t-il de la plénitude du tout?» Basile de Césarée, *Sur le Saint-Esprit*, XV. 36/370. Rappelons que Basile cite, dans ce traité, deux passages de l'*Adversus Haereses* dont l'un est un extrait de l'alinéa suivant immédiatement notre texte: cf. Basile de Césarée, *Sur le Saint-Esprit*, XXIX. 72/504–506.

[138] Cf. p. 147, note 73 et p. 172, note 172.

l'homme avec Dieu et de la profondeur de son contact avec Lui jaillit la joie inexprimable dont parle Pierre[139].

Irénée nous parle de la vision de *Dieu*. De qui s'agit-il? Du Père ou du Fils? En outre, à quelle étape de l'«économie» notre auteur se réfère-t-il? Au «Royaume du Fils» ou à celui du Père?

A la première question, il est permis de répondre: immédiatement du Fils. En effet, notre auteur utilise *I P.* 1,8 qu'il cite ailleurs – conformément, du reste, au texte pétrinien – en rapport avec le Verbe-Fils incarné-

---

[139] Cf. *AH*.IV.9,2 / SC.484,60 (*I P.* 1,8) (cf. *AH*.IV.11,2 / SC.502 (*Mat.* 25,21; *Lc* 19,17); *AH*.IV.25,3 / SC.710 (*Jn* 4,35–38); *AH*.V.34,3 / SC.432 (*Jér.* 31/38/, 10–14); *AH*.V.35,1 / SC.440 (*Bar.* 4,35–5,9), où Irénée parle de la joie sans la mettre explicitement en relation avec la vision). Nous avons ici l'éclatement de cette joie encore bridée que les Anciens avaient déjà expérimentée à la vue anticipée du Seigneur (cf. *AH*.IV.5,5 / SC.434–436; *AH*.IV.7,1 / SC.456 [*Jn* 8,56]), que les membres de l'Alliance nouvelle avaient vécue selon une profondeur nouvelle à la vue du Seigneur présent parmi eux (cf. *AH*.IV.7,1 / SC.456) (*Le* 1,46–47; *Lc* 2,10); *AH*.IV.11,3 / SC.504 (*Ps.* 34,9; *Mat.* 21,9); *AH*.IV.34,1 / SC.848 (peut-être sous l'inspiration de *I P.* 1,8); cf. *AH*.IV.23,1 / SC.690 (*Jn* 4,35–38) où il est question de la joie sans rapport explicite à la vision). Rappelons que, d'après les gnostiques de l'école de Valentin, «l'Intellect se réjouissait de comprendre (l)a grandeur sans mesure» (du Père) (*AH*.I.2,1 / Hv 13,6–7), que les Eons du Plérôme entonnaient un hymne de joie après la réintégration de «Sagesse» et l'activité consolidante du «Christ» et de «l'Esprit» (cf. *AH*.I.2,6 / Hv 22; p. 56). joie qu'«Enthymésis» et les valentiniens eux-mêmes devraient logiquement partager (cf. F. Sagnard, *La gnose . . .*, p. 265) à la suite de leur entrée dans le Plérôme. –

Dans les dernières lignes de l'*Adversus Haereses* (*AH*.V.36,3 / SC.466), Irénée parle d'une «saisie» (*capere* ** χωρεῖν) du Verbe par la créature après que la «Progéniture» de Dieu, «le Verbe premier-né», «soit descendu» vers elle, selon la volonté bienveillante du Père. Que nous soyons ici à l'étape du «Royaume du Fils», c'est l'atmosphère de tout le passage qui en témoigne. A le lire avec soin, il ne fait pas de doute qu'Irénée ne considère les lignes tirées tout au long de l'histoire du salut à partir du point où elles se sont rejointes. Cette indication d'ordre contextuel est subtilement corroborée par l'allusion, faite quelques lignes plus bas, aux anges. En effet, en signalant qu'à ce stade de l'«économie» du salut la créature humaine dépassera les anges, Irénée s'en prend à la doctrine de la consommation finale des ptoléméens selon laquelle les «pneumatiques», dépouillés de leurs «âmes psychiques» et devenus «esprits de pure intelligence», seront donnés à titre d'épouses aux anges qui entourent le «Sauveur» (cf. *AH*.I.7,1 / Hv 59; voir encore: *AH*.I.2,6 / Hv 23; *AH*.I.4,5 / Hv 39; *AH*.I.5,6 / Hv 50).

Comme faut-il comprendre cette «saisie»? En raison de la conformité (*conformatus* ** σύμμορφος: cf. *Ro.* 8,29) et de la concorporéité (*concorporatus* ** σύσσωμος) de l'ouvrage modelé «au Fils» qui résulte de la descente ou de l'union du Verbe à la chair, il serait permis de la définir exactement comme nous venons de le faire. Notons, en l'occurrence, que l'artisan de cette assimilation de l'homme au Verbe-Fils est explicitement identifié à la «Sagesse de Dieu» (= *irl* et *ira*), qu'il faut, selon toute vraisemblance, comprendre comme étant l'Esprit de Dieu (cf. A. Rousseau, *Note Justif.* P. 465, n. 2 dans SC.152, pp. 351–352).

Ce point est encore plus évident ailleurs. En *AH*.IV.37,7 et 38,3, Irénée parle de la configuration (*conformis* ** σύμμορφος = *ira*) «de l'Église à l'image (du) Fils» (*Ro.* 8,29) qui permet à celle-ci de «voir et de saisir Dieu» (*ad videndum et capiendum Deum* ** πρὸς τὸ ὁρᾶν καὶ χωρεῖν Θεόν), c'est-à-dire le Père, de manière immédiate (SC.942). Cette configuration est due à l'œuvre de l'Esprit (SC.954–956).

ressuscité[140]. Or, il n'y a pas de raison qu'il en soit ici autrement, d'autant plus qu'un peu plus haut il est explicitement question du «Christ ressuscité»[141]. Par ailleurs, et sans préjudice du fait que l'expression «en qui nous crions ‹Abba, Père›» (*Ro.* 8,5) serve à décrire d'abord nos relations avec le Fils, il est indéniable qu'Irénée veut également traduire les relations qui s'établissent, de ce fait, avec le Père. Il s'ensuit qu'en se situant au plan de la vision eschatologique, notre auteur nous placerait en présence de la doctrine qui lui est bien familière, à savoir celle du Père vu à travers la vision du Fils.

Quant à la seconde question, nous pourrions répondre à partir de cet enseignement: au «Royaume du Fils»[142]. Reconnaissons cependant que notre auteur ne s'attarde pas explicitement sur ce point.

Pour finir, disons quelques mots sur notre état présent qu'Irénée perçoit ici comme une préparation à l'incorruptibilité en ce sens que l'Esprit qui habite en nous nous «accoutum(e) peu à peu à saisir (*capere* ** χωρεῖν) et à porter (*portare* ** βαστάζειν) Dieu». Notre auteur pense-t-il exclusivement à notre saisie de Dieu dans l'avenir? Ou bien, veut-il dire que l'homme est habitué à saisir Dieu dans l'avenir en tant qu'il le saisit déjà? A la lumière de la distinction qu'il fait entre notre état futur où nous verrons Dieu et notre état présent où nous *croyons* en Celui que nous verrons[143], il semble bien qu'il faille opter pour la première partie de l'alternative. L'on objectera peut-être qu'Irénée se contredit, puisque, dans les textes rapportés au début de ce paragraphe, par exemple, il parle de l'actualité de la vision de Dieu dans l'Esprit.

A cette objection, il faut répondre ceci: De soi, il serait possible de percevoir notre situation présente, tantôt comme un temps de la foi dans les réalités eschatologiques, tantôt comme un temps de la vision – étant sauves les nuances qui, en l'occurrence, s'imposent –, selon qu'on la considérerait tour à tour du point de vue des réalités finales et du point de vue du rapport d'unité qu'elle entretient avec ce qui est encore à venir. Or, c'est bien de ce double point de vue qu'il s'agit ici. En effet, tandis qu'en *AH.* V. 7,2–8,1 Irénée veut montrer que nous serons pleinement semblables à Dieu lorsque nous le verrons ou le saisirons, puisque, sans le voir encore, nous sommes fils, il insiste, dans les autres passages évoqués, sur

---

[140] *AH.*IV.9,2 / SC.484.

[141] Cf. *AH.*V.6,2–7 / SC.84. Irénée se réfère ici de manière plus ou moins explicite aux citations scripturaires suivantes: *Jn* 20,20.25.27; *I Cor.* 6,13–14; *Ro.* 8,11.

[142] Cf. *AH.*IV.20,10 / SC.658,254–257: *Post enim spiritum qui conterit montes et post terrae motum et post ignem, tranquilla et pacifica regni ejus adveniunt tempora, in quibus cum omni tranquillitate Spiritus Dei vivificat et auget hominem.*

[143] Les infinitifs reliés à *assuescere* ne peuvent pas nous aider à trancher cette question, puisqu'ils peuvent avoir aussi bien le sens présent que le sens futur.

le fait que nous sommes, ici-bas, sur la voie de notre vocation à venir en l'expérimentant déjà en ce monde.

* *
*

Avant de résumer la doctrine dégagée jusqu'à présent, il faudra parachever l'étude commencée au plan de l'Alliance ancienne.

§ 20: Dans l'Alliance ancienne

«Vu autrefois par l'entremise de l'Esprit selon le mode prophétique ..., l'Esprit préparant d'avance l'homme pour le Fils de Dieu ...»[144].

D'après ce texte, c'est à l'Esprit qu'il revient de faire voir le Fils de Dieu dans l'Alliance ancienne[145] et de préparer ainsi l'homme pour le Fils. Quelques alinéas plus loin, il est encore question de ce rôle de l'Esprit, quoique ce dernier agisse de concert avec le Verbe-Fils et que l'objet de son activité ne soit pas seulement le Fils, mais également le Père[146]. Aux prises avec la problématique de l'unicité du Verbe-Fils et de celle du Père, Irénée met ailleurs l'activité de l'Esprit en relation avec la présence du Fils dans l'Ancien Testament, l'œuvre de ce Fils consistant à instruire Abraham sur lui-même et sur son Père, et à susciter sa foi. De cette connaissance naît chez le patriarche le désir de voir le jour du Seigneur, désir que l'Esprit porte à réalisation[147]. Enfin, il est question dans l'*Epideixis*[148] de l'Esprit qui parachève l'œuvre du Verbe-Fils en ce sens qu'il annonce, en le faisant voir, ce que le Fils «raconte» aux prophètes. Notons que ce rôle de l'Esprit est présenté en rapport avec son activité de «montrer le Verbe» dans l'Alliance nouvelle. – Ceci dit, passons à notre sujet. Par le passage évoqué dans le § 17, nous savons que le don de l'Esprit est, dans l'ancienne Alliance, relié à la vision définie comme une communion à Dieu. Nous voudrions ici analyser d'autres passages qui lui sont plus ou

---

[144] *AH*.IV.20,5 / SC.638,111–112.114–115.
[145] Ce texte est un membre d'un schéma tripartite: 1. Alliance ancienne: l'Esprit fait voir le Fils, y préparant l'homme d'avance; 2. Alliance nouvelle (à laquelle il faut sans doute ajouter le «Royaume du Fils»): le Fils se fait voir lui-même pour conduire, de la sorte, l'homme au Père; 3. «Royaume des cieux»: le Père se fait voir lui-même. Cf. la conclusion de ce chapitre, pp. 173–174.
[146] *AH*.IV.20,8 / SC.648–652.
[147] *AH*.IV.5,3–5 et 7,1 / SC.432–436.454–458.
[148] *Epid.* 5 / SC.37–38.

moins apparentés[148a], mais qui, pratiquement, nous mènent, de manière inverse, au but que nous poursuivons. Voici donc le premier d'entre eux:

> «Ainsi donc, puisque l'Esprit de Dieu signifiait l'avenir par les prophètes afin de nous préformer et de nous prédisposer à la soumission à Dieu, et puisque cet avenir consistait en ce que, par le bon plaisir du Père, l'homme verrait Dieu, il fallait de toute nécessité que ceux par qui l'avenir était prophétisé vissent ce Dieu qu'ils annonçaient comme devant être vu des hommes, afin que le Père et le Fils ne fussent pas seulement dits de façon prophétique ‹Dieu› et ‹Enfant de Dieu› (cf. *Is.* 43,10)[149], mais qu'ils fussent vus par tous les membres sanctifiés et instruits des choses de Dieu, et qu'ainsi l'homme fût formé et exercé par avance à s'approcher de la gloire destinée à être révélée par la suite (cf. *Ro.* 8,18) à ceux qui aiment Dieu (cf. *Ro.* 8,28). Car ce n'était pas seulement avec la langue que les prophètes prophétisaient, mais par leurs visions, par leur comportement, par les actes qu'ils posaient suivant le conseil de l'Esprit[150]. C'était de cette manière qu'ils voyaient le Dieu invisible, comme le dit Isaïe: ‹J'ai vu de mes yeux le Roi, le Seigneur Sabaoth› (*Is.* 6,5), pour signifier que l'homme verrait Dieu de ses yeux et entendrait sa voix. C'était aussi de cette manière qu'ils voyaient le Fils de Dieu vivre en homme avec les hommes (cf. *Bar.* 3,38) …»[151].

Il semble que nous pourrions paraphraser le contenu de ce texte de la manière suivante. A travers leurs visions, leurs comportements et leurs actes, les Anciens sont, par l'Esprit présent en eux[152], mis en présence du Fils, le voient dans les «économies» de sa vie humaine; simultanément, ils *sont introduits dans l'intimité du Fils et du Père*, ils *«s'approchent» de leur gloire*. De cette manière, l'homme des temps nouveaux est préformé, prédisposé en eux à la vocation que Dieu lui réserve. Ce «voir», évoquant tout à la fois l'acte humain de la vue portant sur le Fils de Dieu – et en lui, sur le

---

[148a] Surtout le texte que nous allons citer à l'instant; il est la suite de *AH*.IV.20,7. Nous tâcherons néanmoins de l'éclairer par lui-même ou, si l'on veut, à partir de sa logique interne.

[149] *Is.* 43,10 est encore cité par Irénée en *AH*.III.6,2 / SC.70,49–51 et en *AH*.IV.5,1 / SC.426,10–13. – … *uti non solum dicatur prophetice Deus et Dei Filius et Filius et Pater* … Avec l'accord du P. A. Rousseau, nous ne transcrivons pas ici sa traduction des *Sources Chrétiennes. Dicatur* a, en fait, pour sujet *Filius et Pater* et les mots *Deus et Dei Filius* sont attributs. En outre, pour nous conformer au génie du français, nous ne tenons pas compte du chiasme: *Deus et Dei Filius … Filius et Pater*.

[150] Notons que l'acte d'Abraham sera posé, dans le texte suivant, sous l'instigation du Verbe.

[151] *AH*.IV.20,8 / SC.648,185–652,204.

[152] Relevons que les Anciens sont qualifiés par notre auteur de «membres sanctifiés et instruits des choses de Dieu».

Père – qui se donne à voir dans son humanité et la vision perception spirituelle, intérieure du mystère filial et paternel donnant accès à ce mystère, est *anticipé, prophétique*. C'est ainsi qu'il se distingue de celui encore à venir. En d'autres termes, réel-prophétique, ce «voir» n'est que signe de celui que les hommes des temps de l'accomplissement expérimenteront de leurs yeux. Irénée relève explicitement ce point en faisant l'exégèse du «de mes yeux» d'*Is.* 6,5: c'était «pour *signifier* que l'homme verrait Dieu de ses yeux»[152a].

C'est en substance la même doctrine que notre auteur reprend en référence à l'épisode d'Abraham immolant son Fils Isaac. Voyons cela de plus près:

«Abraham connut donc, lui aussi, par le Verbe, le Père «qui a fait le ciel et la terre› (*Gen.* 14,22), et c'est celui-ci qu'il proclama Dieu. Il apprit également la venue du Fils de Dieu parmi les hommes, par laquelle sa postérité deviendrait[153] pareille aux étoiles du ciel (cf. *Gen.* 15,5)»[154].

Telle est la conclusion qu'Irénée oppose à l'hérésie ptoléméenne du «Père» connu seulement à la venue du Seigneur et dès lors distinct du Créateur de l'univers. Il y ajoute l'annonce et la connaissance du Fils de Dieu.

Conformément aux limites de ce paragraphe et dans la ligne de notre sujet, il faut nous attarder sur le second membre de cette conclusion. Continuons la lecture de notre texte:

«... Il (Abraham) désira[155] voir ce jour, afin de pouvoir embrasser le

---

[152a] Cf. p. 73, note 27.

[153] *Ira.*

[154] *AH.*IV.7,1 / SC.454,1–456,5.

[155] Si nous rapprochons la présente citation de *AH.*IV.5,4, nous obtenons l'enchaînement suivant: puisque Abraham désire voir le jour du Seigneur, le Seigneur est donc connu de lui – connaissance reçue du Verbe lui-même – et il voit ce jour (laissons pour l'instant de côté la question du mode de ce «voir» et de son artisan).
Lorsque notre auteur s'adresse à Marcion, nous avons l'enchaînement suivant: puisque les prophètes et les justes ont désiré voir le Seigneur (cf. *Mat.* 13,17), ils ont connu d'avance sa venue, connaissance qu'ils ont reçue soit de l'Esprit, soit du Seigneur lui-même, soit du Père par l'entremise du Verbe (*AH.*IV.11,1 / SC.498).
Semblables, ces deux perspectives se distinguent pourtant en ce sens que, dans la seconde, il n'est pas question de l'exaucement du désir de voir. Ce point est encore confirmé par *AH.*IV.34,1 où Irénée présente, à l'adresse explicite de Marcion, les membres de l'Alliance ancienne comme les messagers qui annoncent la venue du Roi et qui «désirent (le) contempler» (*IP.* 1,12), cette vision étant toutefois réservée aux sujets du Roi (SC.846–848; cf. encore *AH.*III.11,4 / SC.152,104–110; *AH.*IV.11,3 / SC.502–504).
On aura sans doute remarqué que 1. le désir *exaucé* et 2. le désir *inexaucé* de voir le Verbe-Fils sont tour à tour reliés à l'hérésie des ptoléméens et à celle des marcionites. Comment expliquer ce fait? L'on se souvient que les uns parlaient du Dieu créateur *vu* par les Anciens, distinct du Dieu invisible-inconnaissable annoncé dans le Nouveau

Christ, et, l'ayant vu (*eam videns* ** αὐτὴν ἰδών) de façon prophétique par l'Esprit, il exulta»[156].

Ainsi donc, non seulement Abraham apprit et désira voir le jour de la venue du Fils de Dieu parmi les hommes, mais il l'a encore vu, par l'Esprit, de manière prophétique. Tâchons de jeter un peu plus de lumière sur cette donnée.

Pour ce faire, il faut retourner à *AH*. IV. 5,4–5 que notre auteur suppose et qu'il reprend ici sous une autre forme. Après avoir cité *Jn* 8,56: «Abraham, votre père, a exulté à la pensée de voir mon jour; il l'a vu, et il s'est réjoui», notre auteur relève que le patriarche crut d'abord au Dieu créateur, le seul Dieu, et ensuite en sa promesse de rendre sa postérité pareille aux étoiles du ciel (cf. *Gen.* 15,5; *Gen.* 22,17), c'est-à-dire «comme des luminaires dans le monde» (*Phil.* 2,15). En raison de ce rapprochement

---

Testament, tandis que les autres parlaient du créateur *connu* des membres de l'Alliance ancienne, distinct de Jesus «manifesté sous une forme humaine» (cf. p. 76, note 30 et p. 102, note 136). – Ici, cette antithèse doit être transposée au plan christologique. – A cet égard, notons que Marcion modifiait *Mat.* 13,17. Au lieu de lire: «Beaucoup de prophètes et de justes ont désiré voir ...», il écrivait: «Beaucoup de prophètes et de justes n'ont pas vu ...». Cf. E. C. Blackman, *Marcion and his influence*, London, 1948, pp. 46. 117. Il est dès lors tout normal qu'Irénée trouve dans le premier cas le cadre qui lui permet de parler d'un «voir» Dieu déjà effectivement expérimenté par les Anciens, possibilité qui ne lui est, en revanche, pas offerte dans le second cas.

A remarquer que notre auteur peut parler tantôt d'un désir inexaucé de voir, tantôt d'un désir exaucé, sans entrer en contradiction avec lui-même, puisque cet exaucement du désir est, comme nous l'avons vu et que nous le verrons encore, «prophétique».

[156] *AH*.IV.7,1 / SC.456,5–7.

Ce texte est tissé de réminiscences scripturaires empruntées à *Jn* 8,56, qui domine cette réflexion sur Abraham, et à l'ensemble lucanien rapporté à la suite de notre passage:

Le *concupivit ... videre* pourrait se rattacher à la clause de *Jn* 8,56: ἵνα ἴδη τὴν ἡμέραν τὴν ἐμήν; iil se rattache encore certainement à *Lc* 2,8 où il est question des Bergers, φυλάσσοντες (remarquons le jeu de mots d'Irénée), de même qu'à *Lc* 2,25b: προσδεχόμενος παράκλησιν τοῦ Ἰσραήλ.

Le *uti et ipse complecteretur Christum* vient de *Lc* 2,28: καὶ αὐτὸς ἐδέξατο αὐτὸ εἰς τὰς ἀγκάλας.

Le *eam diem* vient de Jean. L'*adventus* dont il est question un peu plus haut est probablement inspiré de la venue de Jésus dans le Temple (= *Lc*). Un peu plus loin, notre auteur réunira les deux expressions: *dies adventus*, qu'il placera entre les citations de *Luc* et de Jean. Le *videns* vient de Jean et de *Lc* 2,30 cité ici: ὅτι εἶδον οἱ ὀφθαλμοί μου τὸ Σωτήριόν σου ...

Per Spiritum prophetice: nous avons en l'occurrence une doctrine habituelle d'Irénée qui, à première vue, ne semble pas ici être mise en rapport avec *Lc* 2,26, puisque ce texte n'est pas mentionné. En *AH*.III.16,4, cependant, ce passage est rapporté et mis explicitement en relation avec Siméon encore membre de l'ancienne Alliance, plus précisément avec la connaissance anticipée qu'il ne verrait pas la mort avant d'avoir vu le Seigneur de ses yeux. Il se pourrait donc bien qu'Irénée pense ici à ce texte sans pourtant le dire explicitement.

L'*exsultavit* vient de Jean et de *Lc* 1,46–47 rapporté ici.

de *Gen.* 15,5 et de *Phil.* 2,15[157], il faut comprendre que, d'après Irénée, la foi d'Abraham ne porte pas sur l'acquisition, malgré son âge avancé, d'une postérité purement charnelle issue d'Isaac[157a], mais sur le don d'une descendance qui sera lumière pour le monde, c'est-à-dire d'une descendance qui laissera luire la «lumière» (*Lc.* 2,32) qu'est «le Fils de Dieu (venu) parmi les hommes»[158] ou encore «fait visible et palpable»[159], «lumière» dont elle s'emparera par le «voir» croyant[160] ou par la foi qui voit[161].

C'est pour avoir été instruit en ce sens et avoir cru, qu'Abraham abandonne «toute parenté terrestre» et suit le Verbe, «afin de devenir concitoyen du Verbe». Il en est de même des Apôtres, ces descendants d'Abraham: ils laissent là leur barque et leur père et suivent le Verbe (cf. *Mat.* 4,22). Ayant la même foi qu'Abraham, nous, qui sommes aussi de l'Eglise, nous nous renions nous-mêmes en prenant notre Croix et nous suivons le Verbe (cf. *Mat.* 16,24)[162].

Avec cette allusion à notre Croix, Irénée passe à l'épisode de l'immolation d'Isaac (cf. *Gen.* 22,1–18) qui va lui permettre de faire un pas de plus: suivant dans sa foi le commandement du Verbe, Abraham cède avec empressement son fils unique et bien-aimé, sa descendance de chair, en sacrifice à Dieu, afin que Dieu livre le sien en faveur de toute sa postérité. Puis, il enchaîne:

«Et, comme Abraham était prophète et qu'il voyait (*videret* ** ἰδών) par l'Esprit le jour de la venue du Seigneur et l'‹économie› de sa Passion …, il tressaillit d'une grande joie»[163].

---

[157] En *AH.*IV.7,3, Irénée intercalera encore entre ces deux textes *Mat.* 5,14: «Vous êtes la lumière du monde».

[157a] Selon A. Rousseau, Irénée excluerait ici «la multiplication numérique de la postérité d'Abraham» SC.210, p. 263.

[158] Cf. *AH.*IV.7,1 / SC.454,3–456,4.

[159] Cf. *AH.*IV.7,2 / SC.458,28.

[160] Cf. *AH.*IV.7,1 / SC.456,18.

[161] Cf. *AH.*IV.7,3 / SC.460. – Dans l'*Epideixis*, notre auteur écrit: «Il (le Seigneur) accomplit donc aussi la promesse qu'il avait faite à Abraham, selon laquelle Dieu lui avait promis de faire sa postérité comme étoiles du ciel (cf. *Gen.* 15,5); car (c'est) ce qu'a fait le Christ en naissant de la Vierge qui tenait sa descendance d'Abraham, en établissant (comme) lumières dans le monde (cf. *Phil.* 2,15; *Mat.* 5,14) ceux qui croient en lui, en justifiant les gentils avec Abraham par le moyen de la même foi» *Epid.* 35 / SC.88. Cf. *AH.*III.9,1 / SC.98,12–100,17; *Epid.* 24 / SC.68. – Voir, sur cet épisode biblique, les remarques de Bouyer qui sont très proches de celles d'Irénée: L. Bouyer, *L'Eglise de Dieu. Corps du Christ et Temple de l'Esprit*, Paris, 1970, pp. 222–223.

[162] Remarquons que la clause «afin de devenir concitoyen du Verbe» n'existe pas dans le cas des Apôtres et des membres de l'Eglise. La raison de cette omission deviendra parfaitement claire par ce qui va suivre.

[163] *AH.*IV.5,5 / SC.434,74–436,78.

On aura reconnu ici un texte parallèle en substance à celui que nous nous étions proposé d'éclairer. A la lumière du contexte que nous venons de décrire, l'un et l'autre ne représentent plus de difficultés majeures d'interprétation.

A travers son acte, le patriarche est fait par l'Esprit *«concitoyen du Verbe»*, est rendu, pour ainsi dire, *contemporain du Seigneur*. Quant à la question de savoir quelle signification, quelle densité est à donner à son expérience du «voir», nous sommes autorisé à répondre ceci: l'Esprit ne lui fit pas seulement percevoir le Verbe-Fils dans les formes concrètes de sa vie d'homme souffrant et expirant sur la Croix, formes qu'il se donnera en s'unissant à la chair, en devenant «visible et palpable», mais encore *il lui fit, de manière spirituelle, plonger le regard dans l'intimité du Fils, il le fit être en Dieu*. Insistons-y. Cette interprétation est requise *par l'acte de renoncement du patriarche à son lien charnel de père à fils* présenté ici comme la vision en creux, ou comme ce qui la rend possible et l'appelle. Elle l'est encore *par la qualité* donnée à la postérité d'Abraham dont ce dernier fait lui-même partie.

A ce sujet, notons que le représentant principal de la descendance du patriarche, Siméon, est perçu ici comme celui qui voit Dieu non seulement en ce sens qu'il perçoit, de ses yeux de chair, le Fils (cf. *Lc* 2,30) donnant une forme concrète visible à son mystère par sa venue dans la chair, mais encore en ce sens que, comme croyant, il reçoit de ce Fils fait chair la possibilité d'*inventorier intérieurement le mystère filial et, ainsi, d'entrer en communion avec lui*[164].

Ailleurs[165], notre auteur considère encore le grand vieillard non seulement comme celui qui porte de ses mains et voit de ses yeux de chair Jésus, l'enfant de Marie[166], témoignant que cet homme véritable est le «Christ» en personne, mais encore comme celui qui porte et qui voit le Fils de Dieu dans un sens analogue à la vision évoquée plus haut. Il le peut par le don de l'adoption[167] reçu du «Fils de Dieu devenu Fils de l'homme»[167a].

Soulignons, pour finir, que si l'expérience d'Abraham est réelle, elle n'est que *prophétique, anticipée*. C'est de cette manière qu'elle se distingue du

---

[164] Cf. *AH*.IV.7,1–2 / SC.546–548.

[165] *AH*.III.16,4 / SC.300–304. Cf. pp. 113–114 et pp. 138–139.

[166] Rappelons que nous sommes ici dans un contexte consacré à démontrer l'unité du Christ Jésus, plus précisément à prouver que l'enfant que Siméon a porté et vu charnellement, que cet homme véritable, donc, est Dieu. Cf. pp. 113–114.

[167] Non identifiée à l'Esprit. Remarquons que, dans le texte précédent, Irénée ne mentionne pas que le «voir» de Siméon soit dû au don de l'Esprit.

[167a] Cf. *AH*.III.16,3 / SC.298,95.

«voir» de sa postérité qui fera cette expérience de ses propres yeux (cf. *Lc* 2,30[168])[169].

Ainsi donc, il est bien vrai que ce texte couvre pour l'essentiel la doctrine dégagée dans le texte précédent. De la sorte, il est permis de croire que le même enseignement se retrouve dans les deux autres passages quelque peu lapidaires que nous avons cités au début de ce paragraphe.

*   *

*

Le but de ce chapitre était de confirmer et, si possible, de préciser les données dégagées dans le chapitre précédent, en considérant de plus près les textes où notre auteur met la vision de Dieu en relation avec l'Esprit-Saint. Essayons maintenant de présenter en quelques propositions les résultats de notre recherche.

1. La vision dont ont parlé ces textes est à comprendre comme une activité d'ordre intérieur, comme un regard spirituel ayant pour objet l'Etre même de Dieu et par lequel l'homme entre personnellement en communion avec Dieu.

2. Cette vision est rendue possible par l'assimilation progressive de l'homme à Dieu effectuée par l'Esprit[170], Esprit qui habite dans l'homme,

---

[168] ... ὅτι εἶδον οἱ ὀφθαλμοί μου τὸ Σωτήριόν σου ...

[169] Nous pourrions ajouter réelle-anticipée-*partielle* parce que l'Esprit n'est pas encore, à cette étape de l'«économie», donné en plénitude – ainsi que notre auteur le répète si souvent. A notre connaissance, cependant, Irénée ne rapproche pas explicitement ce don partiel de l'Esprit de la capacité de voir dont il dote les Anciens. Cf. § 17 et la note 75 de la p. 147.

[170] Le Don de l'Esprit répandu par le Verbe-Fils incarné (cf. la note 117 de ce chapitre) a, comme fondement de la vision, une teneur polémique analogue à celle présente à l'ensemble doctrinal (grâce d'union [= Esprit] → adoption – venue du Verbe-Fils dans la chair – fondement de la vision) dont il fut question plus haut (cf. § 16): l'homme n'entre pas en possession du salut par la vision sur la base d'une «semence pneumatique» issue du Plérôme par l'entremise de «Sagesse», mais en vertu de l'œuvre spiritualisante du Πνεῦμα γέννημα du Père (cf. la note 114 de ce chapitre) donné par le Verbe fait chair.
Puisque nous en sommes à la polémique de notre auteur sur l'arrière-fond de laquelle il faut situer cet aspect de sa pneumatologie, qu'il nous soit permis de relever encore les deux points suivants: 1. L'Esprit étend sa puissance spiritualisante à l'homme tout entier, à l'âme comme au corps (cf. le quatrième point de cette conclusion et la note 116 de ce chapitre; sur le thème de la force de l'Esprit capable de saisir la chair, cf. *AH*.II.19,6 / Hv 320; *AH*.V.9,2 / SC.110–112; etc.) pour l'entraîner comme tel dans le salut. Cette donnée doctrinale vise et fait éclater les cloisons étanches mises entre les éléments «pneumatique», «psychique» et «hylique» (cf. *AH*.I.4,5–5,1 / Hv 39–42; *AH*.I.5,5ss / Hv 49ss; *AH*.I.7,5 / Hv 65; *AH*.II.29,3 / Hv 360) qui condamnaient l'âme et la chair à demeurer en dehors du salut (cf. *AH*.I.7,1 / Hv 59; *AH*.I.7,5 / Hv 64–66); H.-J. Jaschke parle en l'occurrence de l'Esprit «der nicht wie der Same in der Sonderung der Substanzen verbleibt, sondern die Macht hat, den Menschen umzuformen ...» *Der*

d'une certaine manière d'abord (= Ancien Testament)[171], comme
«arrhes» (cf. *Eph.* 1,13–14; *I Cor.* 13,9; etc.) ensuite (= Nouveau
Testament) et, enfin, en plénitude (= «Royaume du Fils»).

3. C'est Dieu, c'est-à-dire tantôt le Fils, tantôt le Fils et, en lui, le Père,
que l'Esprit fait voir aux Anciens de manière réelle-anticipée et partielle[172], les prédisposant ainsi à leur vocation à venir. C'est surtout le
Verbe-Fils que l'Esprit fait voir de façon réelle-actuelle et parfaite aux
membres de l'Alliance nouvelle. Cette expérience peut être remplacée
par la foi au Fils, lorsqu'elle est observée à partir de la vision, plus
parfaite encore, du Fils et, en lui, du Père, dont ils jouiront dans le
«Royaume». C'est ainsi qu'ils seront préparés à expérimenter la vision
immédiate du Père[172a].

4. L'homme qui jouit de cette vision est l'homme intégral, corps et âme.
C'est comme tel qu'il voit ici-bas et qu'il verra dans l'au-delà où il
revivra, par la plénitude et la puissance de l'Esprit, dans la totalité de son
être[173].

Heilige Geist ..., p. 304. Voir les pp. 304–316 de cet ouvrage; 2. l'Esprit ne déploie sa
force transformatrice qu'en ceux qui, de peur de s'exclure du dessein bienveillant de
Dieu, conforment ou ajustent leur vie à ce dessein (textes ici innombrables). Cet
ensemble doctrinal réfute la thèse, surtout valentinienne, de l'accès au salut infaillible,
automatique, des «pneumatiques» de «nature», et cela au delà de la vie morale (cette
thèse était souvent traduite dans les faits par une vie de débauche effrénée à laquelle
Irénée fait sans doute allusion en *AH*.V.8,2, par exemple – voir, sur ce point, les remarques éclairantes de H.-C. Puech, *La gnose* ..., p. 106 et de H.-J. Jaschke, *Pneuma und Moral*
..., pp. 241–252). Cf. *AH*.I.6,2 / Hv 54; *AH*.I.6,4 / Hv 57; *AH*.I.6,5 / Hv 58; *AH*.II.19,2
/ Hv 317; voir: H.-J. Jaschke, *Der Heilige Geist* ..., pp. 316–322; Id., *Pneuma und Moral* ...,
pp. 252–256.

[171] Cf. p. 147, note 75.

[172] Rappelons que l'Esprit met aussi les Anciens (= Abraham) en présence du Verbe-Fils
manifesté, venant dans la chair (= vue). Nous avons souligné ailleurs l'importance et le
sens de cette vue (cf. p. 129). Nous pourrions dire que l'Esprit poursuit ce rôle à l'étape
du «Royaume du Fils» et ressuscitant les justes de l'ancienne Alliance et les chrétiens
dans leur chair, en leur aisant voir le Seigneur de leurs yeux de chair. Cf. *AH*.IV.20,9 et
AH.IV.20,10 cités tour à tour à la p. 159 et à la note 142 de la p. 164. Voir, en outre, la
note 73 de la p. 147.

[172a] L'œuvre de l'Esprit est d'identifier l'homme au Verbe-Fils afin qu'il puisse voir le Fils
et, en lui, le Père. Mais c'est le Fils qui conduit l'homme à la vision immédiate du Père.
Cf. *AH*.V.36,2 / SC.460; et encore: *AH*.IV.37,7 / SC.942; *AH*.IV.38,3 / SC.954–956.
Voir p. 163, note 139.

[173] Dans son traité *Sur le Saint-Esprit*, Basile de Césarée revient à plus d'un endroit sur le
sujet que nous avons abordé dans ce chapitre. Entre bien d'autres textes, voir: IX.
23/328; XIV. 33/362; XV. 35/370; XVI. 38/382; XVIII. 47/412; XXI. 52/456; XXII.
53/440–442; XXVI. 64/476; et la *Lettre* 226,3 dans *PG* 32, 849A. Il serait intéressant et
sans doute éclairant de comparer la doctrine de Basile à celle d'Irénée. Cependant, pour
mener cette entreprise à bonne fin, il faudrait d'abord se livrer à un travail minutieux
d'analyse littéraire (structures de l'œuvre, etc., etc.). Il faudrait ensuite étudier les emprunts de Basile à la philosophie ambiante, plus précisément à la philosophie platoni-
sante. Or, il va de soi que ce travail ne peut être mené dans le cadre de cette note. Sans

Ces conclusions recoupent donc celles du chapitre précédent, étant sauf ce qui a trait au fondement de la vision s'effectuant dans les temps de l'accomplissement. En effet, tandis qu'il fut auparavant question du don d'assimilation progressive (= adoption)[174] de l'homme à Dieu octroyé par la manifestation-union du Verbe-Fils à la chair, il est ici question de l'Esprit répandu par le Verbe incarné. Il est probable, sinon certain, qu'Irénée utilise en l'occurence deux schémas: *I*: Chaque étape de l'«économie»: 1. l'Ancien Testament; 2. le Nouveau Testament et le «Royaume du Fils»; 3. le Royaume du Père, est confiée à un des membres de la Trinité: 1. l'Esprit; 2. le Fils; 3. le Père[175], dont le rôle est de préparer l'homme, en chacune de ces étapes, à la vision d'un membre de la Trinité. C'est ainsi que l'Esprit exerce les Anciens – et en eux les hommes de l'avenir – à la vision du Fils. C'est encore ainsi que le Fils se fait voir lui-même[176] des membres de l'Alliance nouvelle, auxquels

---

vouloir déterminer à l'avance les résultats d'une telle étude que nous aimerions faire un jour, il nous semble que, entre bien d'autres choses, elle placerait dans un relief accru l'attention qu'Irénée porte à un voir spirituel-*charnel*, à un voir dont le sujet est l'homme *corps et âme* (pour Basile, c'est l'âme (ψυχή), la partie haute de l'âme (νοῦς) qui est le sujet de la vision dans l'Esprit), ainsi que l'insistance de Basile sur la possibilité pour l'âme de «contempler l'Esprit» (doctrine pratiquement étrangère à Irénée, même si nous possédons l'un ou l'autre textes qui pourraient s'interpréter dans ce sens: cf. *AH*.IV.20,6 / SC.642; *Epid.* 49 / SC.110).

[174] Voir, entre autres, l'exemple particulièrement éloquent que nous trouvons en *AH*.III.16,4 (cf. p. 138 et la note 36).

[175] Cf. *AH*.IV.20,5 / SC.638.

[176] Irénée brise cette ligne en affirmant, sous l'inspiration de *Mat.* 16,17 (cf. *AH*.III.6,2 / SC.70,47; *AH*.III.13,2 / SC.254,35–37; *AH*.III.18,4 / SC.352,77–78; *AH*.III.19,2 / SC.374,30–376,31), que c'est par le Père, ou grâce à son instruction, à son assistance d'ordre intérieur, que l'homme aimant peut connaître le Fils – entendons: d'un savoir résultat de la communion intérieure à son mystère filial – ou le voir. A cet égard, citons ce texte clair à souhait:

«De son côté, le Père donne la connaissance de son Fils, par ce Fils même . . .

Cf. *AH*.IV.6,7 / SC.452,129–454,130: *Agnitio Filii (a: ira) Patre et per Filium revelata*. Nous croyons que cette formule est à interpréter de façon différente du présent texte, et cela comme suit: le Père révèle le Fils en tant que ce dernier se manifeste lui-même comme *envoyé par le Père* (cf. *AH*.IV.6,3 et le § 11 de ce travail).

. . . à ceux qui l'aiment».

Remarquons que les sujets de cette révélation ne sont pas – comme c'est le cas pour la révélation-manifestation du Père invisible dont il est question quelques lignes plus haut – *tous* les hommes, mais exclusivement «*ceux qui aiment (le Fils)*».

«C'est pour l'avoir appris du Père que Nathanaël le connut . . .

L'instruction de Nathanaël par le Père ne se trouve pas mentionnée dans l'épisode tiré du IVième Evangile auquel Irénée fait ici allusion. Comment dès lors l'expliquer? Nathanaël et Pierre étant réunis par une confession de foi identique, il se pourrait que notre auteur applique spontanément à celui-là ce qui est dit de celui-ci en *Mat.* 16,17, ou qu'il pense tout simplement à des textes johanniques comme *Jn* 5,32; 5,37; 6,44; 8,54; 14,10c;

viendront s'adjoindre les Anciens dans le «Royaume», pour les disposer à la vision immédiate du Père dans son Royaume.

II: L'Esprit est à l'œuvre tout au long de l'«économie» pour rendre l'homme capable de voir Dieu selon les divers modes décrits plus haut. Il fait voir le Fils et, en lui, le Père, jusqu'au moment où l'homme sera assez mûr pour voir le Père comme le Fils le voit, c'est-à-dire de manière immédiate[177].

Il s'ensuit que l'on ne peut dire indifféremment: la vision du Fils dans les derniers temps est effectuée par l'Esprit. Il y a des textes qui autorisent une telle affirmation, d'autres qui ne l'autorisent pas. C'était également pour rendre compte de cet état de choses que nous avons consacré au binôme: Esprit-vision un chapitre à part.

Ceci dit, le second schéma ne serait-il pas le dernier mot d'Irénée sur notre question? La place que notre auteur attribue, en général, à l'Esprit dans la réalisation du dessein salvifique de Dieu de même que la clarté et le nombre imposant de textes allant en ce sens ne défendraient pas de le penser.

* *
*

Cette étude terminée, nous pouvons revenir à l'idée évoquée à la fin de notre recherche sur la manifestation de Dieu. L'incarnation du Verbe-Fils est une manifestation de Dieu, entendons, cette fois, un dévoilement intérieur du mystère divin, en tant qu'elle implique une transformation de la chair objectivée dans le don de l'adoption et de l'Esprit qui permet à tout homme qui croit et qui aime d'avoir accès, de participer, de communier au mystère divin.

Cet ensemble fait partie du concept irénéen de la manifestation de Dieu à l'homme. Il devrait être obligatoirement envisagé dans une étude de la manifestation menée indépendamment de la vision.

etc. Avouons cependant que la probabilité de cette seconde hypothèse est assez mince, puisqu'à notre connaissance aucun de ces textes n'est cité explicitement ni dans l'*Adversus Haereses,* ni dans l'*Epideixis.*

... lui à qui le Seigneur rendit ce témoignage qu'il était ‹un véritable Israélite en qui il n'y avait pas de fraude› (*Jn* 1,47). Cet Israélite connut son Roi, et il lui dit: ‹Rabbi, tu es le Fils de Dieu, tu es le Roi d'Israël› (*Jn* 1,49). C'est aussi pour l'avoir appris du Père (cf. *Mat.* 16,17) que Pierre connut ‹le Christ, le Fils du Dieu vivant› (*Mat.* 16,16), de ce Dieu qui disait: ‹Voici mon Fils bien – aimé, en qui je me suis complu ...› (*Mat.* 12,18–21; cf. *Is.* 42,1–4 et *Mat.* 17,5 et parall.)» *AH*.III.11,6 / SC.156,136–144.

[177] A la lumière de ces schémas, il faudrait, en raison du contexte élargi (*per Sapientiam Dei* (cf. § 19, Art. 1) *in novissimis temporibus* (= Nouveau Testament et «Royaume du Fils») *videbit homo in altitudine petrae* ... *AH*.IV.20,9 / SC.654,230–232), situer un texte comme *AH*.IV.20,7 dans le chapitre consacré à l'étude de la vision dans la sphère de la pneumatologie, tandis que des textes comme *AH*.IV.5,5 et 7,1 (cf. *AH*.III.16,4 et le § 16) et *AH*.IV.20,5 seraient à reporter dans le chapitre précédent. Nous nous sommes permis de sortir de ce cadre pour les raisons présentées ailleurs.

CONCLUSION

Saint Irénée de Lyon parle d'une manifestation (φανέρωσις) et d'une vision (ὅρασις) de Dieu[1]. Qu'est-ce à dire? C'est à cette question que ce travail se proposait de répondre[1a].

Puisque nous avons pris soin de clore chaque étape importante de notre recherche par une conclusion élaborée des données dégagées en cours de route, nous nous contenterons, dans ces pages, d'en relever les plus importantes. Nous essayerons, en outre, de mettre en relief le dynamisme qui les sous-tend.

I. *Voir* Dieu équivaut, pour Irénée, à une *activité d'ordre intérieur, spirituel,* par laquelle l'homme – entendons, l'homme intégral – *accède, participe, communie au mystère de Dieu.*

Voir *Dieu*, pense encore notre auteur, c'est voir *directement le Visage du propre Verbe-Fils de Dieu;* c'est aussi voir, *en Lui, la Face du Père;* c'est finalement voir, avec le Fils et comme le Fils, *la Face du Père de manière immédiate.* Avec cette donnée, nous touchons à un point fondamental de la réflexion irénéenne sur le thème étudié. Nous pourrions même dire qu'en elle, nous avons le courant de fond qui l'anime.

---

[1] Paul Evdokimov écrit: «On considère habituellement que dans l'hellénisme le vu prédomine sur l'entendu et que chez les Hébreux c'est l'entendu qui prime. Israël est le peuple de la parole et de l'écoute. Mais le théologien protestant G. Kittel note que dans les textes messianiques l'«Ecoute, Israël» fait place au «Lève les yeux, et vois», l'audition le cède à la vision. Le Seigneur transfiguré s'entoure de Moïse et d'Elie car ils sont justement les grands visionnaires de l'Ancien Testament. «Bienheureux les cœurs purs, car ils verront Dieu» et saint Etienne voit le ciel ouvert à l'instant de son martyre. L'apocalypse des évangiles et celui de saint Jean parlent de l'ultime, de l'*eschaton*; à ce niveau on sent l'impuissance de la parole seule, et c'est pourquoi elle s'achève dans une immense vision éclatante de formes et de couleurs qui parlent à leur propre manière, plastique. A l'angoisse de Job, Dieu répond par une succession massive d'images qui révèlent et en même temps protègent son mystère, et Job confesse: «Mon oreille avait entendu parler de toi, mais maintenant mon œil a vu!» Dans la Bible, la parole et l'image dialoguent, s'appellent l'une l'autre, expriment les aspects complémentaires de la même et unique Révélation» P. Evdokimov, *L'art de l'icône. Théologie de la beauté*, Bruges, 1970, p. 36. Contrairement à l'impression que pourrait peut-être laisser notre travail, l'évêque de Lyon s'efforce, lui aussi, de garder un juste équilibre entre apparition-vision et parole-audition. Au fond de ces réalités, ne s'agit-il pas pour lui, comme pour l'Ecriture, des relations personnelles entre Dieu et l'homme? Or, qui dit relations de cet ordre, dit certes présence, mais également échanges. Pour illustrer cela brièvement, rappelons un texte déjà cité que nous avions amputé pour les besoins de la cause: «C'est par (l')Esprit que nous voyons, entendons et parlons» (*AH*.V.20,2 / SC.260,59–60).

[1a] Voir l'*APPENDICE II.*

C'est pourquoi, il est permis d'affirmer que l'un des moments capitaux de l'activité théologique d'Irénée est de se pencher sur les relations de l'homme avec le Père, et, en définitive, sur «le mystère du Père» lui-même – pour reprendre le titre d'un ouvrage récent tout imprégné du témoignage de la foi de l'évêque de Lyon[2]. Soit! dira-t-on. Mais comment se fait-il que les questions d'ordre christologique occupent, dans l'*Adversus Haereses,* par exemple, une place si importante – pour ne pas dire toute la place?

A cette question, nous pourrions répondre: aux yeux d'Irénée, le Père ne peut être placé au couronnement comme, du reste, au fondement de l'«édifice du salut» que si l'Artisan immédiat de ce dessein est Jésus Christ, c'est-à-dire le propre Verbe-Fils du Père uni réellement à notre substance plasmatique. Sans cette christologie radicalement refusée par les ptoléméens, par exemple, le Père ne peut s'approcher de l'homme et l'homme ne peut s'approcher du Père.

Et ceci nous amène au fondement de la vision: Si l'homme peut grandir, croître jusqu'à faire l'expérience de la vision immédiate du Père, il ne le doit pas à lui-même, à ses propres forces; entre Dieu et la créature, en effet, il y a une distance infinie (cf. *Ex.* 33,20b). Cette distance demeure-rait à jamais infranchissable si Dieu, poussé par son amour, ne prenait lui-même en main le soin de réaliser l'impossible (cf. *Lc* 18,27; *Lc* 1,34.37), c'est-à-dire de *faire* de son «plasma» *son semblable,* de *l'élever,* en quelque sorte, *à son niveau.* Il le fait en envoyant son propre Fils dans la chair, venue qui dote l'homme de *l'adoption* ou du *don de l'Esprit.* Pour voir Dieu, l'homme n'aura qu'à s'ouvrir, dans sa liberté, à ces dons de Dieu et à les sanctionner par une vie qui leur soit conforme[3].

II. De ce point de vue, l'incarnation du Verbe-Fils est une manifestation de Dieu, en ce sens qu'elle est *ce par quoi* l'homme peut voir Dieu, être introduit dans son mystère. C'est même là son sens ultime.

Mais la chair-vie humaine du Verbe-Fils est encore une manifestation-vi-sibilité de Dieu en ce sens que, comme *réalité concrète,* elle confère *une forme, un aspect concret* à l'Etre même de Dieu, du Verbe-Fils et, en Lui, du Père. Envisagée par rapport à ce que nous disions dans l'alinéa précédent, cette apparition de Dieu est comme le premier temps du projet divin d'attirer

---

[2] M.-J. Le Guillou, *Le mystère du Père* (coll. le Signe), Paris, 1973.

[3] Nous trouvons l'écho de cet ensemble doctrinal chez J. Ratzinger, sauf que, pour l'évêque de Lyon, le «gottähnlich werden» dont parle notre auteur prend d'abord racine dans l'œuvre de Dieu accueillie par l'homme, à savoir le don de l'adoption ou celui de l'Esprit Saint: «In der Tat kann man eben Gott nicht sehen so wie man einen Apfelbaum oder eine Lichtreklame sieht, einfach auswendig und ohne inneren Einsatz. Man kann ihn nur sehen, indem man selbst *gottähnlich wird,* indem man *auf die Ebene kommt, auf der er ist,* also – indem man *frei wird vom Widergöttlichen:* von der Jagd nach Lust, nach Vergnü-gen, nach Besitz, nach Gewinn, *frei wird von sich selbst* ...» J. Ratzinger, *Dogma und Verkündigung,* München–Freiburg i. Breisgau, 1973, p. 377. C'est nous qui soulignons.

l'homme en lui, premier temps nécessaire – s'il en est –, puisque, pour se laisser (foi et amour) ravir en Dieu, l'homme, tout homme, devait *comme homme* connaître Dieu, être mis en sa présence, pouvoir le voir de ses yeux[4].

III. Cette doctrine d'Irénée a un vis-à-vis: elle est conçue en opposition aux systèmes gnostiques, avant tout celui des ptoléméens.

Selon ces hérétiques, en effet, l'homme – ici le νοῦς – *ne pouvait avoir accès* (= vision) au *«Père» suprême* du Plérôme; ce dernier lui demeurait «inconnaissable-invisible» (cf. *Ex.* 33,20b). Seul, ce qui était visible – «saisissable» dans le «Père», à savoir le «Monogène», lui était accessible. C'est dans cet éloignement ou dans la «gnose» du «Père inconnaissable-invisible» – «gnose» qu'il *détenait de sa «nature pneumatique»* (= «formation selon la substance») informée par le message du «Christ» d'en-haut (= «formation selon la gnose») – que résidait son salut.

Logiquement avec cette doctrine, la venue du «Christ» d'en-haut – ici Eon distinct du «Monogène» qui ne sortait pas du Plérôme – ne consistait qu'en une *descente* (→ *remontée*) *sur* le «Jésus» psychique pour *annoncer* (= parole) le «Père invisible-inconnaissable» (cf. *Mat.* 11,27b)[5].

En présence d'un tel système, il apparaît clairement que le sens de l'opposition d'Irénée était de s'élever contre un Dieu qui sauve en se dérobant dans sa transcendance et, en dernière analyse, de s'élever contre un homme» qui ne voulait trouver son salut qu'en lui-même[6].

IV. Grâce à ce résumé, nous pouvons mieux comprendre qu'Irénée, comme homme du «voir», est celui *qui s'est trouvé en présence de Dieu, en présence de son apparition effective,* observée ici, puisqu'il s'agit du théologien, dans le monde et dans l'Ecriture transmise par et dans l'Eglise[7]. Par son œuvre, plus précisément par la stucture de l'*Adversus Haereses*, il *a fait resplendir cette gloire divine* pour *disposer,* ainsi, *ses frères à la vision.*

---

[4] «Mitten in der Ästhetik hat ... die ‹theologische Dramatik› schon begonnen. In der ‹Erblickung› – so sagten wir dies – lag immer schon die ‹Entrückung›. Aber das war noch innerästhetisch gesprochen. Nun geht es darum, den Begegnenden seine eigene Sprache zu lassen, oder besser: uns von ihm in seine Dramatik hineinnehmen zu lassen. Gottes Offenbarung ist ja kein Gegenstand zum Anschauen, sondern ist sein Handeln in und an der Welt, das von der Welt nur handelnd beantwortet und so ‹verstanden› werden kann» H. U. von Balthasar, *Theodramatik.* I. *Prolegomena,* Einsiedeln, 1973, p. 15. Sans vouloir faire de fausses associations, il nous semble que cet effort de Balthasar en vue de tirer les joints entre son esthétique théologique et sa théodramatique n'est pas sans recouper en substance la pensée irénéenne.

[5] Pour une bonne description des mondes de pensée propres aux valentiniens et à Irénée, voir N. Brox, *Suchen und Finden. Zur Nachgeschichte von Mt 7,7b / Lk 11,9b,* dans *Orientierung an Jesus. Zur Theologie der Synoptiker. Für Josef Schmid* (publié par P. Hoffmann – N. Brox – W. Pesch), Freiburg–Basel–Wien, 1973, p. 27.

[6] Cf. § 9, Art. 2, A et B.

[7] Comme tout, elle laisse éclater l'*εἰκών du Roi, c'est-à-dire du Christ Jésus. Cf. *AH.*I.8,1 / Hv 66–68 et la note 4 de la p. 20.

Cela explique sans doute l'espèce de fascination exercée par l'évêque des Gaules sur des générations de chrétiens. Cela explique aussi l'impossibilité qu'éprouve son lecteur de demeurer indifférent face à l'amour insondable de Dieu pour l'homme, son frêle «plasma».

APPENDICE I

IRÉNÉE N'EST-IL QU'UN VULGAIRE PLAGIAIRE?

Qu'Irénée ait puisé à grandes brassées dans le trésor de la Tradition, dans la pensée de ses pères dans la «foi», non seulement nous n'avons pas envie de le nier ou de le dissimuler, mais encore nous l'estimons tout à fait normal. Bien plus, nous croyons qu'il y avait là une nécessité de nature. Nous faisons ici allusion à un phénomène débordant largement les simples habitudes de composer en vogue au IIe siècle. Nous pensons notamment à l'idée que notre docteur se faisait de l'Eglise et du rôle qui, en conséquence, incombait au théologien.

Irénée percevait en effet l'Eglise comme une communauté de foi conduite par l'Esprit vers la vérité tout entière. Comme telle, il la retrouvait dans l'enseignement de ses devanciers, dont faisaient partie aussi bien les chrétiens postérieurs à l'âge apostolique que les prophètes et les Apôtres. C'est dire qu'à ses yeux, l'Eglise possédait *une grandeur qui dépassait le théologien individuel,* la grandeur, en définitive, de Dieu lui-même dépassant l'homme.

De là, il devient clair qu'Irénée ne pouvait théologiser *qu'en s'inscrivant,* comme par un réflexe spontané, *dans le mystère de l'Eglise.* Servir l'Eglise, à un moment crucial de son existence, c'était pour lui *s'abandonner* – cela, sans vergogne, tout naturellement – *au reflux des «eaux vives»;* plus précisément, c'était *remonter aux sources jaillissantes de la Tradition.*

Qui niera que l'évêque de Lyon reçut ainsi les traits qui le distinguent d'un Justin, d'un Théophile, d'un Ignace d'Antioche? Autrement dit, *en se perdant* dans l'Eglise, le théologien *s'est retrouvé,* il *est devenu lui-même.* Plus encore. *En disparaissant* derrière elle, Irénée est devenu pour elle l'artisan d'une *nouvelle* prise de conscience de son propre mystère, nouveauté destinée à supplanter celle proclamée par les savants gnostiques qui s'étaient placés d'emblée au-dessus de l'Eglise et, finalement, au-dessus de Dieu.

Que Loofs se soit autorisé de l'usage que l'évêque des Gaules fit de ses devanciers dans la «foi» pour l'amoindrir – il n'avait, du reste, jamais voulu reconnaître sa grandeur: «Irenaeus ist als theologischer Schriftsteller viel *kleiner* gewesen ...» –, révèle non seulement une totale incompréhension de celui qui concevait son service d'Eglise justement en s'effaçant derrière elle, mais dénote encore une ecclésiologie qui n'est ni celle d'Irénée, ni celle d'un théologien digne de ce nom.

APPENDICE II

NOTE SUR LA RÉVÉLATION ET LA CONNAISSANCE DE DIEU PAR LA CREATION

Puisque nous nous sommes situé d'emblée, dans ce travail, au plan de la manifestation (*manifes*tatio ** φανέρωσις) et de la vision (*visio* ** ὅρασις) de Dieu, nous n'avons pas pu étudier la révélation (*ostensio*)[1] de Dieu par ou à travers l'univers créé, ni la connaissance (*agnitio*) qui en résulte.

Avant de nous attacher à en esquisser la définition, nous voudrions faire quelques remarques qui seront de nature à la mieux fonder et à l'éclairer.

1. Les gnostiques distinguaient entre le «Démiurge» créateur et le «Père» suprême du Plérôme. L'un était connu, l'autre inconnaissable.

Irénée répond en substance[2]: Si le Dieu Créateur laisse transparaître quelque chose de lui-même à travers la création, nul ne peut se vanter de «connaître ou de concevoir en son cœur un Dieu si grand». En fait, le mystère intime de Dieu échappe aux prises de l'homme[3]. Le Créateur connu est donc aussi le Père inconnaissable.

La souveraineté et la providence du Père transcendant sont révélées concrètement par le Verbe-Fils du Père, le même qui, à la fin, se fera chair, se manifestera lui-même et manifestera, en lui, le Père[4].

La révélation de Dieu par la création est donc placée comme à la base d'un cône dont la pointe est le Verbe-Fils manifesté se révélant lui-même et révélant son Père. Un texte comme *AH*. IV. 6,6[5] autorise cette affirmation.

Cela est si vrai que notre auteur part souvent de la pointe du cône, c'est-à-dire du Verbe-Fils manifesté, pour démontrer[6] que le Dieu de l'Alliance est aussi le Créateur de l'univers[7] ou qu'il est en toute vérité celui-là pour la raison qu'il est celui-ci. Penser autrement serait adhérer aux inventions délirantes des soi-disant penseurs gnostiques.

Qu'il en soit ainsi, il n'y a pas lieu de s'étonner. Que l'on songe qu'Irénée

---

[1] Ce terme n'est pas technique. Nous le relevons en référence à *AH*.IV.20,7 où Irénée place côte à côte l'*ostensio per conditionem* et la *manifestatio Patris per Verbum* (SC.648,181–182. 183–184).

[2] Cf. *AH*.II.6,1–2 / Hv 263–264; *AH*.III.25,1 / SC.478–480; *AH*.IV.20,1 / SC.624; *AH*.IV.20,4 / SC.634; etc.

[3] Cf. *AH*.IV.19,2–3 / SC.618–622, un des plus beaux textes qu'Irénée ait écrit.

[4] Cf. *AH*.IV.20,4 / SC.634.

[5] SC.448.

[6] Irénée vise alors la théorie gnostique déjà connue selon laquelle le «Père» annoncé par le «Christ» serait distinct du Créateur de l'univers. La même erreur vaut, *mutatis mutandis*, pour le Verbe-Fils du Père.

[7] Un grand nombre de textes auxquels nous faisons ici allusion se trouvent présentés et analysés dans ce travail.

ne voulait être que l'interprète fidèle de la tradition scripturaire: comme les grands prophètes et les écrivaints sacrés du Nouveau Testament, notamment Jean, il a réfléchi sur le Dieu Créateur à partir du Dieu de l'Alliance, du Dieu manifesté dans le Christ Jésus. Que l'on songe aussi que notre auteur se trouvait aux prises avec l'hérésie gnostique qui niait que le Sauveur soit aussi le Créateur[8].

2. A partir de cette révélation, tout homme de bonne volonté[9] peut jouir de la connaissance de Dieu[10]. Peut-on dire, comme le veulent certains auteurs[11], que cette connaissance de Dieu est naturelle, c'est-à-dire attribuable uniquement à la raison? Autrement dit, l'homme est-il capable de saisir, à la seule lumière de sa raison, le témoignage que le monde créé donne de Dieu? Nous ne le croyons pas[12], et cela pour deux raisons. D'abord, cette connaissance est due au Logos qui conduit le monde et qui pénètre l'esprit humain[13] de son influx. En outre, ce Verbe est celui-là même qui se fera chair. Pour Irénée, le Verbe Créateur est de fait indissociable du Verbe Sauveur[14].

[8] Ce fut le mérite incontestable de l'évêque de Lyon de saisir la portée dévastatrice de cette erreur pour la «foi» de l'Eglise. Sur ce point, il peut être une lumière pour le théologien moderne qui se voit placé en face de courants de pensée qui, au nom d'un nouveau dieu et d'une nouvelle herméneutique du monde (= révolution → dieu du salut), mettent à la base de leur système la négation libératrice de l'ontologie d'hier et d'aujourd'hui et de son fondement, le Dieu ancien, le Créateur de l'univers. Pour pouvoir faire toutes choses nouvelles, il faut, proclament-ils, libérer les êtres et les choses de tous les sens qui ne sont, en fait, que des contresens. Voir, par exemple, E. Bloch, *Das Prinzip Hoffnung*, Frankfurt am Main, 1959, passim; E. Bloch, *Atheismus im Christentum. Zur Religion des Exodus und des Reichs*, Frankfurt am Main, 1968, pp. 237ss.

[9] Les païens peuvent être comptés parmi ceux-là: *Et propter hoc ethnicorum quidam, qui minus illecebris ac voluptatibus servierunt et non in tantum superstitione idolorum abducti sunt* ... *AH*.III.25,1 / SC.478,7–9. Le jugement qu'Irénée porte ici sur les païens n'est pas toujours aussi bienveillant: cf. *AH*.I.22,1 / Hv 189; *AH*.II.9,2 / Hv 272; *AH*.II.14,2 / Hv 289; *AH*.II.14,4 / Hv 295; *AH*.IV.33,1 / SC.802; *AH*.V.29,1 / SC.362–364; voir: N. Brox, *Juden und Heiden bei Irenäus* dans *MTZ* 16 (1965), pp. 89–106.

[10] Nous utilisons ici l'indicatif présent pour faire suite à l'habitude d'Irénée de parler de cette révélation-connaissance *au présent*. Il veut ainsi signaler qu'elles valent pour tous les temps. Cf. les *revelat-colloquuntur-non credunt* d'*AH*.IV.6,6 et la note 60 de la p. 82; voir encore: *AH*.IV.20,1 / SC.624,56; *AH*.IV.20,6 / SC.644, 156–646,162; *AH*.IV.20,7 / SC.648,181–183; etc.

[11] Cf. H. Ziegler, *Irenäus. Der Bischof von Lyon* ..., p. 157; J. Kunze, *Die Gotteslehre des Irenäus*, Leipzig, 1891, p. 52; A. Dufourcq, *Saint Irénée* (coll. Les Saints), Paris, 1904 (2e éd.); F. Vernet, *Irénée* dans *DTC* VII, col. 2394–2533, passim; J. Lebreton, *Le dogme* ..., T. 2: *De saint Clémént* ..., pp. 527–539; J. Lebreton et J. Zeiller, *De la fin du 2ième siècle à la paix constantinienne (Histoire de l'Eglise. Depuis les origines jusqu'à nos jours,* vol. 2, publiée sous la direction de A. Fliche et V. Martin), Paris, 1948, pp. 50–53.

[12] Ce qui ne veut pas dire qu'Irénée le nierait ou s'y opposerait explicetement.

[13] Cf. *AH*.II.6,1 / Hv 264.

[14] Cf. L. Escoula, *Saint Irénée et la connaissance naturelle de Dieu*, dans *RevSR* 20 (1940), pp. 256–257; Id., *Le Verbe Sauveur et illuminateur chez saint Irénée*, dans *NRT* 66 (1939), pp. 558–561; Th.-A. Audet, *Orientations* ..., pp. 33–39.

3. Ceci nous amène à tenter une définition de la révélation et de la connaissance de Dieu par la création.

En ce qui concerne la première, nous pouvons dire qu'elle est équivalente au monde matériel dans lequel nous vivons, au tissu de notre univers et à son ordre splendide. A travers lui, apparaît le «Créateur», l'«Ordonnateur», l'«Artiste»[15], celui «qui contient toutes choses et donne l'existence à toutes»[16], l'«éminence toute-puissante et souveraine de Dieu»[17], en un mot, l'incomparable grandeur de l'Auteur du monde. Comme on l'aura sans doute remarqué, l'objet de cette révélation n'est pas le mystère même de Dieu, mais des propriétés de son mystère. Pour que le Fils et le Père se manifestent en personne, le Verbe doit se rendre lui-même visible, devenir chair[18].

En ce qui touche la seconde, il est permis de dire qu'elle est une sorte d'«intuition de l'esprit» (*intuitio mentis*), une «sensibilité» (*sensibilitas*), un savoir, donc, qui comporte certitude à l'égard de l'objet connu et soumission à lui[19].

Elle est redevable au Verbe lui-même, artisan immédiat de la souveraineté et de la providence paternelles. Plus précisément encore, le Logos planté (*infixus*)[20] dans l'intelligence (*mentibus*) meut ou éveille toutes les créatures (cf. *Mat.* 11,27) à la présence de l'Etre divin et à sa puissance qui dépasse tout entendement[21].

---

[15] *AH*.IV.6,6 / SC.448,89.90.

[16] *AH*.IV.20,6 / SC.646,161–162.

[17] *AH*.II.6,1 / Hv 263,36.

[18] C'est alors qu'il s'empare des biens de la création pour en faire l'expression même de son Visage et de celui de son Père. Cf. *AH*.III.11,5 et les pp. 78–80.

[19] *AH*.II.6,1 / Hv 263,35.

[20] Le *infixa* de Harvey (264,1) doit être remplacé par le *infixus* du manuscrit de Clermont. Cette correction permet de supposer que le terme latin *ratio* (Hv 264,1) avait comme substrat grec: λόγος.

[21] Sur les antécédents philosophiques de cette doctrine, cf. J. Ochagavía, *Visibile*..., p. 77 et surtout A. Houssiau, *L'exégèse*..., pp. 336–337.

INDEX DES AUTEURS

A. Auteurs anciens

B. Auteurs modernes

TABLE DES TEXTES D'IRÉNÉE

* Cette table ne renferme que les textes qui furent d'une importance majeure ce travail.

Die zuletzt erschienenen
Bände der MBT. Einen aus-
führlichen Prospekt über die
Reihe erhalten Sie direkt vom
Verlag Aschendorff
Postfach 1124, D 44 Münster

Münsterische Beiträge zur Theologie

27 Geschaffene und ungeschaffene Gnade. Bibeltheologische Fundierung und systematische Erörterung. Von Irene Willig. 1964, VI und 310 Seiten, kart. 40,– DM, Halbleinen 42,– DM.

28/1 Die Entfaltung der Transsubstantiationslehre bis zum Beginn der Hochscholastik. Von Hans Jorissen. 1965, XXII und 161 Seiten, kart. 23,– DM, Halbleinen 26,– DM. Als 2. Teilband ist eine Edition der wichtigsten eucharistischen Texte dieser Periode in Vorbereitung.

29 Die Frömmigkeit des Kirchenvaters Ambrosius von Mailand. Quellen und Entfaltung. Von Ernst Dassmann. 1965, XIV und 318 Seiten, kart. 46,– DM, Halbleinen 49,– DM.

30,1/2 Geschichte der Katholisch-Theologischen Fakultät Münster 1773–1964. Von Eduard Hegel.
Erster Teil. 1966, XII und 598 Seiten, 14 Abbildungen, 109 Abbildungen auf Tafeln, Leinen 120,– DM.
Zweiter Teil. 1971, VIII und 571 Seiten, 1 Falttafel, Leinen 120,– DM.

31 Die Diskussion über die klandestinen Ehen und die Einführung einer zur Gültigkeit verpflichtenden Eheschließungsform auf dem Konzil von Trient. Eine kanonistische Untersuchung. Von Reinhard Lettmann. 1967, VIII und 195 Seiten, kart. 28,– DM, Halbleinen 32,– DM.

32 Christos Didaskalos. Die Vorstellung von Christus als Lehrer in der christlichen Literatur des ersten und zweiten Jahrhunderts. Von Friedrich Normann. 1967, VIII und 192 Seiten, kart. 28,– DM, Halbleinen 32,– DM.

33 Das wahre Gesetz. Eine Untersuchung der Auffassung des Ambrosius von Mailand vom Verhältnis der beiden Testamente. Von Viktor Hahn. 1969, XX und 547 Seiten, kart. 88,– DM, Halbleinen 92,– DM.

34 Die Heilslehre des hl. Gregor von Nazianz. Von Heinz Althaus. 1972, VIII und 232 Seiten, kart. 48,– DM.

35 Politische Motive naturwissenschaftlicher Argumentation gegen Religion und Kirche im 19. Jahrhundert. Dargestellt am ‚Materialisten‘ Karl Vogt (1817–1895). Von Werner Bröker. 1973, IV und 260 Seiten, kart. 44,– DM.

36 Sündenvergebung durch Taufe, Buße und Martyrerfürbitte in den Zeugnissen frühchristlicher Frömmigkeit und Kunst. Von Ernst Dassmann. 1973, X und 494 Seiten, 51 Bildtafeln, 8 Tabellen als Beilage, kart. 98,– DM.

37 Zum Problem der Erkenntnis bei Gregor von Nyssa. Von Maria-Barbara von Stritzky. 1973, VIII und 119 Seiten, kart. 24,– DM.

38 Läuterung nach dem Tode und pneumatische Auferstehung bei Clemens von Alexandrien. Von Klaus Schmöle. 1974, VIII und 152 Seiten, kart. 38,– DM.

39 Das Problem der Gottesvorstellungen im Werk von Albert Camus. Von Gisela Linde. 1974, VI und 178 Seiten, kart. 45,– DM.

40 Der Heilige Geist im Bekenntnis der Kirche. Eine Studie zur Pneumatologie bei Irenäus von Lyon im Ausgang vom altchristlichen Glaubensbekenntnis. Von Hans-Jochen Jaschke. 1976, X und 365 Seiten, kart. 98,– DM.

Aschendorff